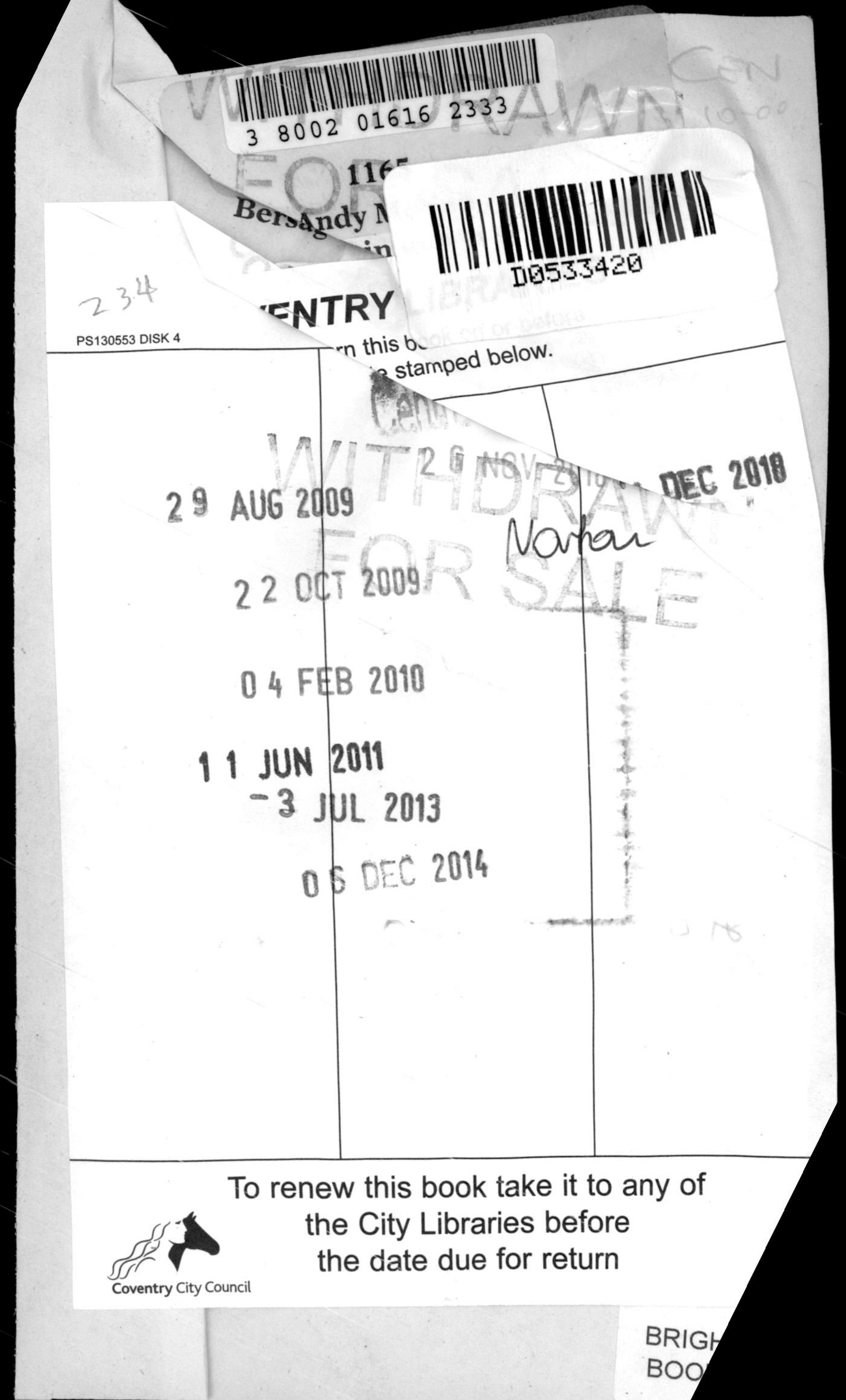
3 8002 01616 2333
D0533420
234
PS130553 DISK 4
ENTRY
stamped below.
WITHDRAWN FOR SALE
29 AUG 2009
22 OCT 2009
04 FEB 2010
11 JUN 2011
-3 JUL 2013
06 DEC 2014
DEC 2018
To renew this book take it to any of
the City Libraries before
the date due for return
Coventry City Council

Opere di Andy McNab
pubblicate in queste edi[illegible]

[illegible]
Bersaglio in [illegible]ata
Controllo a distanza
Crisi Quattro
Fuoco di copertura
Pattuglia Bravo Two Zero
Sotto tiro

ANDY McNAB

BERSAGLIO IN MOVIMENTO

Romanzo

Traduzione di
Stefano Tettamanti

TEA

TEA - Tascabili degli Editori Associati S.p.A., Milano
www.tealibri.it

Consulenza di Andrea Molinari

Edizione su licenza della Longanesi & C.

Titolo originale
Last Light

Prima edizione TEADUE maggio 2004
Seconda edizione TEADUE maggio 2006

BERSAGLIO IN MOVIMENTO

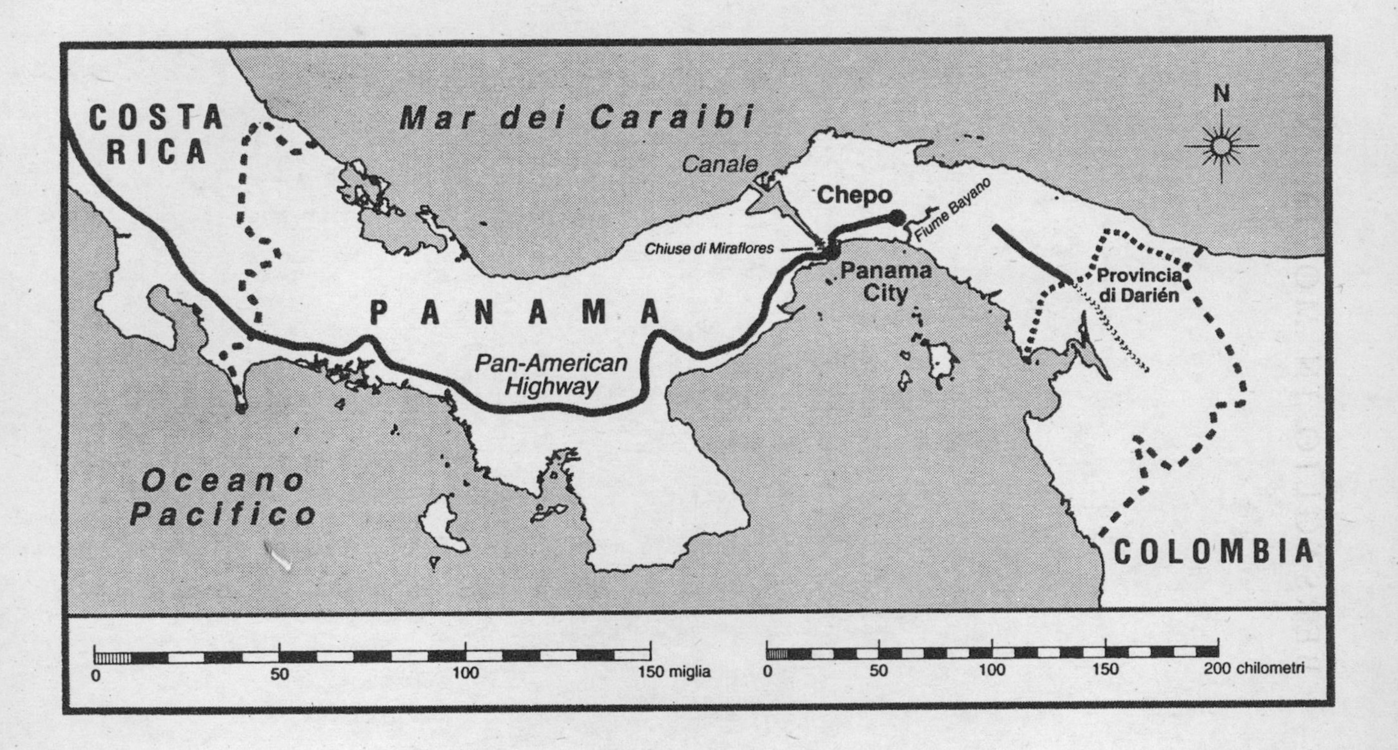
N
COSTA
RICA
Mar dei Caraibi
Canale
Chepo
Fiume Bayano
Chiuse di Miraflores
Panama
City
Provincia
di Darién
PANAMA
Pan-American
Highway
Oceano
Pacifico
COLOMBIA
0
50
100
150 miglia
0
50
100
150
200 chilometri

1

Domenica 3 settembre 2000

UOMO o donna? Non sapevo ancora chi stavamo per uccidere. Sapevo solo che, alle tre del pomeriggio, il bersaglio si sarebbe trovato sulla terrazza del Palazzo del Parlamento, in mezzo a gente che trangugiava tartine sorseggiando champagne. E sapevo anche che Signorsì avrebbe indicato il bersaglio posandogli, o posandole, una mano sulla spalla sinistra al momento dei saluti di benvenuto.

Nel corso degli anni, avevo preso parte a una quantità di azioni allucinanti, ma questo lavoro mi sgomentava. Nel giro di novanta minuti scarsi potevo ritrovarmi sepolto sotto una montagna di merda, e avrei potuto prendermela solo con me stesso. Mi augurai che almeno la Ditta sapesse quello che stava facendo, perché da parte mia le idee erano piuttosto confuse.

Controllai per l'ennesima volta il contenitore di plastica trasparente posato sulla scrivania. Le tre lampadine da torcia erano al loro posto nei buchi che avevo fuso nel coperchietto. Erano spente, il che stava a significare che nessuno dei tre cecchini era ancora in posizione.

Quel lavoro era sbagliato da cima a fondo. Le armi che ci avevano dato erano sbagliate. Il posto era sbagliato. E il tempo per pianificare e organizzare l'azione troppo scarso.

Allungai lo sguardo attraverso le tende, oltre il fiume affollato di battelli. Il Parlamento era a circa trecentocinquanta metri in diagonale sulla mia sinistra. L'ufficio in cui mi ero sistemato si trovava all'ultimo piano del County Hall, l'edificio dove un tempo aveva sede il Municipio della Grande Londra. Si affacciava sulla riva sud del Tamigi e lo avevano riconvertito a uffici, alberghi e attrazioni turistiche varie. Osservare la scena dell'assassinio seduto a quella scrivania di legno scuro e tirato a lucido mi faceva sentire decisamente importante.

La terrazza del Parlamento si estendeva lungo tutto il prospetto della facciata che dava sul Tamigi.

In fondo all'ala sinistra erano stati eretti due padiglioni con tetti in tessuto a strisce colorate per poter sfruttare la terrazza anche nei mesi estivi. Dal sito web avevo appreso che una parte della terrazza era riservata ai membri della Camera dei Lord, l'altra a quelli della Camera dei Comuni. Dal momento che nessuno poteva entrare se non accompagnato da un deputato o da un pari, calcolai che mai più mi sarei ritrovato così vicino.

Gli ospiti di quel giorno del ministero dell'Industria e del Commercio provenivano dal Centro e Sud America, una trentina di uomini d'affari, accompagnati da funzionari e famiglie. Probabilmente un tentativo ministeriale di ungere qualche ruota e piazzare un paio di centrali elettriche. E con questo? A me interessava solo che uno di loro sarebbe morto, da qualche parte tra vol-au-vent e profiterole.

Esattamente sotto di me, cinque piani più in basso, l'Albert Embankment rigurgitava di venditori di hot-dog e di bancarelle che proponevano elmetti da poliziotto in plastica e cartoline del Big Ben alla gente in coda per salire sulla ruota della London Eye o che si godeva semplicemente un pigro pomeriggio domenicale. Un battello di quelli che fanno il giro della città, stracarico di turisti, stava transitando sotto il Westminster Bridge. Riuscivo a distinguere la voce annoiata, diffusa da un altoparlante gracchiante, che raccontava la storia di Guy Fawkes.

Era tempo di vacanze e, dopo un'altra settimana avara di notizie, il signor Murdoch e compagnia sarebbero stati contenti di quello che stavo per compiere: la più sensazionale esplosione dell'anno a Londra, e proprio nel cuore di Westminster, seguita, come se non bastasse, da una sparatoria in grande stile, roba da far sballare le medie degli indici di ascolto. Ma ciò che era bene per loro sfortunatamente non lo era per me. Gli uomini della Divisione speciale si sarebbero impegnati allo spasimo per individuare chi aveva schiacciato il bottone, e quegli uomini erano i migliori del mondo per indagini del genere. Addestrati a intercettare l'IRA quando compiva lo stesso genere di prodezze in cui stavo per cimentarmi io.

Le tre lampadine erano sempre spente. Non ero agitato. Solo un tantino preoccupato.

Avevo incollato alle estremità della fila di lampadine due interruttori bianchi e rettangolari da campanello, i cui fili di collegamento erano attorcigliati all'interno del contenitore. Quello sulla sinistra era coperto dal tappo in plastica di una bomboletta di schiuma da barba. Era il pulsante per la detonazione del congegno esplosivo che avevo predisposto come azione diversiva. In pratica una semplice carica di polvere da sparo, calibrata in modo da ottenere un botto piuttosto assordante in grado di catalizzare l'attenzione di tutta Londra senza però uccidere nessuno. Ci sarebbero stati danni, ovvio, forse qualche ferito e contuso, ma niente vittime. Il tappo della schiuma da barba serviva da protezione, per evitare il rischio di premerlo inavvertitamente. Il pulsante sulla destra era scoperto. Ed era quello che avrebbe dato il via al tiro al bersaglio.

Su un piccolo treppiede avevo montato un paio di binocoli puntati in direzione del teatro dell'azione. Ne avrei avuto bisogno per seguire gli spostamenti di Signorsì in mezzo alla folla per identificare il bersaglio.

All'interno del portavivande in plastica si trovavano una grande pila al litio, verde e quadrata, e un groviglio di fili e circuiti elettrici. Non sono mai stato un fanatico dell'ordine, l'importante è che le cose funzionino. Dal retro del portavivande si diramavano due cavi antenna rivestiti di plastica rossa che, attraversato il piano della scrivania, s'inerpicavano lungo il davanzale per poi lasciarsi ricadere lungo il muro esterno. Per ridurre al minimo il rumore, ci avevo richiuso sopra la finestra.

Il mio respiro era il suono più forte all'interno della stanza, e all'approssimarsi dell'ora X aumentava d'intensità.

Superato solo da qualche occasionale gridolino entusiasta di un turista a pianterreno o da un altoparlante sul fiume a volume un po' troppo alto.

Non potevo fare altro che aspettare. Incrociai le braccia sulla scrivania, ci appoggiai sopra la testa e fissai le lampadine, che adesso si trovavano all'altezza dei miei occhi. Desideravo ardentemente che iniziassero a lampeggiare.

Il Big Ben batté le due, riportandomi alla realtà.

Sapevo che i cecchini, per non esporsi più a lungo del necessario, avrebbero raggiunto le rispettive postazioni di tiro solo all'ultimo momento, ma volevo con tutto me stesso che quelle luci iniziassero a lampeggiare.

Per la milionesima volta in venti minuti, premetti il pulsante scoperto e, con la guancia appoggiata sul braccio, come un bambino che tenta di indovinare cos'abbia preparato la mamma per pranzo, guardai dentro la scatola. Ogni volta che, premendo il pulsante, davo corrente, si accendeva una piccola lampadina nascosta tra l'ammasso di fili. Adesso mi avrebbe fatto comodo un altro buco nel coperchio, in modo che la lampadina interna avesse il suo posto accanto alle altre, ma in fase di preparazione non avevo avuto tempo da perdere. Lo rilasciai e lo premetti di nuovo. Si accese. Funzionava. E quelle che avevo predisposto per i cecchini? Si trattava solo di attendere.

Per la milionesima volta, inoltre, mi domandai perché non ero stato in grado di dire semplicemente di no a tutto quello. A parte il fatto che sono debole di cervello, la risposta era la stessa di sempre: era l'unica cosa che sapevo fare. Lo sapevo io e lo sapeva la Ditta. E sapevano anche che, guarda caso, avevo un disperato bisogno di soldi.

Fossi stato sincero sino in fondo con me stesso, cosa che trovavo alquanto impegnativa, un'altra ragione c'era. E molto più profonda. Riportai gli occhi all'altezza delle lampadine e feci un gran respiro. Frequentando la clinica insieme con Kelly avevo imparato diverse cose.

L'ansia di far parte di qualcosa mi accompagnava fin dai tempi della scuola. Poteva trattarsi di un gruppo che intagliava il legno oppure di una banda che rapinava i ragazzini ebrei dei soldi della merenda, che tenevano in tasca dentro un fazzoletto per non farcene sentire il tintinnio mentre ci passavano accanto. Ma non aveva mai funzionato. Quel sentimento di appartenenza l'avevo provato solo quando ero entrato nell'esercito. E a quanto sembrava non ero in grado di scrollarmelo di dosso.

Finalmente. La lampadina di mezzo, quella di Cecchino Due, s'illuminò cinque volte, con l'intermittenza di un secondo.

Posai il pollice sul pulsante invio e, dopo una pausa di riflessione di un nanosecondo per accertarmi che non stessi facendo saltare in aria Londra per l'eccitazione, lo premetti tre volte con lo stesso ritmo per comunicare che avevo ricevuto il segnale, verificando che ogni volta la lampadina bianca di controllo all'interno della scatola si accendesse.

Quasi senza intervallo ricevetti tre lampeggii di risposta dalla lampadina centrale. Ottimo. Cecchino Due era in postazione, pronto a fare fuoco, ed eravamo in collegamento. Ancora Uno e Tre e sarei stato a cavallo.

Avevo messo nelle DLB (*Dead Letter Box*, casella postale senza contatto) individuali tutto quello che i tiratori scelti dovevano sapere – dove trovarsi, come arrivare, cosa fare una volta giunti sul posto e, particolare decisamente più importante per loro, come andarsene da lì una volta sparato –, insieme con le armi e l'attrezzatura. Loro dovevano limitarsi a leggere le istruzioni, controllare la dotazione e procedere alla sparatoria. Avevano tre diverse postazioni di tiro e nessuno conosceva quella degli altri. Non si erano mai incontrati, non si erano neppure mai visti, e nessuno di loro aveva visto me. OPSEC (*Operational Security*, sicurezza operativa) funziona così. Sai solo quello che devi sapere.

Le ricognizioni nella zona del bersaglio mi avevano tenuto occupato per dieci notti allo scopo d'individuare le postazioni più adatte nel territorio intorno all'ospedale, dal lato del fiume di fronte alla zona di caccia. Di giorno avevo fatto duplicare le chiavi da recapitare ai cecchini perché potessero raggiungere le postazioni, avevo preparato l'attrezzatura e riempito le DLB. Grazie a me – da quando avevo preso d'assalto gli sportelli automatici con la nuova carta di credito della Royal Bank of Scotland intestata a Nick Somerhurst, il mio nome di copertura per questo lavoro –, Tandy, B&Q e un negozio di telecomandi di Camden Town avevano incassato dei bei soldi.

L'unica cosa che mi rendeva davvero felice era che fosse un'azione OPSEC. E lo era al punto che avevo ricevuto istruzioni da Signorsì in persona.

Sulla facciata esterna della cartellina color camoscio custodita nella sua lussuosa ventiquattrore in pelle erano stampate in nero le caselle per data e firma che dovevano essere compilate per autorizzarne l'uso. Nessuno aveva ancora firmato, e non c'era traccia del cartoncino giallo che ne avrebbe attestato l'ufficialità. Un insieme di indizi che mi hanno sempre preoccupato: stanno a significare un'incredibile valanga di casini.

In macchina, una Previa MPV con i finestrini oscurati, mentre percorrevamo il Chelsea Embankment in direzione del Parlamento, Signorsì aveva estratto dalla cartellina due pagine dattiloscritte formato A4 e aveva iniziato a impartire istruzioni. Purtroppo, dalla mia posizione non riuscivo a leggere i suoi appunti.

Quella mezza sega di un leccaculo non mi piaceva neppure un po', specialmente quando tirò fuori quel tono di voce tipo « sono stato all'università ma faccio ancora parte della classe operaia » per assicurarmi che io ero « speciale » e « l'unico in grado di ». Le cose non migliorarono quando sottolineò che nessuno del governo era a conoscenza di questa azione, e nella Ditta solo due persone: « C », il capo del SIS (*Secret Intelligence Service*), e il Direttore della Sicurezza e degli Affari Pubblici, a tutti gli effetti il suo numero due.

« E, naturalmente », aggiunse sorridendo, « noi tre. »

L'autista, folti capelli biondi con riga da una parte che lo facevano assomigliare a Robert Redford quand'era abbastanza giovane da interpretare Sundance Kid, guardò nello specchietto retrovisore e per un secondo riuscii a catturare il suo sguardo prima che tornasse a concentrarsi sul traffico, impegnato a trovare un posto dalle parti del Parlamento. Entrambi dovevano avere intuito che non ero l'orsacchiotto più felice in città. Più le persone erano gentili con me e più diventavo diffidente. Ma, dichiarò Signorsì, non c'era motivo di preoccuparsi. Il SIS aveva licenza di uccidere su esplicita richiesta del ministro degli Esteri.

«Ha appena finito di dire che siamo in cinque al corrente della faccenda. E qui siamo in Inghilterra. Non è competenza del ministero degli Esteri.»

Il suo sorriso mi confermò quello che già sapevo. «Andiamo, Nick, non vogliamo infastidire nessuno con dettagli di poca importanza. E poi, chissà se vogliono essere messi al corrente.»

Quindi, con un sorriso ancora più largo, aggiunse che, se qualcosa fosse andato storto, nessuno si sarebbe assunto la responsabilità finale. Il Servizio, come tradizione, si sarebbe trincerato dietro la legge sui segreti di Stato, e se le cose fossero andate ancora peggio avrebbe invocato l'Atto di Immunità per Pubblico Interesse. Così tutto si sistemava e io avrei avuto la mia protezione. Non dovevo dimenticare, disse, che facevo parte di una squadra. Fu a quel punto che cominciai a preoccuparmi davvero.

Mi risultava del tutto evidente che il motivo vero per cui nessuno sapeva di quella operazione era che nessuno sano di mente l'avrebbe autorizzata e nessuno sano di mente avrebbe accettato l'ingaggio. Probabile che mi avessero scelto per questo. Allora, come adesso, mi ero consolato al pensiero che per lo meno si trattava di bei soldi. Be', più o meno. Ma avevo un disperato bisogno degli ottanta testoni sul piatto, quaranta subito, dentro due grosse buste imbottite marroni, e il resto dopo. Giustificavo così il fatto di aver accettato qualcosa che, matematicamente, si sarebbe rivelato un incubo.

A quel punto eravamo sulla strada che porta al Westminster Bridge, con il Big Ben e il Parlamento alla mia destra. Dall'altra parte del fiume si vedeva l'edificio del County Hall e alla sua sinistra la London Eye, la ruota che gira così lentamente da sembrare immobile.

«Scendi qui, Stone. Datti un'occhiata in giro.»

A queste parole Sundance Kid accostò di colpo, scatenando l'ira degli automobilisti dietro che cercarono di schivarci in un concerto di clacson. Feci scorrere la portiera e uscii nell'assordante rumore di martelli pneumatici e motori rombanti. Signorsì si allungò sul sedile e afferrò la maniglia. «Telefona, se hai bisogno di qualcosa, e comunica dove vuoi che vengano consegnate le attrezzature agli altri tre.»

La porta si richiuse e Sundance, tagliando la strada a un autobus, recuperò il suo posto nel flusso del traffico diretto a sud, oltre il fiume. Non appena riuscì a scendere, l'autista di un furgone mi mostrò il dito, credo per rifarsi dei quaranta secondi che gli avevamo fatto perdere.

Seduto alla scrivania, in attesa che le altre due lampadine si accendessero, mi concentrai intensamente sugli ottanta testoni. Non mi sarei mai immaginato di averne un così disperato bisogno. Con ogni probabilità i cecchini avrebbero incassato il triplo, ma io non possedevo il loro talento. Gente che si dedica alla propria specialità con un impegno uguale a quello degli atleti olimpionici. Ne avevo conosciuto qualcuno, tempo addietro, quando anch'io avevo pensato di fare quel mestiere, prima di decidere di lasciar perdere; i cecchini professionisti mi avevano sempre dato l'impressione di essere degli alieni. Vivevano su un pianeta dove tutto veniva preso sul serio, dalla politica all'acquisto di un gelato. Un colpo, un morto: questo era il loro credo. No, anche se ben pagato, quel lavoro non faceva per me. E poi trovo già abbastanza noioso parlare anche solo per mezz'ora di traiettoria del proiettile e dei modi più sofisticati per contrastare l'azione del vento, figuriamoci per tutta la vita.

Da quando Signorsì mi aveva scaricato con le due sacche di Jiffy, avevo iniziato a proteggermi più del solito. Sapevo che, se quelli della Divisione speciale fossero riusciti a intercettarmi, la Ditta mi avrebbe disconosciuto: onore e onere di essere un K. Ma stavolta c'era un elemento in più. Di solito i miei incarichi non si svolgevano in Inghilterra, e nessuno sano di mente avrebbe potuto dare il via a una storia di quel tipo. Qualcosa non quadrava, Signorsì non avrebbe mai accettato il ruolo del perdente. Avrebbe accoltellato la nonna per una promozione; e, da quando aveva preso il posto del colonnello Lynn a capo dei K, si era infilato così a fondo nel culo di C da potergli passare il filo interdentale. Se le cose non fossero andate secondo i piani, e se fossi riuscito a sfuggire alla Divisione speciale, non avrebbe esitato a fottermi, se ciò poteva significare un qualche vantaggio per lui e la possibilità di scaricare la minima responsabilità.

Mi occorreva una rete di sicurezza, e cominciai annotando i numeri di serie delle armi dei tre cecchini prima di raschiarli. Poi fotografai con la Polaroid tutta l'attrezzatura e, durante le ricognizioni, immortalai anche le tre postazioni di tiro. Avevo recapitato a ogni cecchino le foto che lo riguardavano e ne avevo tenuto copia per me. Possedevo una documentazione fotografica completa del lavoro e le fotocopie delle istruzioni passate ai cecchini. Il tutto in una sacca al deposito bagagli della stazione di Waterloo che conteneva anche le mie proprietà: un paio di jeans, calze, mutande, l'occorrente per lavarmi e due giacche di panno.

Una volta riempite le DLB me ne sarei dovuto andare, ma non lo feci. Preparai invece un punto di osservazione su quella di Cecchino Due. Si trovava appena fuori Thetford, cittadina commerciale del Norfolk. Non avevo motivi particolari per scegliere la DLB di Cecchino Due, se non che era la più vicina a Londra rispetto alle altre, rispettivamente nel distretto di Peak e nella brughiera di Bodmin.

Tutt'e tre erano state posizionate in zone disabitate per far sì che, una volta recuperate le armi, i cecchini potessero tararne le ottiche, compiere cioè gli aggiustamenti necessari a garantire che il punto di mira coincidesse con precisione con il bersaglio alla distanza prestabilita. Anche tutto il resto – valutare il vento, scegliere la direzione (puntare più avanti rispetto a bersagli in movimento) e calcolare la distanza – fa parte dell'arte dei cecchini, ma prima di tutto è necessario compiere questa regolazione. A loro discrezione scegliere come e dove farlo. Con i soldi che si beccavano, certe decisioni se le potevano prendere da soli.

La DLB era un bidone da gasolio da duecento litri. Dentro c'era una grossa sacca da tennis nera Puma contenente tutto il necessario per l'azione e completamente sterile: nessuna impronta digitale, nessuna traccia per il DNA. Nessuna parte del mio corpo era entrata in contatto con l'attrezzatura. Vestito come un tecnico di laboratorio per armi chimiche, avevo preparato, pulito, strofinato tutto così a lungo che sarebbe stato davvero strano trovare ancora traccia di parkerizzazione (verniciatura protettiva) sulle canne.

Attesi l'arrivo di Cecchino Due sotto una pioggerellina fredda, sepolto tra le felci, ermeticamente sigillato in un sacco a pelo in Gore-Tex. Sapevo che i tre si sarebbero avvicinati al luogo del ritiro con la massima cautela, osservando tutte le regole del mestiere per accertarsi di non essere seguiti e non cadere dunque in trappola. Per questo dovevo stare a distanza di sicurezza: sessantanove metri per la precisione; di conseguenza, per incrementare la mia documentazione fotografica, avevo montato sulla Nikon il teleobiettivo, l'avevo avvolta in una maglietta di cotone per attutire il ronzio del riavvolgimento e l'avevo infilata in un sacchetto della spazzatura per proteggerla dalla pioggia, lasciando all'esterno solo l'obiettivo e il mirino.

Ingollando Mars e acqua attesi l'arrivo di Cecchino Due, augurandomi solo che non scegliesse di venire di notte.

Aspettai per circa trenta noiosissime e bagnatissime ore, ma alla fine Cecchino Due fece la sua comparsa. Se non altro era giorno. Osservai la figura incappucciata che perlustrava la zona circostante, un insieme di macchinari da fattoria e vecchi bidoni arrugginiti.

Avanzava lentamente, come un gatto bagnato e guardingo. Sollevai il teleobiettivo. Jeans affusolati, scarpe da ginnastica marroni, giacca impermeabile beige a tre quarti. Il cappuccio aveva la visiera cucita davanti; vidi anche la targhetta sul taschino di sinistra: LLBEAN. Non avevo mai visto un negozio di quella catena fuori degli Stati Uniti.

E non avevo mai visto neppure una donna cecchino, fuori degli Stati Uniti. Poteva essere sulla trentina, magra, altezza media, capelli castani che s'intravedevano dal cappuccio. Né bella né brutta, normale, più che di un cecchino professionista aveva l'aspetto di una giovane mamma. Raggiunse i bidoni e con cautela controllò l'interno del suo per accertarsi che non si trattasse di una trappola esplosiva. Mi chiesi – impossibile non farlo – cosa poteva spingere una donna a intraprendere una carriera di quel tipo. E i suoi figli, come pensavano che si guadagnasse da vivere? Con un lavoro al reparto cosmetici di Sears che la obbligava, un paio di volte l'anno, ad allontanarsi una settimana per frequentare corsi di aggiornamento sull'eye-liner?

Quello che vide nel bidone sembrò renderla felice. Con uno scatto v'infilò le braccia e prese la sacca. Sollevò il peso con entrambe le mani, si voltò nella mia direzione e se lo buttò sulla spalla destra. Premetti il pulsante e la macchina fotografica ronzò. Questione di secondi ed era sparita tra gli alberi e le felci in cerca di un nascondiglio per controllare la preda. Esattamente come un gatto.

Non è sufficiente essere un ottimo tiratore scelto per diventare cecchino. Altrettanto importanti sono le capacità sul campo – caccia furtiva alla preda, calcolo della distanza, attenta osservazione, talento mimetico – e, a giudicare da come aveva preso il contenuto della DLB ed era tornata sotto copertura, avrei scommesso che quella donna aveva vinto la medaglia d'oro in tutte le discipline.

Quando ero nell'esercito avevo fatto il cecchino per due anni, in una compagnia di fucilieri del Royal Green Jacket. Non ero mai stato così entusiasta: credo che esercitarsi con un solo cecchino come compagno abbia a che fare con la sindrome abbandonica. Avevo imparato molto ed ero piuttosto bravo, ma non mi appassionava al punto di farne la professione della mia vita.

Ero ancora lì a guardare le tre lampadine, in attesa che Uno e Tre prendessero servizio. Nel cielo si udì il rombo di un elicottero. Seguiva il corso del fiume dal lato nord e fui obbligato ad alzare lo sguardo per sincerarmi che non stesse cercando me. La mia paranoia era al massimo. Pensai per un momento che avesse individuato il congegno esplosivo piazzato da me la notte prima sul tetto dell'albergo Royal Horseguards a Whitehall. Non riuscivo a vedere l'albergo perché era nascosto dall'edificio principale del ministero della Difesa, dall'altro lato del fiume, sulla mia destra in diagonale. Vedere le bandiere delle tre forze armate sventolare sul tetto dell'imponente cubo di pietra color pastello mi spinse a controllare, per la milionesima volta, qualcos'altro.

Senza perdere di vista la fila di lampadine, guardai verso il fiume per controllare gli indicatori del vento.

Nelle aree urbane il vento può soffiare da diverse direzioni, ad altezze e con intensità differenti, a seconda degli edifici che deve superare. Succede che le strade si trasformino in gallerie del vento e per questo le raffiche cambino direzione e aumentino momentaneamente la potenza. Diventa quindi indispensabile che, intorno alla zona della sparatoria, ci siano indicatori del vento a vari livelli, in modo che i cecchini possano tenerne conto per regolare il tiro. Il vento può avere un'importanza decisiva per la traiettoria di un proiettile.

Le bandiere sono estremamente utili, e lì intorno ce n'erano più che per un vertice delle Nazioni Unite. Tantissimi battelli ormeggiati sul fiume avevano le bandierine di segnalazione. Più in alto, da entrambi i lati di Westminster Bridge, molte bancarelle per turisti esponevano bandiere inglesi in plastica e bandiere del Manchester United. I cecchini le avrebbero usate tutte, e avrebbero saputo dove cercarle perché le avevo segnate sulle cartine imbucate nelle

DLB. A livello del fiume le condizioni del vento erano buone, solo una lieve brezza.

Colsi dei movimenti sul terreno di caccia. Una vampata e il cuore a mille. Merda, non doveva cominciare così presto.

Vedevo la terrazza come se fossi in tribuna e le lenti a dodici ingrandimenti dei binocoli mi davano l'impressione di essere lì. Controllai la situazione con un occhio ai binocoli e l'altro pronto a cogliere i segnali dalle lampadine.

Venni investito da un'ondata di sollievo. Camerieri. Uniformi bianche e nere che sciamavano dentro e fuori dei padiglioni coperti a sinistra del terreno di caccia, indaffarati a sistemare portacenere e coppette di noccioline e salatini su tavolini di legno quadrati. Un signore più anziano in doppiopetto grigio e con aria stressata non li perdeva di vista, mulinando le braccia come un maestro di cerimonia al ballo delle debuttanti.

Seguii il bordo della terrazza e su una delle panche in legno individuai un fotografo. Due macchine fotografiche a fianco, fumava e sorrideva osservando il trambusto con aria soddisfatta.

Tornai sul maestro di cerimonia. Guardò il Big Ben, controllò il suo orologio e batté le mani. Era preoccupato per l'ora X almeno quanto me. Per lo meno le condizioni atmosferiche erano dalla nostra parte. Dover sparare attraverso le finestre dei padiglioni avrebbe reso tutto più difficile di quanto già non fosse.

Le postazioni dei tre cecchini si trovavano tutte dal mio lato del fiume; tre piccoli prefabbricati Portakabin vicino all'ospedale di St. Thomas, esattamente di fronte al terreno di caccia. Tre diverse postazioni che offrivano tre diverse angolazioni di tiro e di conseguenza tre possibilità di centrare il bersaglio.

Novanta metri separavano il primo cecchino dall'ultimo. Avrebbero sparato, a seconda delle postazioni, da trecentotrenta a trecentottanta metri di distanza. Essendo più alti di un piano, vedevano il terreno di caccia dall'alto, con un'angolazione di quarantacinque gradi. Se il bersaglio fosse stato seduto, avrebbero potuto inquadrarlo dalla cintura in su; se fosse stato in piedi, dalla coscia, visto che un parapetto in pietra, alto circa un metro, correva per tutta la lunghezza della terrazza per impedire che i parlamentari, dopo un paio di bicchieri di troppo, volassero nel Tamigi.

Dalla nostra parte alcuni alberi seguivano l'argine del fiume, buona cosa perché ciò offriva una discreta copertura, anche se impediva una corretta visuale dei cecchini sul terreno di caccia. In casi del genere occorre sempre accontentarsi di un compromesso, raramente si raggiunge la perfezione.

Era la prima volta che i cecchini si trovavano in quella postazione di tiro, e sarebbe stata anche l'unica. Subito dopo la sparatoria, dieci minuti a piedi fino alla stazione Waterloo e poi via su treni Eurostar diretti a Parigi, Lille o Bruxelles. Nel tunnel della Manica avrebbero brindato al successo dell'attentato, prima ancora che Divisione speciale e televisioni si rendessero pienamente conto di quello che era successo.

2

QUANDO ebbi la certezza che gli unici a muoversi sul terreno di caccia erano i camerieri, tornai a concentrami sulle lampadine. A quel punto i cecchini Uno e Tre avrebbero già dovuto prendere servizio. Ero molto più che preoccupato. Ero a un passo dall'ansia.

Pensai a Cecchino Due. Doveva aver raggiunto con la cautela necessaria la postazione di tiro, utilizzando nel tragitto le stesse tecniche usate per la DLB, probabilmente con un travestimento leggero. Parrucca, cappotto e occhiali da sole sono più efficaci di quanto non si pensi, anche se la SB insiste a reclutare centinaia di uomini che per ore fissano i filmati delle videocamere a circuito chiuso del servizio di sicurezza degli ospedali e quelle del traffico e della città.

Per prima cosa, con ogni probabilità, si era infilata i guanti da chirurgo, poi, con le chiavi che le avevo fornito, era entrata nel Portakabin e aveva chiuso la porta a chiave. L'aveva bloccata con due cunei di gomma grigia nella cornice, uno a due terzi dall'alto, l'altro a due terzi dal basso, per impedire a chiunque, anche se in possesso della chiave, di entrare. Quindi, prima di compiere qualsiasi movimento, aveva aperto la sacca e indossato gli indumenti da lavoro, una tuta azzurro chiaro, cappuccio e piedi compresi, di quelle per verniciatori, che avevo comprato da B&Q. Era fondamentale che non contaminasse con fibre di vestiario o altri segni personali la zona, le armi e tutto quello che sarebbe rimasto sul posto. A quel punto si era coperta la bocca con una mascherina per evitare di lasciare la minima traccia di saliva sul fucile nel momento in cui prendeva la mira. Delle mascherine ero particolarmente soddisfatto: erano in offerta speciale.

La tuta e i guanti servivano anche a proteggerle i vestiti e la pelle. L'avessero fermata immediatamente dopo la sparatoria, sulla pelle e sugli abiti avrebbero potuto individuarne residui. È la ragione per cui le mani degli indiziati vengono chiuse in sacchetti di plastica. Anch'io indossavo guanti da chirurgo, ma solo per normale precauzione. Ero determinato a non lasciare niente sul posto né a creare il minimo disturbo.

Una volta coperta, con in vista solo gli occhi, doveva avere l'aria di un medico legale sulla scena del delitto. A quel punto si era dedicata alla postazione di tiro. Al contrario di me, doveva tenersi lontana dalla finestra, per cui aveva trascinato la scrivania a tre metri di distanza. Quindi aveva appuntato una tenda a rete al soffitto di gesso, l'aveva fatta ricadere davanti alla scrivania e fissata ai piedi della stessa.

Passo successivo: fissare il lenzuolo di stoffa nero opaco dietro di lei, lasciandolo sospeso sul pavimento. Dopo le ricognizioni, avevo tagliato le reti e i teli neri di misura per ogni postazione. La tenda a rete e il lenzuolo nero creano l'illusione di una stanza in ombra. E se qualcuno avesse guardato dentro non avrebbe visto il grosso buco della canna del fucile puntata verso di lui, imbracciata da una donna vestita in modo agghiacciante. Entrambi gli strumenti ottici che doveva usare, il binocolo e il cannocchiale di puntamento, avrebbero agevolmente superato la rete senza disturbare la mira.

Una quindicina di minuti dopo il suo arrivo, era seduta alla scrivania, sulla poltrona girevole verde e imbottita. Aveva assemblato il fucile smontabile e l'aveva appoggiato sul cavalletto fornito da me con il resto della dotazione e appoggiato a sua volta sulla scrivania. Anche i binocoli, montati su un piccolo treppiede, si trovavano sulla scrivania e, di fronte, c'era la scatola in plastica portavivande. Con il calcio dell'arma sulla spalla, aveva controllato l'arco di tiro, accertandosi di poter ruotare l'arma sul cavalletto e inquadrare l'intera zona di caccia, senza l'ostacolo della cornice della finestra o degli alberi. A quel punto si era data una sistemata ed era entrata in sintonia con l'ambiente. Forse si era tenuta in esercizio su qualche cameriere che correva avanti e indietro per la terrazza.

Ma il compito più importante che aveva, prima di darmi il segnale, era di controllare lo stato della canna. Sopra l'arma era montato un cannocchiale di precisione. A brevissima distanza la canna può trovarsi una decina di centimetri sotto l'immagine che il cecchino vede nel cannocchiale. Bel casino se una volta inquadrato il bersaglio avesse sparato e il colpo non fosse neppure uscito dalla stanza, andando a sbattere sul muro o sulla cornice della finestra.

Ogni arma era stata dotata di silenziatore per attutire il fragore dello sparo. Il che aveva però lo svantaggio di rendere il primo terzo della canna grosso quasi il doppio del resto, e il peso in punta sbilanciava il normale equilibrio. Il silenziatore non avrebbe impedito il *bang* supersonico del proiettile, ma ciò non era rilevante perché il rumore sarebbe stato scarsamente avvertibile e lontano dalla postazione di tiro, e comunque coperto dall'esplosione della bomba; più che altro sarebbe servito a evitare che il rumore dell'arma venisse udito dal personale dell'ospedale o, qualche metro più sotto sul lungofiume, dai turisti italiani che leccavano gelati strapagati.

Le finestre dei Portakabin dovevano essere aperte. Sparare attraverso i vetri non solo avrebbe attirato l'attenzione dei turisti, ma avrebbe anche influenzato la precisione del proiettile. Certo, una finestra aperta di domenica poteva suscitare qualche perplessità, ma non avevamo alternative. A diminuire precisione e potenza di tiro c'era già il silenziatore. Ed eravamo stati costretti a optare per proiettili supersonici proprio per coprire la distanza. Quelli subsonici, che avrebbero ovviato al problema del rumore, semplicemente non avevano la potenza necessaria.

Solo una volta soddisfatta della postazione di tiro, e dopo aver controllato che l'auricolare fosse al posto giusto sotto il cappuccio, aveva preso servizio. Sulla sua scatola non c'erano lampadine, solo un filo verde per l'antenna che probabilmente correva prima sulla scrivania e poi lungo il pavimento. Una bobina in rame all'interno della scatola trasmetteva tre toni a bassa frequenza; il segnale che inviavo premendo il pulsante veniva recepito attraverso l'auricolare.

Dalla scatola usciva anche un altro filo collegato a un pulsante nero e piatto; il pulsante doveva essere già collegato con il nastro adesivo al fucile nel punto in cui lei teneva la mano di supporto, ovunque la tenesse.

Premendo il pulsante cinque volte avrebbe fatto accendere cinque volte la mia lampadina numero due.

A quel punto non doveva fare altro che restare seduta perfettamente immobile – il fucile appoggiato, puntato sulla zona di caccia –, osservare, aspettare, e forse ascoltare l'andirivieni giù in strada. Se la fortuna ci assisteva, gli altri due molto presto avrebbero fatto la stessa cosa. Se qualcuno della sicurezza dell'ospedale avesse provato a fare il bravo ragazzo e avesse tentato di chiudere la finestra, l'ultima cosa che avrebbe visto sarebbe stata una donna vestita da extraterrestre, direttamente da *X-Files*, che lo trascinava dentro.

Adesso che era in postazione cominciavano i veri problemi. Dopo aver tarato il fucile nella foresta di Thetford, lo aveva trasportato come se fosse di finissima porcellana. Anche il più piccolo colpo poteva causare lo spostamento del cannocchiale di puntamento e compromettere la perfetta taratura dell'arma.

L'allineamento doveva essere perfetto, un minimo spostamento avrebbe potuto deviare il tiro anche di un paio di centimetri e quindi creare un casino gigantesco.

Gli spostamenti che poteva subire il mirino, le deviazioni della traiettoria di tiro provocati dal silenziatore: i problemi non finivano qui. Era il fucile in sé che non andava bene. Signorsì ci aveva fornito modelli smontabili. E ciò significava che, dopo aver tarato il fucile in perfetto allineamento, bisognava smontarlo e rimontarlo al momento dello sparo.

Grazie al cielo era il tipo con meccanismo a scatto, si divideva in due all'altezza della canna e, dato che erano nuovi di zecca, le parti di contatto non erano deteriorate. Ma sarebbe stata sufficiente la più piccola imprecisione nell'assemblaggio, rispetto a quando l'arma era stata tarata, o un colpo al cannocchiale durante il trasporto, perché la linea di mira si trovasse disassata di parecchi centimetri rispetto al punto inquadrato.

Se un cecchino qualsiasi si trova a dover sparare a distanza ravvicinata a una massa corporea, ciò non rappresenta un problema, ma quei ragazzi erano in pista per uno sparo definitivo alla testa, uno solo, al peduncolo cerebrale o al centro neuronale motorio. Il bersaglio si affloscia come un sacco e non c'è possibilità di sopravvivenza. Per farlo, dovevano mirare a un punto preciso: l'estremità del lobo dell'orecchio o la pelle tra le narici.

Lei e gli altri due dovevano essere i cecchini più meticolosi sulla faccia della terra per riuscire a farlo con quei fucili. Signorsì non aveva sentito ragioni. Quello che mi mandava in bestia era che non sapeva una merda secca di come funzionavano le cose sul campo, eppure era lui a decidere il tipo di attrezzatura da usare.

Per recuperare la calma mi obbligai a ricordare che non era tutta colpa sua. Avevamo dovuto raggiungere un compromesso tra la sicurezza e la precisione. Girare per strada con un contenitore per canna da pesca o con la scatola da fiori più lunga del mondo non è la cosa più semplice che ci sia. 'Fanculo, lo disprezzavo già quando era il capo della cellula di supporto, figuriamoci adesso.

Attraverso la finestra guardai le figurine in bianco e nero che si muovevano sulla scena di caccia. Mi domandai se il primo inglese che nel XVII secolo aveva giocato con un mirino telescopico su un moschetto si fosse reso conto della tragedia che aveva introdotto nel mondo.

Per non perdere l'entrata in servizio di Uno e Tre controllai la zona con il binocolo usando un occhio solo. Il binocolo era appoggiato su un treppiede perché a quella distanza i dodici ingrandimenti erano così forti che il minimo sussulto mi avrebbe dato l'impressione di guardare *The Blair Witch Project*.

La scena era cambiata. Quello antipatico con il vestito grigio continuava a torturare i camerieri. Gli ospiti che uscivano sulla terrazza, oltrepassando l'imponente porta ad arco, adesso venivano accolti dal bianco abbagliante delle tovaglie stese sui tavolini a cavalletto. I calici sui vassoi d'argento attendevano di essere riempiti di champagne non appena i tappi delle bottiglie fossero saltati.

Si avvicinava l'inizio e io avevo un solo cecchino in posizione. Brutta storia, anzi bruttissima.

Puntai di nuovo il binocolo sulla porta ad arco e tornai a guardare le lampadine, concentrandomi perché cominciassero a lampeggiare. Non potevo fare altro.

Provai – senza risultati – a convincermi che il piano di sparo era così meravigliosamente semplice da poter funzionare anche con un solo cecchino.

I cecchini avevano il mio stesso tipo di binocolo, e anche loro lo tenevano puntato sulla porta ad arco. Dovevano identificare Signorsì nel momento in cui fosse entrato nella zona di caccia, usando il binocolo che garantiva una visuale di buoni dieci metri: ciò avrebbe reso più semplice seguirlo tra la folla sino al segnale convenuto. A quel punto loro sarebbero passati al mirino del fucile, io mi sarei dedicato interamente alle lampadine.

Sul metodo da usare per controllare i cecchini e comunicare quando sparare avevo tratto ispirazione da un documentario sugli animali selvatici visto in TV. Quattro guardacaccia indiani che operavano in squadra e nel più totale silenzio erano riusciti a stanare una tigre albina e a colpirla da distanza ravvicinata con dardi soporiferi.

Ogni volta che uno dei cecchini avesse inquadrato il bersaglio e si fosse sentito pronto a sparare, avrebbe schiacciato il pulsante e lo avrebbe tenuto premuto. Davanti a me la lampadina corrispondente sarebbe rimasta accesa. Se avesse perso l'inquadratura, avrebbe rilasciato il pulsante e la lampadina si sarebbe spenta fin quando non fosse stato di nuovo pronto.

Una volta presa la decisione di procedere allo sparo, avrei premuto il pulsante tre volte al ritmo di uno al secondo.

Il primo impulso era per comunicare al cecchino o ai cecchini d'interrompere la respirazione, in modo che il movimento del corpo non alterasse la mira.

Il secondo per comunicare di iniziare a premere il grilletto, in modo da non far sobbalzare l'arma al momento dello sparo.

Contemporaneamente al secondo impulso avrei innescato l'esplosione. Al terzo i cecchini avrebbero sparato e la bomba sul tetto dell'albergo sarebbe esplosa. L'ideale sarebbe stato che tutti e tre fossero in posizione e che il bersaglio fosse seduto, cosa che si verifica molto di rado.

L'esplosione avrebbe coperto il fragore del *bang* sonico, e contemporaneamente avrebbe creato un diversivo sul lato nord del fiume, mentre noi uscivamo di scena. Mi sarebbe davvero piaciuto che il ministero della Difesa non fosse chiuso per il weekend: non so cos'avrei dato per vedere le loro facce quando l'esplosione avesse mandato in frantumi qualcuna delle loro finestre. Pazienza, con un po' di fortuna i cavalli delle Guardie di Whitehall avrebbero disarcionato i loro cavalieri.

Nessuno dei cecchini poteva sapere se gli altri erano pronti a far fuoco. Avrebbero saputo che era il momento al suono dei tre impulsi nell'orecchio. Senza una buona inquadratura, non avrebbero sparato.

Dopo l'esplosione, avessero fatto fuoco o no, tutti dovevano togliersi la tuta, uscire dalle postazioni e abbandonare con calma la zona con la tuta nella sacca. La polizia avrebbe ritrovato dopo un po' il resto dell'attrezzatura e le armi, cosa che non mi preoccupava perché le avevo consegnate sterili. E non avrebbe dovuto preoccupare neppure loro, perché dovevano essere stati così professionali da lasciarle esattamente come le avevano ricevute. In caso contrario, problemi loro.

Mi strofinai gli occhi.

Si accese un'altra lampadina.

Cecchino Uno era in posizione, pronto a partire.

Premetti tre volte il pulsante e dopo una breve pausa la lampadina di Cecchino Uno lampeggiò tre volte in risposta.

Con due cecchini perfettamente immobili, in guardia e in attesa, sintonizzati sul terreno di caccia, cominciavo a sentirmi un po' meglio. Mi augurai che Cecchino Tre seguisse a ruota.

3

Il Big Ben batté la mezz'ora. Ancora trenta minuti di attesa.

Continuavo a fissare la scatola cercando di trasmettere pensieri positivi. L'azione avrebbe avuto luogo comunque, con o senza Cecchino Tre, ma, considerati i problemi con le armi, tre possibilità di andare a segno erano meglio di due.

I miei pensieri positivi non funzionarono e così, dopo una decina di minuti, lo sguardo tornò a concentrarsi sul territorio di caccia. Stava succedendo qualcosa. Come i frammenti di un caleidoscopio, abiti di colori diversi si stavano mescolando al bianco e nero dei camerieri. Merda, erano in anticipo.

Con la speranza che Uno e Due stessero facendo lo stesso, li esaminai attentamente con il binocolo, usando un occhio solo. I nuovi arrivati, una decina di maschi bianchi in giacca e cravatta, dovevano essere l'avanguardia del party. Controllai che tra loro non ci fosse Signorsì, cosa che avrebbe mandato all'aria il piano da lui stesso studiato. Non c'era. Anche se ci sarebbe stato benissimo: sembrava che non avessero idea di cosa fare, e se ne stavano accalcati come pecore nei pressi della porta bevendo champagne e borbottando tra loro, probabilmente di come gli rompeva le palle lavorare la domenica. Doppiopetto scuro in fibra sintetica, la divisa del giorno. Perfino dalla mia postazione riuscivo a distinguere il lucidino della stoffa troppo usata sulla schiena delle giacche e le grinze provocate dalla ciccia. Le giacche, non so se per il caldo o per gli stomaci a palla, erano quasi tutte sbottonate e mettevano in mostra cravatte troppo lunghe o troppo corte. Nessun dubbio: erano politici e funzionari inglesi.

L'unica eccezione era una donna sulla trentina. Bionda, occhiali rettangolari, avanzava insieme con l'insopportabile capo del catering. Indossava un impeccabile completo pantalone nero e dava l'impressione di essere l'unica, fra tutti i nuovi arrivati, a sapere cosa fare. Cellulare nella mano sinistra, penna nella destra, sembrava fargli notare che quanto fatto dai camerieri era completamente da rifare.

Nel mio campo visivo entrò il fotografo. Stava controllando l'intensità della luce ed era evidente che la confusione dell'ultimo momento lo divertiva. Scattò una foto di prova, il flash lampeggiò. Poi lampeggiò qualcos'altro, ma più vicino a me. Abbassai lo sguardo.

La terza lampadina. Per poco non urlai dalla gioia.

Lasciai che la bionda guru delle pubbliche relazioni se la cavasse da sola e mi dedicai alla scatola per rispondere ai segnali. Cecchino Tre rispose come da copione.

Il Big Ben batté tre colpi.

Mi sentii avvolgere da una sensazione di sollievo. Sapevo che i cecchini avrebbero raggiunto le postazioni all'ultimo minuto, eppure durante l'attesa la mia preoccupazione era salita. Adesso desideravo solo che tutto finisse in modo da potermela squagliare su un Eurostar fino alla Gare du Nord e da lì al Charles De Gaulle. Sarei riuscito a fare in tutta tranquillità il check-in per l'American Airlines delle nove di sera, destinazione Baltimora. Lì avrei visto Kelly e sistemato le cose con Josh.

Tornai al binocolo e osservai la guru delle PR che, con un sorriso delizioso e modi estremamente gentili, pregava gli inglesi di spostare il culo dalla porta e tenersi pronti a mescolarsi con gli altri. Cullando i calici di champagne e facendo rotta verso i salatini, scomparvero dal mio campo visivo. Continuai a inquadrare la porta.

Adesso che davanti non c'era più nessuno, riuscivo a scrutare nella penombra interna. Sembrava una mensa, uno di quei posti dove si trascina un vassoio lungo il bancone e alla fine si paga. Delusione: mi sarei aspettato qualcosa di un po' più regale.

Quasi subito comparve sulla soglia un'altra donna. Aveva il cellulare attaccato all'orecchio e con la mano libera reggeva una tavoletta portablocco; entrò in terrazza, chiuse il cellulare e si guardò in giro.

La bionda guru delle PR tornò in vista. Le due parlarono, annuirono indicando vari punti del territorio di caccia, poi tornarono entrambe da dove erano venute. Provai una fitta di apprensione. Volevo procedere e salire sull'Eurostar.

«Uno della squadra», aveva detto Signorsì.

Uno della squadra i miei coglioni. Le uniche cose che potevano essermi di aiuto se qualcosa andava storto erano la mia «coperta di sicurezza» e una rapida fuga verso gli Stati Uniti.

Pochi secondi dopo, la zona dietro la porta si riempì di sagome umane che si riversarono sulla scena di caccia. Li seguiva la donna con il portablocco che, con un sorriso fisso e professionale, li guidò come un cane da pastore verso il tavolo dei bicchieri accanto alla porta. Come se fosse possibile non vederlo. Quindi i camerieri sciamarono verso di loro come mosche su una merda, con vassoi di salatini e altro champagne.

Individuare il contingente sudamericano era piuttosto facile, e non per il colore della pelle, nero od olivastro, ma perché era vestito decisamente meglio. Abiti di ottimo taglio e cravatte dai nodi perfetti. Anche nel modo di muoversi mostravano più stile. Quasi tutti uomini, e nessuna delle poche donne che li accompagnavano sarebbe stata fuori posto in una rivista di moda.

Con delicatezza, Portablocco riuscì a far avanzare il gruppo sulla terrazza. Si sparpagliarono mescolandosi ai presenti. Mi fu chiaro che sarebbero rimasti tutti in piedi, senza raggiungere le panchine. Avrei preferito che si sedessero tutti in fila come le ochette del luna park, ma non sarebbe andata così. Dovevamo organizzarci per un bersaglio in movimento.

Il piano prevedeva che Signorsì arrivasse dieci minuti dopo l'inizio del party e si fermasse sulla soglia per cinque minuti parlando al telefono, in modo da darci il tempo d'inquadrarlo. Poi si sarebbe avvicinato al bersaglio da identificare.

I tre, di sicuro, stavano respirando profondamente per ossigenare i polmoni. E non perdevano di vista gli indicatori del vento per essere pronti a regolare la mira.

Il cuore mi batteva più veloce. Quello dei cecchini invece non avrebbe subìto alterazioni. Fossero stati collegati a un apparecchio per l'elettrocardiogramma sarebbero stati dichiarati clinicamente morti. Quando erano sul lavoro la sola cosa cui riuscivano a pensare era sparare quell'unico colpo mortale.

Altre persone attraversarono il mio campo visivo, poi Signorsì fece la sua comparsa sulla soglia. Era alto poco meno di uno e settanta e non deludeva le mie aspettative. Indossava infatti lo stesso tipo di vestito scuro da lavoro, di pessimo taglio, di tutti gli altri inglesi. La camicia era bianca e aveva una cravatta di un rosso acceso che gli dava l'aria del candidato laburista. La cravatta era importante, essendo il principale segno di identificazione visiva. I cecchini avevano ricevuto una dettagliata descrizione del suo aspetto fisico e di tutto il resto, ma era facile identificarlo per la carnagione paonazza e il collo che sembrava avere sempre un nuovo foruncolo sul punto di esplodere. Cosa che sarebbe stata una disgrazia su un quarantenne qualsiasi, ma che su di lui, per come la vedevo io, era la cosa giusta.

Anche se nel suo ufficio non avevo mai visto la foto della moglie, doveva essere sposato perché portava la fede alla mano sinistra. Non sapevo nemmeno se aveva figli, speravo di no, ma se ne aveva mi augurai che somigliassero alla mamma.

Signorsì varcò la soglia, estrasse il cellulare e, finendo di comporre il numero, si spostò sulla destra della porta. Alzò lo sguardo e salutò qualcuno fuori del mio campo visivo. Poi con un gesto indicò il telefono lasciando intendere di essere trattenuto.

Lo osservai mentre ascoltava il suono di linea libera, la schiena appoggiata al muro e la giacca aperta in modo che potessimo distinguere chiaramente la cravatta. I capelli erano brizzolati, o per lo meno lo sarebbero stati se avesse evitato di tormentarli, ma aveva fatto visita al centro Grecian 2000 e adesso erano un po' troppo color rame. Cosa che del resto s'intonava perfettamente con la carnagione. Mi accorsi che stavo ghignando.

Gli si avvicinò un giovane cameriere con un vassoio di bicchieri che lui allontanò con un gesto della mano, continuando a parlare al telefono. Signorsì non beveva e non fumava. Era un seguace dei cristiani della Rinascita o di Scientology, o forse un arancione o qualcosa di simile. Non che mi fossi mai impegnato a fondo per scoprirlo, anche per non correre il rischio che mi chiedesse di farne parte e mi ritrovassi magari ad accettare. E poi non mi fidavo. Se Signorsì avesse scoperto che C era un Sikh, si sarebbe presentato al lavoro in turbante.

Finì di parlare, chiuse il telefono e si avviò in direzione del fiume. Si fece largo tra la folla dispensando saluti, con una curiosa andatura a rimbalzo sulla punta dei piedi, forse per sembrare più alto di qualche centimetro. Senza perderlo di vista sganciai lentamente la clip che bloccava il binocolo al treppiede, in modo da poterlo ruotare su se stesso per continuare a seguire Signorsì.

Oltrepassò le due PR, che sembravano molto compiaciute di loro stesse. Tutt'e due avevano sigaretta e telefono in una mano e un calice di champagne per autocongratularsi nell'altra. Oltrepassò il fotografo, al momento impegnato a scattare foto ricordo a gruppi di latinoamericani con sfondo di Big Ben; era lontanissimo dall'immaginare che solo un paio di rintocchi lo separavano da un'esclusiva mondiale.

Signorsì schivò il gruppo in posa e continuò a sinistra, sempre in direzione fiume. Alla fine si fermò vicino a un gruppo di una decina di uomini, raccolti informalmente in un ampio cerchio. Chiacchieravano, bevevano o attendevano che i camerieri che ronzavano intorno portassero i rifornimenti. Riuscivo a vederne qualcuno in viso, ma non tutti.

Due erano occhi-chiari e almeno quattro o cinque, rivolti verso il fiume, latinoamericani.

Il più anziano dei due occhi-chiari sorrise a Signorsì e gli strinse calorosamente la mano. Poi cominciò a presentare i nuovi amici latinoamericani.

Il momento era arrivato, il bersaglio si trovava di sicuro in mezzo a loro. Ne esaminai con attenzione i volti che trasudavano benessere, mentre sorridevano educatamente stringendo la mano a Signorsì.

Mentre mi concentravo su chi stringeva la mano a chi, sentivo la fronte imperlarsi di sudore, consapevole di non potermi permettere di sbagliare, ma anche in dubbio sul fatto che Signorsì fosse in grado di sostenere la parte.

Mi ero fatto l'idea che fossero tutti latinoamericani, ma quando uno di loro si voltò vidi dal profilo che era cinese. Sulla cinquantina, look da perfetto ospite di talk show, più alto di Signorsì e con più capelli. Che cosa ci facesse con la delegazione sudamericana era per me un mistero, ma non avrei perso il sonno per scoprirlo. Mi concentrai sulle modalità di saluto. Nulla di speciale, solo una stretta di mano. Il cinese, che evidentemente parlava inglese, presentò il ragazzo alla sua destra di cui vedevo solo la schiena. Signorsì si avvicinò e, mentre si stringevano la mano, posò la mano sinistra sulla spalla del ragazzo.

Mi scocciava non poco ammetterlo, ma stava facendo un ottimo lavoro. Arrivò perfino a ruotare il bersaglio in modo che si trovasse di fronte al fiume, indicandogli la London Eye e i due ponti sui lati del Parlamento.

Anche il bersaglio aveva qualche tratto somatico cinese, e mi accorsi in ritardo che non poteva avere più di sedici o diciassette anni. Indossava un elegante blazer, camicia bianca e cravatta azzurra, esattamente il tipo di ragazzo che ogni genitore avrebbe voluto come fidanzato della figlia. Aveva un'aria felice, quasi esuberante, sorrideva a tutti e quando rientrò in gruppo si unì alla conversazione.

Ebbi la sensazione di essere in guai molto peggiori di quanto non avessi immaginato.

4

Mi obbligai a darci un taglio. Che cazzo, me ne sarei preoccupato durante il volo verso l'America.

Sulla terrazza la conversazione continuò finché Signorsì non li salutò, fece dei cenni di saluto a un altro gruppo e uscì dal mio campo visivo. Non poteva ancora andarsene perché avrebbe destato troppi sospetti, voleva solo non essere vicino al ragazzo al momento dello sparo.

Pochi secondi e le tre lampadine si accesero. I cecchini aspettavano solo di sentire nelle orecchie i tre impulsi che gradualmente avrebbero dato il via all'azione.

Non mi sentivo con la coscienza a posto, ma i riflessi condizionati presero il sopravvento. Con un colpetto feci saltare il tappo della schiuma da barba dalla scatola. Adesso avevo i pollici sui pulsanti.

Stavo per premerli ma le tre luci si spensero a una frazione di secondo una dall'altra.

Con l'occhio destro tornai al binocolo, mantenendo i pollici in posizione. Il gruppo si spostò *en masse* da sinistra a destra. Avrei dovuto occuparmi solo delle lampadine, ma volevo vedere. Mentre si avvicinavano a un gruppo più ristretto di latinoamericani pronti a dare l'assalto al buffet, il cinese teneva il braccio sulle spalle del ragazzo che doveva essere il figlio.

Si accese una lampadina: Cecchino Tre si sentiva pronto a sparare, mirando appena più avanti del bersaglio in modo che il ragazzo andasse incontro al proiettile.

Si fermarono al tavolo insieme con l'altro gruppo, bloccati tra i vol-au-vent. La lampadina rimase accesa. Il ragazzo era in fondo al gruppo e scorgevo solo qualche sprazzo della sua giacca blu tra la gente.

La lampadina numero tre si spense.

Avevo dei dubbi, non so perché, e cercai di recuperare un po' di controllo. Ma che cazzo me ne fregava? Si fosse trattato di una scelta secca tra la sua vita e la mia, non avrei avuto esitazioni. Quello che stava avvenendo nella mia testa non era affatto professionale, ma terribilmente ridicolo.

Mi diedi una sonora schiaffeggiata mentale. Ancora un paio di cazzate del genere e sarei finito ad abbracciare alberi e a fare il volontario per Oxfam.

L'unica cosa che dovevo fare era rimanere concentrato sulla scatola. Quello che avveniva sulla terrazza non doveva riguardarmi più. Eppure non riuscivo a smettere di seguire il ragazzo attraverso il binocolo.

La lampadina di Cecchino Due si accese. La donna doveva aver inquadrato il lobo dell'orecchio del ragazzo.

Facendosi largo tra la folla il ragazzo si avvicinò al tavolo. Iniziò a servirsi e si voltò per chiedere al padre se voleva qualcosa.

Tutt'e tre le lampadine si accesero. Non poteva essere altrimenti.

Lo osservai piluccare tra i vassoi d'argento, annusare una tartina e decidere di lasciarla perdere. Studiai il suo viso luminoso e giovane mentre si domandava che cosa fosse più giusto abbinare alla Coca che stava bevendo.

Le lampadine erano ancora tutte accese e io continuavo a guardare attraverso il binocolo. Era allo scoperto e s'ingozzava di noccioline.

E dai! Finisci questo lavoro del cazzo!

Pazzesco. I pollici non riuscivano a muoversi.

In quel preciso momento, cambiai piano e decisi di far fallire l'attentato e di trovare qualcosa su cui scaricare la colpa. Senza ripensamenti.

I cecchini non potevano sapere chi altro era pronto a sparare e non ci saremmo trovati la mattina dopo a discutere l'azione davanti a una tazza di caffè. Me la sarei vista da solo con Signorsì.

Il ragazzo tornò a mescolarsi tra la folla andando verso suo padre. Riuscivo a malapena a vedergli una spalla.

Le tre luci si spensero contemporaneamente. Poi si accese la Due. Quella donna non mollava il bersaglio. Dopo tutto forse non era una mamma.

Tre secondi e si spense di nuovo. Giusto o sbagliato, era arrivato il momento di agire.

Premetti il pulsante invio una prima volta, sempre con gli occhi incollati al ragazzo. Poi una seconda volta insieme con quello dell'esplosione. La terza volta premetti esclusivamente il pulsante invio.

L'esplosione dall'altro lato del Tamigi fu come lo schianto potente e prolungato di un tuono. Invece di fare quanto avevo in programma per lui, osservai il ragazzo, che, come le persone intorno a lui, reagiva alla detonazione.

L'onda d'urto attraversò il fiume e fece tremare le finestre. Ascoltai gli ultimi rimbombi che riecheggiavano nel quartiere di Whitehall, poi le urla dei turisti ebbero il sopravvento. Tornai al ragazzo e vidi che il padre lo spingeva verso la porta.

Sulla terrazza scoppiò il panico e il fotografo si mise a scattare all'impazzata, sperando di cogliere l'attimo che gli avrebbe permesso di estinguere il mutuo. Inquadrai Signorsì piazzato di fianco alle due PR che aiutavano le persone a rientrare. Aveva un'aria preoccupata che aveva poco a che vedere con l'esplosione e molto con il fatto che il bersaglio era vivo e veniva portato in salvo. Il ragazzo sparì attraverso la porta, altri lo seguirono, ma Signorsì continuava a non essere di nessun aiuto. Alzò lo sguardo oltre il fiume nella mia direzione. Fu orribile. Anche se non conosceva con esattezza la mia posizione nell'edificio, provai la sensazione che mi stesse guardando dritto negli occhi.

A quel punto mi ritrovavo in un mare di merda. Dovevo inventarmi una storia molto buona. Ma non adesso: adesso dovevo solo fare rotta su Waterloo. Il mio Eurostar partiva tra un'ora e cinque minuti. In quel momento i cecchini dovevano trovarsi al loro punto di svolta, la linea di demarcazione tra zona contaminata e zona decontaminata. Si erano tolti la tuta e l'avevano infilata nella sacca, ma avrebbero tenuto i guanti finché non fossero stati completamente fuori del Portakabin. Armi, binocoli e scatole portavivande sarebbero rimasti al coperto.

Con gesti rapidi ma senza fretta mi allungai verso la finestra e la socchiusi per recuperare le antenne. Adesso le urla della gente producevano un rumore superiore a quello dell'esplosione. A livello del lungofiume uomini, donne e bambini urlavano per la paura e per il caos. Sul ponte le automobili erano ferme e i passanti impietriti sul posto mentre una nuvola di fumo nero fluttuava sul tetto dell'edificio del ministero della Difesa.

Chiusi la finestra lasciandoli al loro destino, smontai il treppiede del binocolo e misi via le mie cose il più veloce possibile. Dovevo prendere quel treno.

Quando tutta l'attrezzatura fu riposta nella sacca, tappo di plastica della schiuma da barba compreso, rimisi la tazza sporca di caffè, il sottobicchiere con la pubblicità di *Fusi di testa* e il telefono esattamente dove li avevo trovati. Per farlo mi aiutai con l'istantanea che avevo scattato alla scrivania prima di liberarla per fare posto al binocolo e alla scatola di plastica. Controllai anche le foto d'insieme che avevo scattato subito dopo l'irruzione nel locale. La tendina poteva non essere esattamente al solito posto, una sedia poteva risultare spostata di qualche decina di centimetri sulla destra. Nessuna superstizione: i dettagli sono importanti. So di un operatore che ha passato i suoi guai per un tappetino del mouse fuori posto.

Il cervello cominciò a pulsarmi nel cranio. C'era qualcosa di strano in quello che avevo visto là fuori. Io non ero stato abbastanza pronto da accorgermene, ma il mio inconscio sì. Mai ignorare queste sensazioni, una lezione che ho imparato a mie spese.

Tornai alla finestra e immediatamente capii. L'attenzione della folla non era rivolta alla colonna di fumo alla mia destra, ma all'ospedale sulla mia sinistra. Guardavano verso le postazioni dei cecchini e ascoltavano il *tud* sordo e breve di sei o sette colpi singoli...

Poi ancora urla sotto la finestra mescolate al lamento delle sirene della polizia che si avvicinavano veloci.

Spalancai la finestra, spostai la tenda e sporsi la testa a sinistra verso l'ospedale.

Sul lungofiume, molto vicino alle postazioni dei cecchini, erano state abbandonate camionette e macchine della polizia con le luci intermittenti e le portiere aperte. Vidi dei poliziotti che organizzavano precipitosamente un cordone.

C'era qualcosa di sbagliato, di molto molto molto sbagliato. L'azione che stavo osservando era stata programmata e preparata. L'attività frenetica della polizia era troppo organizzata per essere una reazione d'impulso all'esplosione di pochi minuti prima.

Ci avevano messo in trappola.

Vennero sparati ancora tre colpi, poi, dopo una breve pausa, altri due. Poco più lontano lungo il fiume, sentii dei forti colpi in rapida successione esplosi all'interno dell'edificio. Stavano colpendo la postazione di Cecchino Tre.

Una scarica di adrenalina mi attraversò il corpo. Il prossimo ero io.

Con un colpo richiusi la finestra. Pensai il più in fretta possibile. Oltre a me, l'unico a conoscenza dell'esatta posizione dei cecchini era Signorsì: ne aveva bisogno per posizionare il bersaglio in modo favorevole e consentirne l'identificazione. Non sapeva con precisione dove mi sarei trovato io, anche perché non lo sapevo neppure io. Dal punto di vista tecnico non c'era nessun bisogno che io riuscissi a vedere il bersaglio, l'unica cosa importante era che mantenessi la comunicazione con i cecchini. Ma quello che sapeva era abbastanza. Aver incasinato la sparatoria era l'ultima delle mie preoccupazioni, per il momento.

5

ADESSO il cielo pullulava di elicotteri e per strada le sirene della polizia urlavano all'impazzata. Richiusi piano la porta alle mie spalle e m'inoltrai nell'ampio corridoio ben illuminato.

Mi diressi verso l'uscita di sicurezza che si trovava a una sessantina di metri. Il pavimento tirato a lucido fece cigolare gli stivali Timberland. Cercai di non accelerare il passo. Non potevo permettermi altri errori. Forse sarebbe arrivato il momento di correre, ma per adesso no.

Venti metri più avanti, sulla destra, un altro corridoio portava alle scale che mi avrebbero condotto a pianterreno. Lo raggiunsi, svoltai e rimasi paralizzato. Tra me e le scale si ergeva un muro di scudi neri alto due metri. Dietro gli scudi, una dozzina di poliziotti in completa tenuta nera da assalto. Tra uno scudo e l'altro spuntavano bocche di arma da fuoco puntate verso di me. In mezzo alle lame di luce brillavano gli elmetti da assalto azzurri con visiera.

«*Fermo! Fermo!*»

Il momento di correre come il vento era arrivato. Con un rapido movimento ruotai cigolando sui talloni e feci i due passi che mi separavano dal corridoio principale. Mi precipitai verso la porta antincendio, desiderando con tutta l'anima di riuscire ad agguantare il maniglione antipanico, abbassarlo e guadagnarmi la libertà.

La mia attenzione era focalizzata sull'uscita di sicurezza quando il corridoio davanti a me si riempì di altri scudi neri e il pavimento rimbombò di passi di stivali. Tenevano le posizioni come centurioni romani. Gli ultimi due sbucarono da uffici laterali, le armi che puntavano verso di me, un po' troppo da vicino per i miei gusti.

«*Fermo! Fermati subito!*»

Mi fermai, lasciai cadere a terra la sacca e, con le braccia alzate, urlai: «Sono disarmato! Non ho armi! Sono disarmato!»

Ci sono occasioni in cui conviene ammettere con se stessi di essere nella merda fino al collo. Questa era una di quelle. Mi augurai che fossero davvero poliziotti. Se non costituivo una minaccia non avrebbero dovuto spararmi. In teoria.

Mi augurai anche che il giubbotto nero di cotone mi si fosse sollevato abbastanza da far vedere che non avevo pistole, né alla cintura né nei pantaloni. «Non sono armato!» strillai. «Non ho armi!»

Mi urlarono degli ordini. Non capii bene quali, troppo ravvicinati, troppo gridati, una moltitudine di echi che rimbalzavano per il corridoio.

Ruotai lentamente su me stesso in modo che mi vedessero anche di schiena e capissero che non stavo mentendo. Ero rivolto verso la congiunzione dei due corridoi quando sentii altri stivali rimbombare dal corridoio delle scale chiudendomi in trappola.

Uno scudo si spostò dall'angolo e si tuffò in posizione sul pavimento alla congiunzione dei corridoi. Dallo scudo sbucò la canna di un MP5 e nel momento in cui m'inquadrava riuscii a cogliere un frammento dell'uomo che lo imbracciava.

«Non sono armato!» ripresi a urlare. «Non ho armi!»

Continuando a tenere le mani in alto fissai quell'unico occhio immobile dietro l'arma. L'uomo era mancino e si proteggeva con il lato sinistro dello scudo. Il mirino non si staccava dal mio torace.

Abbassai lo sguardo e vidi il puntino rosso del laser delle dimensioni di un bottone da camicia che mi coglieva in pieno centro. Era immobile. E Dio sa con quanti altri puntini rossi la squadra della porta antincendio mi stava macchiando la schiena.

Dopo aver rimbalzato a lungo sulle pareti, le urla frenetiche si spensero: una voce potente con l'accento del Sud aveva preso il sopravvento impartendo ordini che adesso riuscivo a capire. «Rimani fermo! Immobile! Mani in alto! In alto!»

Feci quanto mi ordinava, stavolta senza voltarmi.

«In ginocchio! Giù. Subito!»

Gli occhi a terra, senza più cercare d'incrociare i loro sguardi, mi abbassai lentamente continuando a tenere le braccia alzate. Il puntatore laser del poliziotto mancino che avevo davanti seguì ogni mio movimento.

La voce alle mie spalle dettò un nuovo ordine. «A terra. Sdraiato a braccia allargate. Muoviti.»

Obbedii. Il silenzio era totale e faceva paura. Il freddo del pavimento in pietra mi penetrò nei vestiti. Minuscoli granelli di sabbia mi si conficcarono nella guancia destra mentre inalavo rumorosamente una buona dose di cera passata di fresco.

Mi ritrovai a fissare la parte terminale di uno scudo del gruppo della scala. Era vecchio e sporco, con gli angoli aperti. I vari strati di Kevlar che proteggevano dalle pallottole anche di grosso calibro avevano l'aspetto delle pagine di un libro molto sfogliato.

Il silenzio venne rotto dal cigolio di passi di stivali strascicati che mi si avvicinavano da dietro. Riuscivo solo a pensare che se mi arrestavano era una gran botta di culo.

Gli stivali arrivarono a destinazione e il respiro forte dei proprietari riempì l'aria. Uno di pelle nera molto vissuta, numero quarantaquattro, mi atterrò vicino al volto. Mi sentii afferrare e congiungere le mani. Le manette scattarono e il metallo duro e freddo mi penetrò nei polsi. Li lasciai fare. Opporsi avrebbe solo aumentato il dolore da sopportare. Erano manette dell'ultimo modello, in dotazione alla polizia, unite da un distanziatore metallico e non dalla catena. Una volta agganciate, è sufficiente un colpo di manganello sul distanziatore per farti urlare dal dolore perché il metallo ti frantuma le ossa dei polsi.

Mi bastava il dolore che stavo già provando: uno tirava le manette per tendermi le braccia e un altro mi conficcava con forza un ginocchio tra le scapole. Mi sbatterono il naso contro il pavimento, facendomi lacrimare gli occhi, e restai senza fiato.

Il ginocchio che mi premeva sulla schiena si sollevò. Subito dopo due stivali mi strinsero ai fianchi e delle mani cominciarono a perquisirmi. Dalla tasca del giubbotto estrassero il portafoglio che conteneva il biglietto per l'Eurostar e il passaporto a nome Nick Somerhurst. Di colpo mi sentii nudo.

Voltai la testa e appoggiai la faccia contro il pavimento freddo in cerca di una posizione meno infelice mentre mi frugavano addosso. Anche se avevo la vista annebbiata riuscii a scorgere tre paia di jeans che si avvicinavano emergendo da dietro lo scudo alla congiunzione dei corridoi. Un paio di jeans mi oltrepassò mentre le altre due paia si avvicinarono: adesso a pochi centimetri dal mio naso c'erano delle scarpe da tennis e degli stivaletti Caterpillar in cuoio chiaro.

Invece di preoccuparmi, ciò che stava per accadere mi dava un senso di depressione. Gli uomini in jeans di solito non capitano per caso durante un arresto ad armi spianate.

Alle mie spalle il rumore di una cerniera che si apriva mi comunicò che stavano controllando il contenuto della sacca. Contemporaneamente mi sentii sfilare il Leatherman dalla custodia.

Le mani mi palparono le gambe alla ricerca di armi nascoste. Nessuno parlava. Mi rivoltarono come un sacco di patate facendomi fare perno sugli zigomi.

Le mani mi penetrarono a forza nello stomaco e nella cintura dei pantaloni ed estrassero gli spiccioli, tre o quattro sterline, che tenevo nel taschino dei jeans.

Le stesse mani, con un degno accompagnamento di grugniti e di cigolii dell'attrezzatura alla cintura di cuoio, salirono sotto le ascelle e mi sollevarono fino a mettermi in ginocchio. Quello che reggeva le manette mollò la presa e le mani mi ricaddero sulle cosce. Sembrava che stessi pregando. La pietra del pavimento mi faceva dolere le ginocchia, ma, nell'esatto momento in cui vidi la faccia dell'uomo con i Caterpillar, me ne dimenticai.

Quel giorno i suoi capelli non erano il massimo della pulizia: Sundance Kid doveva aver corso parecchio. Oltre ai jeans indossava un bomber verde e un pesante giubbotto antiproiettile con la piastra di ceramica infilata davanti. Era chiaro che non voleva correre rischi.

Mentre mi fissava dall'alto in basso, l'espressione del viso non tradiva la minima emozione; probabilmente stava cercando di nascondere agli altri il fatto di non aver eseguito alla perfezione gli ordini ricevuti. Io ero ancora vivo: lui non era stato capace di fare irruzione all'interno dell'ufficio insieme con i suoi nuovi amici e spararmi invocando la legittima difesa.

Gli passarono i miei documenti e se li infilò in tasca. Con le mani a coppa fece tintinnare gli spiccioli. Il terzo paio di jeans, con la sacca a tracolla, raggiunse Sundance e il suo amico Scarpedatennis. Non era mia intenzione lanciargli nessuna sfida, perciò mantenni lo sguardo all'altezza dei polpacci. Chiedere aiuto a dei poliziotti sarebbe stato tempo perso. Quella era gente che ne aveva sentite di tutti i colori, dagli ubriachi che pretendevano di essere Gesù Cristo fino a quelli come me che farneticavano di essere stati incastrati.

Sundance parlò per la prima volta. «Ottimo lavoro, sergente.» La sua voce, nel pesante accento di Glasgow, si rivolgeva a qualcuno che si trovava alle mie spalle. Quindi girò sui tacchi e se ne andò con gli altri due. Li guardai dirigersi verso le scale, accompagnati dal suono del velcro dei giubbotti antiproiettile che venivano tolti.

Mentre loro sparivano dietro l'angolo del corridoio, due poliziotti mi presero sotto le ascelle, mi sollevarono e, senza mollare la presa, si avviarono con me verso le scale. Oltrepassammo gli scudi all'incrocio del corridoio, mentre la squadra armata rompeva i ranghi, riuscendo a raggiungere le scale. Sundance e gli altri ci precedevano di circa due piani. A tratti riuscivo a scorgerli tra le ringhiere di ferro dei pianerottoli. Mi domandai perché non mi avevano bendato. Forse per non correre il rischio che cadessi dalle scale. No, la vera ragione era che non gl'importava nulla se li vedevo in faccia. Non sarei vissuto abbastanza da rivederli una seconda volta.

Uscimmo dalla stessa porta in vetro e ferro attraverso cui ero entrato poco prima. Il rumore degli stivali sulle scale, l'ansimare affannoso dei poliziotti che faticavano a trascinarmi furono coperti d'un tratto dalla confusione che c'era in strada. Una moltitudine di poliziotti, le camicie bianche fradice di sudore, correva da tutte le parti. Le loro radio emettevano un concerto di suoni gracchianti che si mescolava alle urla rivolte ai pedoni di sgombrare la zona. Le sirene urlavano a tutto volume. Sopra le nostre teste un elicottero fendeva l'aria con fragore.

Ci trovavamo nel vialetto dell'ingresso privato al Marriott Hotel, parte integrante dell'edificio del County Hall. Sulla mia sinistra c'era la piazzola spartitraffico bordata da una siepe decorativa particolarmente vezzosa.

La polizia bloccava gli ospiti dell'albergo che tentavano di varcare l'ingresso principale, vai a sapere se spinti dalla curiosità di vedere quello che stava succedendo o dal desiderio di darsela a gambe.

Davanti a me, accostata al marciapiede, una Mercedes bianca familiare con le portiere spalancate e il motore acceso. Uno di quelli con i jeans sedeva al posto di guida, pronto a partire. Venni spinto a forza sui sedili posteriori, una mano mi abbassò la testa e i miei piedi urtarono contro qualcosa nel vano davanti ai sedili: era la mia sacca con la cerniera ancora aperta.

Il tipo con le scarpe da tennis sedette alla mia sinistra, prese un paio di manette e ne agganciò un'estremità all'anello a D delle cinture di sicurezza posto al centro del sedile e l'altra alle manette che avevo io. Se questi ragazzi avessero continuato a essere così efficienti, io non sarei andato da nessuna parte.

Sundance fece la sua comparsa sul marciapiede e salutò gli uomini in uniforme. «Grazie ancora, ragazzi.»

Continuavo a cercare un contatto visivo con i due che mi avevano trascinato giù e che adesso si trovavano accanto all'ingresso dell'edificio di uffici. Sundance prese posto a fianco del guidatore e chiuse la portiera. Ovviamente aveva capito quello che stavo cercando di fare. Si chinò in avanti. «Non ti sarà di nessun aiuto, ragazzo.» Recuperato un lampeggiante blu dal pavimento lo piazzò sul cruscotto, quindi inserì il filo nella presa per l'accendino. Non appena l'auto si mosse la luce iniziò a lampeggiare.

Abbandonammo il vialetto privato dell'albergo, diretti verso la strada principale a sud del ponte, esattamente dal lato opposto dell'ospedale. La strada era transennata e circondata da tutti i mezzi della polizia della Grande Londra. Le finestre dell'ospedale erano affollate di pazienti e infermiere che cercavano di avere una visione d'insieme del casino sottostante.

Ci aprimmo un varco tra gli ostacoli che ingombravano la strada e attraverso le transenne. Superammo l'imponente crocevia e un centinaio di metri più avanti transitammo sotto le rotaie dell'Eurostar. Riconobbi le sagome luccicanti e aerodinamiche dei treni in attesa tra le vetrate del terminal sopra la mia testa. Il pensiero che di lì a poco uno di quei treni sarebbe partito senza di me mi faceva stare male.

Sundance tolse il lampeggiante dal cruscotto. Eravamo diretti a sud, verso Elephant and Castle, e, senza dubbio, verso un mondo di merda.

Guardai Sundance nello specchietto laterale. Non mi restituì lo sguardo e non fece cenno di accorgersi di me. Probabilmente dietro quell'espressione di pietra stava decidendo la prossima mossa.

Io stavo facendo la stessa cosa, e cominciai subito a lavorarmelo. «Non funzionerà. Ho registrato gli ordini che ho ricevuto quando eravamo in macchina e...»

Un'esplosione di dolore. Scarpedatennis mi aveva conficcato con tutta la sua forza un gomito nella coscia, mettendomi fuori uso la gamba.

Sundance si voltò. « Non prendermi in giro, ragazzo. »

Feci un respiro profondo, molto profondo, e ricominciai. « Ho le prove di tutto quello che è successo. Tutto. »

Stavolta non si prese neppure la briga di voltarsi. « Chiudi il becco. »

La mano di Scarpedatennis calò di taglio sul distanziatore fra le manette e il metallo mi si conficcò dolorosamente nei polsi. Ma sapevo che era niente in confronto a quanto poteva succedermi se non fossi riuscito a guadagnare un po' di tempo. « Ascolta », farfugliai senza fiato, « oggi hanno incastrato me, domani potrebbe toccare a voi. A nessuno importa un cazzo di gente come noi. È per questo che io tengo nota di tutto. Per garantirmi una via d'uscita. »

Eravamo all'altezza del centro commerciale rosa, e ci stavamo avvicinando al crocevia di Elephant and Castle. Con un cenno feci capire a Scarpedatennis che avrei smesso di parlare. Non ero un pazzo, sapevo quando parlare e quando tacere. Volevo far durare a lungo quel poco che sapevo. Volevo dar loro la sensazione che ero tranquillo e sicuro di me e che avrebbero commesso un grave errore a non ascoltarmi. Mi augurai di non essere io quello che stava commettendo l'errore.

Guardai di nuovo nel retrovisore. Era impossibile capire se quello che avevo detto aveva suscitato qualche effetto su Sundance. Stavo decidendo se aggiungere qualcosa quando lui sbottò. « E allora cosa sai, ragazzo? »

Mi strinsi nelle spalle. « Tutto, compresi i tre morti ammazzati di poco fa. » Candidato al primo premio come sparacazzate.

Avevo di fronte il naso rotto e gli occhi castani iniettati di sangue di Scarpedatennis che non lasciavano trapelare le sue intenzioni. Difficile stabilire se stesse per colpirmi o no. Decisi di mettercela tutta per cercare di salvare la pelle prima che prendesse una decisione.

« Ho registrato l'incontro in macchina. » Falso. « Ho le

foto delle postazioni.» Vero. «E foto e numeri di serie di tutte le armi. E tutte le date, tutto scritto, e anche le foto dei cecchini.»

Svoltammo in Old Kent Road e cambiando appena posizione per un attimo vidi il viso di Sundance nello specchietto. Guardava fisso in avanti, l'espressione impenetrabile. «Dammi le prove.»

Un gioco da ragazzi. «Cecchino Due è una donna, è sulla trentina e ha i capelli scuri.» La tentazione di dire di più era forte, ma riuscii a resistere. Dovevo dimostrargli che sapevo molto senza restare a corto di notizie troppo presto.

Silenzio. Avevo l'impressione che Sundance stesse iniziando ad ascoltarmi con attenzione, era l'occasione di continuare. «Devi dirglielo», continuai. «Pensa solo al casino in cui finiresti se non lo fai. Frampton non si metterà in coda per primo per autoincolparsi. Toccherà al vostro gruppo, stanne certo.» Se non altro il messaggio aveva raggiunto Scarpedatennis che scambiava occhiate con Sundance attraverso lo specchietto: a quel punto la mia parte prevedeva che non alzassi neppure lo sguardo e li lasciassi fare.

Ci fermammo a un semaforo a fianco di automobili cariche di bambini che bevevano a canna lattine di Coca e facevano tutte quelle cose che fanno i bambini annoiati nei sedili posteriori. Noi quattro, seduti immobili, avevamo l'aria di andare a un funerale. Cercare di attirare l'attenzione di quelle persone che fumavano o si scaccolavano il naso in attesa del verde non avrebbe avuto senso. Potevo fare assegnamento solo su una rapida decisione di Sundance. Se non l'avesse presa, avrei tentato di nuovo, e poi ancora, finché non mi avessero fermato. Ma a quello non volevo pensare.

Arrivammo a un parcheggio di un centro commerciale, con le insegne di B&Q, Halford e McDonald's. Sundance indicò l'ingresso. «Cinque minuti lì dentro.» Immediatamente la freccia iniziò a ticchettare e tagliammo il flusso del traffico.

Cercai di mascherare il senso di sollievo e concentrai lo

sguardo sul portavivande con i miei giochini che si trovava sopra tutto il resto nella sacca. La Mercedes sobbalzò su un rallentatore di velocità.

Ci fermammo accanto a un furgone di panini al bacon e tè bollente e Sundance schizzò fuori al volo. Lo vidi allontanarsi componendo un numero sul cellulare StarTac che aveva estratto dalla tasca, tra carrelli pieni di vasi di piante, barattoli di pittura e assi di legno.

Noi restammo in silenzio. L'autista guardava avanti, nascosto dietro gli occhiali da sole, e Scarpedatennis si voltò per cercare di vedere cosa stesse facendo Sundance, preoccupandosi di nascondere le manette in modo che nessuno capisse che non eravamo lì per le cucine in offerta speciale.

In realtà non stavo pensando a nulla in particolare e non ero neppure preoccupato, mi limitavo a osservare pigramente una giovane coppia vestita di chiaro che stava caricando un vecchio XR di scatole di piastrelle e malta. Forse era un modo per evitare di pensare che la telefonata di Sundance significava vita o morte per me.

Fui risvegliato dal mio stato di dormiveglia quando lui risalì in macchina sbattendo la portiera. Gli altri due lo guardarono, forse augurandosi di ricevere l'ordine di portarmi a Beachy Head e lì fornirmi un piccolo aiuto per il mio tragico suicidio.

Agganciò la cintura di sicurezza e per venti secondi o poco più non emise suono. Fu una pausa uguale a quella del dottore che sta per dirti se hai il cancro o no. Se ne stava seduto, l'aria turbata. Non sapevo cosa pensare, ma l'interpretai come un buon segno, anche se non avrei saputo spiegare esattamente perché.

Infine, dopo aver riposto il cellulare, si rivolse all'autista. « Kennington. »

Sapevo dov'era Kennington, ma non sapevo cosa volesse dire per loro. Non che fosse così importante: ero sommerso dall'ondata di sollievo che mi procurava il cambio di programma. Qualsiasi cosa avessero in serbo per me, aveva subìto un rinvio.

Dopo un po', lanciandomi un'occhiata truce nello specchietto retrovisore, Sundance mormorò: «Se mi hai preso per il culo, per te saranno cazzi acidi».

Annuii. Non c'era bisogno di aggiungere altro. Riprendemmo Old Kent Road. Volevo tenermi tutto il resto per dopo, per Signorsì. Per far riposare le braccia e allentare la tensione delle manette sui polsi, mi appoggiai al finestrino e guardai fuori, come fa un bambino che guarda il mondo scorrere via. Il vetro si appannò intorno al mio viso.

Qualcuno accese la radio e la Mercedes si riempì del rasserenante suono di un'orchestra di violini. Mi fece uno strano effetto, non avrei mai immaginato che la musica classica piacesse a quei giovanotti più di quanto piaceva a me.

Conoscevo il quartiere come il palmo della mia mano. Giocavo da quelle parti quando avevo dieci anni e scappavo da scuola. Allora era un agglomerato di anonime case comunali, commercianti di auto usate di dubbia provenienza e anziani nei pub che tracannavano bottiglie di birra. Adesso l'impressione era che ogni metro quadrato disponibile fosse diventato signorile. La zona brulicava di edifici di lusso e Carrera 911, e tutti i pub erano stati trasformati in eleganti locali per la degustazione di vino. Mi domandai dove andavano i vecchietti a ripararsi dal freddo.

Ci stavamo avvicinando a Elephant and Castle. La musica terminò e una voce femminile trasmise gli aggiornamenti sull'attentato che aveva sconvolto Londra. Notizie non confermate, disse, parlavano di tre persone morte in un conflitto a fuoco con la polizia e di un numero imprecisato di persone, tra dieci e sedici, ricoverate in ospedale per lievi ferite causate dall'esplosione della bomba a Whitehall. Dalla sua villa in Italia, Tony Blair aveva espresso il suo sdegno totale, mentre i servizi di emergenza erano in stato di massima allerta perché non si potevano escludere altre esplosioni. Ancora nessuno aveva rivendicato la responsabilità dell'attentato.

Girammo intorno a Elephant and Castle e ci dirigemmo

verso Kennington, accostando per far passare due furgoni della polizia a sirene spiegate.

Sundance si voltò verso di me e dondolò la testa con ironica disapprovazione. «Hai sentito? Sei una minaccia per la società, lo sei davvero.»

Il notiziario terminò, la musica riprese e io continuavo a guardare dal finestrino. Ero una minaccia per me stesso, non per la società. Perché non riuscivo a girare al largo dalla merda, almeno una volta nella vita, invece di andarci dritto dentro come una falena ebbra di luce?

Superammo la stazione della metropolitana di Kennington, poi svoltammo a destra in una strada residenziale senza traffico. Il nome della strada era stato strappato e il supporto di legno che lo reggeva era coperto di graffiti. Svoltammo ancora e l'autista dovette frenare a causa di un gruppo di sei o sette ragazzini che in mezzo alla strada tiravano calci a una palla scagliandola contro la parete posteriore di un gruppo di case inizio secolo. S'interruppero per lasciarci passare e quindi proseguirono immediatamente nel loro tentativo di demolizione del muro.

Avanzammo per altri quaranta metri e poi ci fermammo. Sundance premette sul telecomando e la saracinesca doppia del garage, coperta di graffiti, iniziò a sollevarsi. Muro di mattoni scuri sbreccati da entrambe le parti e sopra un telaio in ferro che forse una volta aveva sostenuto un'insegna al neon. Lattine vuote ovunque. Dentro non c'era nulla. Entrammo, e vidi che le pareti di mattoni erano tappezzate di pannelli per gli utensili con le sagome di un rosso sbiadito degli attrezzi che dovevano esserci stati appesi. Molto tempo prima doveva essere stata la piccola officina del proprietario del garage. Attaccato alla porta un manifesto scolorito della squadra del Chelsea. A giudicare dalla lunghezza dei capelli, dalle basette e dai pantaloncini stretti, doveva essere un puro anni '70.

Alle mie spalle la saracinesca si abbassò sferragliando e cigolando, isolandoci gradualmente dalle urla dei ragazzini che giocavano a pallone. Il motore si spense e i tre iniziarono a scendere dall'auto.

Sundance scomparve dietro la porta con il manifesto di calcio lasciandola aperta: buone speranze che ci portassero anche me. Avrei dato qualsiasi cosa per trovarmi fuori della macchina e senza quella pressione sui polsi. Forse mi avrebbero dato anche qualcosa da bere. Non bevevo né mangiavo dalla notte precedente: troppe cose da fare, me ne ero semplicemente dimenticato. Mi ci erano volute quasi quattro ore solo per piazzare la bomba sul tetto dell'albergo e un salto da Egg McMuffin era stato l'ultimo dei miei pensieri.

Mentre fissavo la porta che lentamente si stava richiudendo mettendo di nuovo in mostra i capelloni del Chelsea, Scarpedatennis si piegò e tolse le manette che mi tenevano legato al sedile. Poi lui e l'autista mi afferrarono e mi fecero uscire. Eravamo diretti verso la porta; cominciai a cullare l'illusione che forse dopo tutto potevo cavarmela. Mi schiaffeggiai mentalmente: ogni volta che formulavo pensieri di quel tipo venivo di regola smentito. Quello che stava accadendo adesso non aveva importanza. Dovevo aspettare e recitare il mio pezzo a Signorsì. Decisi di fare tutto il possibile per non infastidire i ragazzi durante l'attesa. Stavano facendo del loro meglio per intimidirmi; niente preoccupa più dell'assenza del contatto verbale o d'informazioni, e stava funzionando, era evidente. Non molto, ma abbastanza.

Mi trascinarono attraverso la porta in un locale rettangolare senza finestre, con le pareti scrostate intonacate a calce. Nella stanza mancava l'aria, faceva caldo ed era umido, e come se non bastasse qualcuno si era fatto delle canne. Una luce dura a doppia fluorescenza proveniva dal lampadario sul soffitto e dava l'impressione che non ci fosse un posto dove nascondersi.

Nell'angolo a sinistra sul pavimento era posato un televisore e da un chiodo nel muro pendeva un'antenna lucida a lisca di pesce, l'unica cosa nella stanza che non sembrava comprata in un negozio di seconda mano. Davanti c'era un divano a tre posti in velluto molto mal ridotto. I braccioli erano rovinati, i sedili sfondati e punteggiati da bruciature di sigaretta. A un'unica presa, la stessa del televisore, erano collegati gli adattatori di un bollitore verde per scaldare l'acqua, un tostapane e i caricabatteria di tre cellulari. Sembrava una centrale di taxi, con gli immancabili quotidiani vecchi e i bicchieri di carta di Burger King.

Sundance, vicino alla TV, stava ultimando un'altra conversazione al cellulare. Mi guardò e fece un cenno verso l'angolo. « Tieni la bocca chiusa, ragazzo. »

Gli altri due mi aiutarono a spintoni a raggiungere il mio posto. Scivolai lungo la parete cercando di non urtare con le manette, per evitare il rischio che si stringessero ancora di più ai polsi. Alla fine crollai sul pavimento di fronte al televisore.

6

Il posto dava l'idea di essere stato allestito solo per la durata del lavoro, e il lavoro, inutile dirlo, era programmare e preparare la mia morte. Poco ma sicuro: da qualche altra parte di Londra esisteva un posto simile dove una squadra di bravi ragazzi e brave ragazze si era preparata per eliminare i cecchini.

Mentre gli altri due tornavano nel garage, Scarpedatennis si avvicinò alla TV. Lo osservai accucciarsi vicino al bollitore elettrico e guardarci dentro per controllare il livello dell'acqua. Dal giubbotto di nylon marrone chiaro sollevato spuntavano un pezzo della fondina in pelle nera e piatta che portava alla cintura sul fianco destro e una maglietta verde scurita dal sudore. A giudicare dal colore, molto più intenso sulla parte posteriore, anche la cintura doveva essere impregnata di sudore.

In sottofondo si udivano ancora le urla dei ragazzini che giocavano a pallone incitandosi a vicenda. Qualcuno doveva aver sbagliato un goal fatto perché le voci si trasformarono in grida di derisione. Le mie mani stavano assumendo un aspetto orribile a causa del caldo e dei guanti da chirurgo che avevo ancora indosso.

Scarpedatennis allineò tre tazze dall'aspetto non troppo pulito che raffiguravano i personaggi dei Simpson, Bart, Marge e Homer. Merda, a me non sarebbe toccato niente da bere. Lisa non c'era. Infilò in ciascuna delle tazze una bustina di tè, le schizzò di latte e solo in due depositò una montagna di zucchero estratta con un cucchiaio da un sacchetto mezzo vuoto e tutto accartocciato.

Dalla zona garage avvertii lo scroscio di uno sciacquone. Il suono si fece più forte quando la porta venne aperta e poi più attutito quando si richiuse. Sundance e l'autista parlottavano, ma non riuscii a capire cosa dicevano.

Sentii la portiera della Mercedes che sbatteva, il motore che si avviava e il cigolio lamentoso della saracinesca che si sollevava. Trenta secondi dopo la macchina usciva in retromarcia dal garage, percorreva il vialetto fino alla strada e si allontanava. Dopo tutto, qualche possibilità che una delle tazze fosse per me ce l'avevo.

Attraverso la porta dell'ufficio riapparve la schiena di Sundance, impegnato a controllare che la saracinesca fosse ben chiusa. Quando il metallo sbatté con fragore sul pavimento, si diresse verso il divano sfilandosi il giubbotto e lanciandolo sulla poltrona più vicina. Vidi la polo completamente bagnata e sul fianco destro, appena inclinata all'indietro, la tozza Sig 9 mm infilata nella fondina. Sul fianco sinistro, un portacaricatori in cuoio chiaro con tre anelli di robusto elastico che reggevano altrettanti caricatori. L'ottone del primo proiettile di ciascun caricatore brillava alla luce bianca che proveniva dal soffitto. Mi venne quasi da ridere, tre caricatori pieni per un omino come me. Avevo sentito parlare di potenziale distruttivo superiore al necessario, ma quello sembrava preso pari pari da una delle ultime scene di *Butch Cassidy*. Adesso sapevo da dove quel ragazzo traeva le sue idee migliori.

Si tolse la polo e la usò per asciugarsi il sudore dal volto. Notai una schiena piena di cicatrici. Almeno due erano da arma da fuoco, facile per me riconoscerle perché ne avevo una anch'io. Gli avevano fatto un servizietto anche con il coltello, lunghi tagli con il segno dei punti da entrambe le parti che correvano giù per tutta la schiena. Per dirla tutta, ricordava una veduta aerea di Clapham Junction.

Scarpedatennis, ripescate e strizzate le bustine di tè, si rivolse a Sundance. «Vuoi?» Purissima cadenza di Belfast. Se fosse venuto fuori che l'autista era gallese, non avrei avuto problemi a mettere insieme un libro di barzellette.

«Certo che sì.» Sundance, asciugandosi il collo e le spalle, sedette sul bordo del sedile più vicino alla TV, facendo attenzione a non appoggiare la schiena nuda e sudata contro il velluto. Assaggiò un sorso dalla tazza di Bart, quella senza zucchero.

Doveva aver fatto sollevamento pesi, ma non aveva l'aspetto scolpito del culturista. Piuttosto il fisico di un detenuto che ha fatto pesi: in prigione si mangia così male che anche facendo esercizio fisico non si ottiene un risultato armonioso ma solo una cassa toracica prominente e massiccia.

Mi guardò per la prima volta e vide che gli stavo osservando la schiena. « Belfast, quando tu eri appena una recluta. » Sorrise, poi fece un cenno verso la tazza del terzo Simpson ancora per terra accanto a Scarpedatennis. « Vuoi mica del tè, ragazzo? »

Scarpedatennis sollevò Marge.

Annuii. « Sì, grazie, volentieri. »

Si scambiarono occhiate per un paio di secondi, poi scoppiarono a ridere e Scarpedatennis si produsse in un pessimo accento londinese. « Dio mi strafulmini, governatore, volentieri, grazie. »

Si sedette sul divano con Homer e senza smettere di ridere continuò a prendermi in giro. « Accendi la luce, governatore, sì, volentieri, alla salute. Occhio all'oca. » Se non altro qualcuno si divertiva.

Appoggiò la tazza sul pavimento di piastrelle crepate e si tolse la giacca. Notai che di recente doveva essersi fatto togliere con il laser un tatuaggio dall'avambraccio: aveva una cicatrice rossa appena visibile ma la sagoma della Red Hand of Ulster era facilmente distinguibile. Era stato, o forse era ancora, un membro dell'UDA (*Ulster Defence Association*, Associazione per la difesa dell'Ulster). Forse avevano fatto entrambi i pesi nel blocco H.

I tricipiti di Scarpedatennis guizzarono sotto la pelle lentigginosa e abbronzata quando tastando sotto il cuscino estrasse un pacchetto di Drum. Se lo posò sulle ginocchia, prese una cartina Rizla e iniziò ad arrotolarsi una sigaretta.

La cosa disturbò Sundance. « Sai che non sopporta il fumo, vedi di aspettare un po'. »

«Hai ragione.» Richiuse il pacchetto di tabacco e lo infilò di nuovo sotto i cuscini.

Buone notizie, stava per arrivare Signorsì. Anche se non ho mai fumato, non sono nazista nei confronti del fumo, ma non c'era dubbio che Frampton lo fosse.

Cercando di non attirare l'attenzione, mi spostai appena per dare sollievo al sedere che si stava intorpidendo contro il pavimento. Sundance si alzò e con la tazza ancora in mano fece i tre passi che lo separavano dalla TV. La accese e fece scorrere tutti i canali fino a trovarne uno che si vedesse in modo decente.

Scarpedatennis si animò. «Questo mi piace, è divertente.» Sundance tornò con passo strascicato al suo sedile continuando a tenere gli occhi incollati allo schermo. Adesso mi ignoravano tutti e due, presi com'erano a osservare la donna che, con la stessa voce di quella del notiziario di Radio 4, descriveva all'ospite della trasmissione, un esperto di porcellana cinese, la sua collezione di tazze da tè con il disegno di un cane pechinese.

Ero in attesa del ritorno della Mercedes e adesso che la TV era accesa non sentivo più le voci dei ragazzini. La donna sullo schermo tentava di dissimulare la delusione mentre l'esperto valutava la sua collezione cinquanta misere sterline.

Frampton: chiunque gli avesse dato il soprannome di Signorsì era un genio. Non aveva mai risposto niente di diverso ai suoi superiori. In passato la cosa non mi aveva preoccupato più di tanto perché non avevo a che fare direttamente con lui. Ma una volta promosso a capo dei K nel SIS le cose cambiarono. La Ditta usava persone come me, ex SAS, in pratica chiunque, compresi questi due, come agenti il cui operato poteva non essere riconosciuto. Tradizionalmente, il capo dei K era sempre stato un IB, cioè un membro dell'Intelligence Branch, la divisione più autorevole dei Servizi. In effetti l'intero Servizio è gestito da IB per IB. È di questi ragazze e ragazzi che si legge sui giornali: vengono arruolati nelle università, lavorano nelle ambasciate e usano gli avvenimenti mondani del ministero degli Esteri come copertura. Alle sei di sera, quando i diplomatici iniziano il pellegrinaggio da un ricevimento a un altro, gli IB iniziano il loro vero lavoro: raccogliere informazioni, mettere in circolazione disinformazioni e reclutare informatori.

È a questo punto che quelli di secondo livello come me entrano in gioco e fanno, e a volte ripuliscono, il lavoro sporco creato da loro mangiucchiando tramezzini al pâté di granchio e After Eight. Ed è il fatto che mangino a farmi invidia, in situazioni come questa.

Signorsì faceva le stesse cose. Era stato all'università, ma non in una delle due giuste. Non aveva mai fatto parte dell'élite, cioè non era mai stato un IB, anche se con ogni probabilità lo aveva sempre desiderato. Semplicemente non ne aveva la stoffa. Proveniva dal Direttorato di Supporto Speciale, una divisione di specialisti e scienziati dai capelli arruffati che si occupano di elettronica, segnali, sorveglianza elettronica e congegni esplosivi. Comandava la sezione comunicazioni dei K, ma non aveva mai operato sul campo.

Non avevo idea del perché la Ditta avesse cambiato abitudini e avesse fatto capo un non-IB. Forse il cambio di governo li aveva indotti a pensare che non sarebbe stato male sembrare un pochino più meritocratici. Un paio di piccoli aggiustamenti al sistema li avrebbe fatti apparire più bravi. E i politici, tutti contenti, sarebbero tornati di corsa a Whitehall senza interferire più di tanto nelle attività serie. E dunque quale candidato migliore alla poltrona di capo di un non-IB che aveva fatto carriera leccando culi da mattina a sera e che avrebbe fatto qualsiasi cosa gli venisse richiesta?

Comunque fosse, non mi piaceva e non mi sarebbe mai piaciuto. E di sicuro non avrei messo il suo numero nella selezione rapida della mia rubrica. Avevo avuto a che fare direttamente con lui un'unica volta e il lavoro era stato un fallimento perché non aveva fornito sufficienti apparecchiature per le comunicazioni.

Occupava quella posizione solo da sette mesi, da quando

cioè il colonnello Lynn era andato in prepensionamento, ma ben più di una volta aveva dimostrato la sua incompetenza. Era bravo solo a fare minacce; non aveva la personalità e neppure le capacità manageriali per comportarsi in modo diverso. Lynn era un gran figlio di puttana, ma con lui sapevi sempre a che punto eri.

Mentre mi stavo spostando di un mezzo centimetro, la saracinesca sferragliò e sentii il rumore di un motore acceso.

Scattarono in piedi e indossarono le camicie bagnate. Sundance si avvicinò alla TV e la spense. Nessuno dei due si prese la pena di guardarmi. Come se fossi invisibile.

Il rumore del motore aumentò di volume. Le portiere sbatterono e la saracinesca si riabbassò.

Signorsì fece la sua comparsa nel vano della porta. Indossava sempre lo stesso vestito e aveva un'aria proprio incazzata. Scarpedatennis scivolò disciplinatamente fuori della stanza, come il buon cagnone di casa.

Non lo credevo possibile, ma in faccia era ancora più rosso del solito. Era sotto pressione. Per l'ennesima volta, C e gli altri dovevano essere piuttosto scontenti del loro esperimento con un non-IB.

Si fermò a tre o quattro passi da me. Aveva l'aspetto di un insegnante molto adirato, gambe aperte, mani sui fianchi. «Cos'è successo, Stone? Non ti riesce proprio di combinarne una giusta?» urlò.

Di che cazzo stava parlando? Solo due ore prima mi voleva morto e adesso mi sgridava come se fossi uno scolaretto disobbediente.

Non era il momento di farglielo notare. Era il momento di leccare alla grande.

«Non riesco a capirlo, signor Frampton. Quando le tre luci si sono accese ho dato il comando di sparare. Non so cosa sia successo dopo. Doveva funzionare, eravamo in comunicazione fino a poco prima ma...»

«Ma niente!» esplose. «Il lavoro è stato un fallimento totale.» La sua voce salì di un'ottava. «Ti ritengo personalmente responsabile, lo sai vero?»

Sì, lo sapevo. Niente di nuovo sotto il sole.

Fece un profondo respiro. « Tu non capisci l'importanza dell'operazione che hai fatto naufragare, vero? »

Naufragare? Cercai di non ridere, ma non riuscii a evitarlo. *Mandata a puttane*, avrebbe detto Lynn.

Signorsì continuava a giocare all'insegnante. « Non c'è niente da ridere, Stone. Ma, in nome del cielo, chi credi di essere? »

Era arrivato il momento di limitare i danni. « Solo uno che cerca di sopravvivere. Per questo ho registrato la nostra conversazione, signor Frampton. »

Per digerire l'informazione rimase in silenzio alcuni secondi, con gli occhi sgranati e respirando affannosamente. Ah, già, le registrazioni e le fotografie. Sembrava essersi ricordato solo in quel momento il motivo per cui ero ancora vivo, che era poi lo stesso per cui lui si trovava lì. Ma non durò a lungo; il suo cervello era programmato per trasmettere e non per ricevere. « Non hai idea dei danni che hai fatto. Gli americani erano stati categorici sul fatto che il lavoro si doveva fare oggi. Ho dato la mia parola a loro e ad altri che non ci sarebbero stati problemi. » Iniziava ad autocommiserarsi. « Ma come ho fatto a fidarmi tanto di te? »

Dunque si trattava di un lavoro per gli americani. Chiaro perché era così agitato. Era un pezzo ormai che i senior inglesi tentavano di sanare le numerose spaccature nei rapporti con gli Stati Uniti, in particolare perché alcune agenzie americane consideravano l'Inghilterra un'autostrada per entrare in Europa e sotto nessun aspetto un partner. Il « rapporto particolare » apparteneva ormai alla storia.

Ma in quel momento i grandi scenari non facevano parte delle mie priorità. Non m'importava sapere che cosa fosse naufragato. E neppure conoscere il mandante del lavoro né perché quella cosa andava fatta. Volevo solo uscire da quella stanza tutto intero. « Come le ho detto, signor Frampton, le luci erano accese e ho dato l'ordine di sparare. Certo, se avessimo potuto sentire il rapporto dei cecchini, forse... »

Mi guardava le labbra, ma non riusciva a recepire le parole. « Per colpa tua, Stone, adesso abbiamo un grosso problema in Centro America. Ti rendi conto delle conseguenze? »

« No, signore. » Questo gli piaceva sempre molto. « Non me ne rendo conto, signore. »

Staccò la mano destra dal fianco e si mise a fissare il quadrante dell'orologio. « No, signore, non me ne rendo conto, signore. Per colpa tua, noi, il Servizio, non indirizziamo la situazione in modo favorevole all'Inghilterra. »

Cominciava ad assumere i toni di un comizio politico televisivo. A me non importava un cazzo di quello che succedeva in Centro America. Solo il presente era importante.

Signorsì sospirò, si allentò la cravatta rossa e si sbottonò il colletto. Gocce di sudore gli scesero lungo il viso arrossato. « Adesso tu vai con lui », e indicò con il pollice Sundance alle sue spalle, « e prendi il nastro e tutto il materiale che dici di avere su questa operazione. Dopo mi occuperò io di tentare di salvarti il fondoschiena. »

« Non posso farlo, signore. »

S'irrigidì. Stava perdendo il controllo. « Non posso farlo, signore? »

Secondo me era perfettamente logico, ma non volevo mancargli di rispetto. « Mi dispiace, signor Frampton, ma devo avere la certezza che lei non cambierà idea su di me. » Arrischiai un sorriso. « Mi piace vivere. I cecchini dovevano essere eliminati, questo lo capisco, ma io non voglio semplicemente unirmi a loro. »

Signorsì si accucciò finché non ebbe gli occhi a livello dei miei. Lottava per trattenere la rabbia che minacciava di straripargli dal viso.

« Lascia che ti dica una cosa, Stone. Sto cambiando molte cose nel mio dipartimento. Ho già insediato nuovi quadri permanenti e molto presto eliminerò tutti i rami secchi. Persone come te cesseranno di esistere. » Quasi tremava per la rabbia. Sapeva che lo stavo tenendo per i coglioni, per il momento. Per contenere la rabbia abbassò la voce. « Sei sempre stato solo una fonte di guai, lo sai, vero? »

Stavo per abbassare lo sguardo per dare l'idea di essere

molto spaventato, e un pochino lo ero anche, quando per disdetta mi accorsi di un immenso foruncolo, schiacciato di fresco, proprio sotto il bordo del colletto. Questo non gli piacque. Si alzò di scatto e volò via dalla stanza. Sundance mi schioccò un'occhiata minacciosa e lo seguì.

Cercai di origliare quello che i quattro nel garage stavano bisbigliando, ma non ci riuscii. Pochi secondi dopo sentii sbattere le portiere, la saracinesca alzarsi e la macchina uscire in retromarcia. Poi la saracinesca tornò a terra e su tutto scese la calma.

Tranne che nella mia testa. Una parte di me mi comunicava che era tutto okay. Non avrebbe mai rischiato che la verità su questo lavoro venisse a galla. L'altra mi diceva che forse non gliene importava un tubo di quello che dicevo io. Cercai di tranquillizzarmi ripercorrendo tutto ciò che era successo, convincendomi di aver detto le cose giuste, nel modo giusto e al momento giusto. Poi mi arresi. Adesso era troppo tardi per preoccuparmi. C'era solo da aspettare e vedere.

Scarpedatennis e Sundance ricomparvero. Li guardai cercando di decifrare i loro volti. Niente di buono.

Il primo calcio era diretto al torace. Chiusi il corpo a palla, ma lo stivale di Sundance mi colpì in piena coscia. Mento abbassato, denti serrati, occhi chiusi, dovevo solo accettare l'inevitabile, non potevo fare altro. Arrotolato come un riccio cercavo di proteggermi il viso con le mani ancora bloccate dalle manette. Cominciai a incassare i colpi con un'unica speranza: che non durasse troppo a lungo.

Mi afferrarono i piedi e mi trascinarono in mezzo alla stanza. Una delle tazze rotolò sulle piastrelle. Tenevo le gambe più piegate che potevo; se fossero riusciti a stenderle, stomaco e palle sarebbero stati allo scoperto. Aprii un occhio appena in tempo per vedere uno stivale Caterpillar che mi colpiva alle costole. Abbassai ancora di più la testa per proteggere il torace. Funzionò, perché un altro stivale mi centrò dritto in mezzo al culo. Ebbi l'impressione che mi esplodesse lo sfintere. Cercai di compensare l'intollerabile dolore stringendo i muscoli delle natiche, ma per fare questo allungai leggermente le gambe.

Immediato e inevitabile, lo stivale penetrò nella bocca dello stomaco. La bile schizzò fuori, sentivo il gusto acido in bocca e nel naso, e questo fu forse peggio dei calci.

Era mezzanotte passata e io ero di nuovo arrotolato nel mio angolo. Se non altro mi avevano tolto le manette. Le luci erano spente e sul televisore scorrevano le immagini di un soft porno su Channel Five. Avevano mangiato patatine e torta e, mentre bevevano altro tè, mi avevano costretto a strisciare sul pavimento e a pulire la mia bile con i giornali vecchi.

Non mi picchiarono più, anzi mi ignorarono completamente, lasciandomi a cuocere a fuoco lento. Sundance sonnecchiava sul divano. Scarpedatennis era sveglio, fumava sdraiato sulle due poltrone e mi teneva d'occhio in caso mi fossero venute strane idee.

Lentamente mi allungai a pancia in giù sul pavimento per cercare di alleviare il dolore, appoggiai il viso sulle mani, chiusi gli occhi e provai a dormire. Non ci sarei mai riuscito. Sentivo il sangue che pulsava nelle vene del collo e continuavo a pensare a cosa poteva accadermi di lì in avanti. Non era da escludere che questi due avessero ancora in programma la gita a Beachy Head; pensai che tutto dipendesse da Signorsì. Era lui che diceva il sì, ma chissà a che cosa.

In passato ero sempre riuscito a cavarmela. Per quanto profonda fosse la merda in cui mi trovavo, ne ero sempre uscito e con poche conseguenze. Ripensai alla ferita da arma da fuoco, al lobo dell'orecchio che mi era stato ricucito, alle cicatrici dei morsi di un cane e mi resi conto di come ero stato fortunato negli anni passati. Ripensai ad altre azioni, alla volta in cui ero stato messo contro il muro di un hangar a occhi bendati, e al rumore dei fucili che venivano armati. Ricordai le voci degli uomini che avevo vicino, c'era chi pregava piano e chi piangeva senza ritegno e implorava. Io non sentivo l'urgenza di fare nessuna di queste due cose. Non che volessi morire; è solo che avevo sempre saputo che la morte fa parte del gioco.

Ma adesso era diverso. Pensai a Kelly. Non la sentivo da quando avevo cominciato questo lavoro. E non è che non potessi farlo – con Josh ci eravamo accordati sugli orari –, solo ero stato troppo occupato con i preparativi e qualche volta me ne ero anche dimenticato.

Quando telefonavo, Josh mi ricopriva d'insulti, ripetendomi che Kelly aveva un tremendo bisogno di abitudini e di stabilità. Era metà messicano e metà nero. Mi sembrava di vedere la sua testa pelata mentre mi sgridava al telefono con i toni di una moglie divorziata. La pelle dallo zigomo alla mascella era un mosaico di tesserine rosa, come una spugna strappata e ricucita alla meglio. Le cicatrici erano tutta colpa mia e questo non aiutava. Una cosa era certa, Old Spice non lo avrebbe mai chiamato per fare da modello. Una volta gliel'avevo detto per allentare la tensione, ma lui non si era rotolato per terra dal ridere.

Voltai la testa e appoggiai la guancia sulle mani. Osservai Scarpedatennis che dava gli ultimi tiri alla sigaretta. Penso di aver sempre saputo che questo momento sarebbe arrivato, un giorno, ma non volevo che fosse adesso. Come se fossi a una frazione di secondo da un incidente mortale, una serie di immagini mi attraversò velocissima la mente, tutte quelle cose che qualsiasi genitore pensa quando sente che la morte è vicina. La piccola lite con i figli prima di andare al lavoro. La casa sull'albero mai costruita. La disponibilità non trovata per soddisfare un desiderio. Le vacanze non fatte, le promesse non mantenute.

Josh, insieme con Kelly, era l'unica persona vivente di cui m'importasse qualcosa. Avrebbe sentito la mia mancanza? O si sarebbe solo incazzato perché non avevo rispettato i nostri patti? E Kelly? Aveva appena iniziato una nuova vita: avrebbe mantenuto qualche ricordo di quello che per alcuni anni era stato il suo inutile e impacciato tutore?

7

Lunedì 4 settembre

I SUONI acuti e brevi dello StarTac di Sundance squarciarono l'aria interrompendo una lunga notte piena di sofferenza. Erano da poco passate le otto. Non mi preoccupai di muovermi, io ero quello che le aveva prese; cercai invece di convincermi che il dolore che provavo era solo la debolezza che defluiva dal mio corpo, una cazzata del genere.

Scarpedatennis scattò a spegnere il televisore, interrompendo il notiziario del mattino che trasmetteva immagini del Parlamento, e fu a quel punto che Sundance aprì il telefono. Sapeva chi era. Preamboli zero, solo una serie di cenni del capo e grugniti.

Scarpedatennis accese il bollitore elettrico. Sundance richiuse il telefono e rotolò dal divano. Si sistemò i capelli con le mani e mi fece un gran sorriso. «Qualcuno viene a farti visita, e sai una cosa? Non ho avuto l'impressione che fosse molto contento.»

Era arrivata l'ora delle streghe.

Mi drizzai a sedere nel mio angolo, appoggiandomi al muro di mattoni mentre loro mettevano a posto le poltrone e s'infilavano la camicia in attesa che l'acqua iniziasse a bollire.

Dopo poco sentii il motore di un'auto e Scarpedatennis andò ad aprire la saracinesca. Sundance rimase fermo a fissarmi minaccioso, cercando d'incutermi paura.

Poco prima che la saracinesca venisse aperta, il bollitore si spense con uno scatto, ma la colazione doveva essere rimandata. Mi sollevai di più contro il muro.

Le portiere sbattute soffocarono i suoni del traffico mattutino di Kennington e, prima che la saracinesca fosse chiusa del tutto, Signorsì entrava a grandi passi nella stanza. Gettò un'occhiata a Sundance e venne verso di me con una smorfia per la puzza di fumo, patatine e scoregge di primo mattino.

Stavolta indossava un vestito grigio chiaro, ma continuava ad avere l'aria da insegnante adirato. Si fermò a un paio di passi da me, mise le mani sui fianchi e mi guardò dall'alto in basso con disgusto. « Stone, ti viene data una possibilità di sistemare le cose, una sola. Sei fortunato, anche se non sai quanto. » Controllò l'orologio. « Il bersaglio ha appena lasciato l'Inghilterra. Stanotte lo seguirai a Panama e lo ucciderai entro l'ultima luce di venerdì. »

Con movimenti non propriamente eleganti, allungai le gambe sino a sfiorargli le scarpe nere e lucidissime e, tenendo bassa la testa, alzai gli occhi verso di lui.

Sundance fece un passo verso di me. Dovevo dire qualcosa? Senza staccarmi gli occhi di dosso Signorsì alzò una mano per fermarlo. « Le *Fuerzas Armadas Revolucionarias de Colombia*, cioè le FARC, sono in attesa di ricevere un sistema di controllo per il lancio di missili, in parole semplici un quadro di comando computerizzato. »

Di nuovo abbassai lo sguardo e mi concentrai sui buchini delle sue scarpe.

« Mi stai ascoltando? »

Strofinandomi gli occhi irritati feci lentamente cenno di sì.

« Possiedono già un missile antiaereo. È il primo di una lunga serie. Il sistema di lancio deve essere intercettato: se le FARC arrivassero ad avere l'intero sistema, le conseguenze per il Plan Colombia sarebbero catastrofiche. L'America ha in Colombia elicotteri per il valore di seicento milioni di dollari, oltre agli equipaggi e alle basi di appoggio. Le FARC non devono acquisire la tecnologia per spararagli contro, non devono entrare in possesso di questo sistema di controllo. Non c'è bisogno che tu sappia il perché, ma la morte del giovanotto metterebbe la parola fine a tutto questo. Punto. »

Si abbassò fino a piazzarmi la faccia così vicino che riuscii a percepire il profumo del dopobarba al mentolo, certamente per pelli sensibili. E anche un'ombra di alitosi quando i nostri occhi furono a pochi centimetri. Faceva piccoli sospiri per farmi capire che stava parlando più con dispiacere che con rabbia. «Tu porterai a termine il lavoro nel tempo prestabilito e senza errori. Se non lo fai? Non importa quando, fra una settimana, un mese, un anno, quando sarà il momento giusto, la uccideremo. E tu sai di chi parlo, della tua piccola orfanella. Smetterà di vivere e sarà colpa tua. Solo tu puoi far sì che non accada.»

Sembrava ardere del sacro zelo evangelico copiato, novanta su cento, dall'ultimo predicatore che aveva sentito parlare dal pulpito. Sundance tornò al divano con un sorriso compiaciuto.

Ma Signorsì non aveva ancora finito. Cambiò tono di voce. «Dovrebbe avere undici anni, adesso, giusto? Mi hanno detto che si trova davvero bene ora che è tornata in America. E che Joshua sta facendo un ottimo lavoro. È dura per te adesso che è lontana, vero? Ti perdi la sua crescita, la sua trasformazione in bella ragazza...»

Continuai a tenere gli occhi bassi concentrandomi sulla minuscola venatura di una piastrella. Lui continuò la predica.

«Anche mia figlia ne ha undici. Sono così carine a quell'età, non sei d'accordo? In certi momenti vogliono sembrare adulte e in altri hanno bisogno di coccolare l'orsacchiotto. Ieri sera, dopo averle rimboccato le coperte, le ho letto una fiaba per farla addormentare. Sono così belle e così bisognose di protezione... Leggi anche tu le fiabe a Kelly?»

Non gli avrei mai dato la soddisfazione di una risposta e con lo sguardo fisso alla piastrella cercai di restare impassibile. Stava esagerando. Quando, con un grande sospiro, si alzò, gli scricchiolarono le ginocchia. Torreggiava sopra di me.

«È una questione di potere, Stone, c'è chi l'ha e chi no. Tu non ne hai. Personalmente non sono favorevole al fatto che ti sia offerta una seconda possibilità, ma occorre tenere in considerazione la politica internazionale.»

Non mi era del tutto chiaro quello che voleva dire, ma tirando a indovinare pensai che gli fosse stato detto che o risolveva la situazione o si sarebbe ritrovato nella merda, e anche bella spessa. «Ma che senso ha uccidere il ragazzo?» domandai. «Perché non il padre, è lui che tira i fili.»

Mi diede un calcio nella coscia con la punta delle sue scarpe lucide. Gesto inutile. Di sicuro voleva metterci più forza, ma non ne possedeva. «Datti una ripulita, guarda in che stato sei. Adesso vai, questi gentiluomini passeranno a prenderti al tuo residence alle tre.»

Pronunciò la parola residence scandendo e gustandosi ogni sillaba. Sundance sorrise come lo scemo del villaggio nel vedere la fatica che facevo ad alzarmi. I muscoli dello stomaco mi facevano un male cane.

«Ho bisogno di soldi.» Abbassai lo sguardo e mi appoggiai al muro come uno scolaro che ha appena ricevuto una lavata di capo, ed era esattamente come mi sentivo.

Con un sospiro d'impazienza Signorsì fece un cenno verso Sundance. L'atleta estrasse il portafoglio dalla tasca posteriore dei jeans e contò ottantacinque sterline.

«Poi me li rendi, ragazzo.»

Li presi senza darmi la pena di ricordargli i seicento dollari che aveva salpato dal mio portafoglio e che i due si erano già divisi.

Infilai i soldi nei jeans e senza guardare nessuno andai verso la porta. Non appena mi vide, Scarpedatennis azionò la saracinesca, ma non prima che Signorsì dicesse l'ultima parola. «Cerca di fare buon uso dei soldi, Stone. Non ne avrai altri. Considerati fortunato se puoi tenere quelli che hai già ricevuto. Dopo tutto l'orfanella avrà bisogno di scarpe nuove, e le cure in America costeranno certamente più del trattamento alla casa di cura Moorings che seguiva qui.»

Quindici minuti dopo mi trovavo sulla metropolitana. Ero salito a Kennington, direzione Camden Town, a nord. Il vecchio treno era pieno all'inverosimile di pendolari. Tutti sapevano di sapone, dentifricio e profumi firmati. Io ero l'eccezione, spiacente per i due che mi stavano vicino; da un lato avevo la parte posteriore di una camicia bianca e inamidata di un ragazzo nero e robusto, dall'altro una donna bianca che non osava staccare gli occhi dal pavimento per la paura d'incrociare lo sguardo di quell'essere che puzzava di vomito e sigarette e di scoprire che era un balordo.

Le prime pagine dei quotidiani erano occupate interamente dalle drammatiche foto della polizia che attaccava le postazioni dei cecchini e dalle anticipazioni degli articoli interni sull'argomento. Ero appeso alla maniglia e fissavo, senza leggerli, brandelli di locandine pubblicitarie che proponevano vacanze. Seguivo il movimento del treno con la testa che ciondolava da una parte all'altra. Ero mezzo intontito e continuavo a ripensare a quanto era successo senza riuscire a capirci niente.

Cosa potevo fare per Kelly? Schizzare nel Maryland, prenderla e fuggire a nasconderci nei boschi? Allontanarla da Josh era pura follia: avrebbe avuto l'unico effetto di farla chiudere in se stessa più di quanto non fosse già. E comunque sarebbe stata una soluzione temporanea: se la Ditta la voleva morta, prima o poi ci sarebbe riuscita. E parlarne con Josh? Non era ancora necessario: la Ditta non si sarebbe mossa se non in caso di mio fallimento. E poi perché infliggergli un'altra preoccupazione oltre a quelle che gli davo già?

Quando il treno si fermò a una stazione lasciai cadere la testa e mi fissai i piedi mentre la gente si faceva largo a spintoni per scendere o salire, tutti contemporaneamente. Fui raggiunto da spinte e gomitate ed ebbi un involontario sussulto di dolore.

La carrozza si riempì di nuovo per il tratto sotto il Tamigi, poi una voce scazzata dall'altoparlante invitò tutti a spostarsi verso l'interno e alla fine le porte si chiusero.

Non sapevo se Signorsì stesse bluffando, probabilmente non più di quanto lui sapesse se bluffavo io. Ma non faceva nessuna differenza. Rendere pubblico il lavoro non avrebbe evitato la gita nel Maryland di Sundance e Scarpedatennis. In Serbia c'erano già abbastanza famiglie senza un figlio o due, perché papà non aveva obbedito ai desideri della Ditta durante l'ultima guerra nei Balcani, e sapevo benissimo che non si erano limitati a questo.

Per quanto mi sforzassi di non farlo, continuavo a ripensare a Kelly, la vedevo nel suo letto con i capelli scompigliati sul cuscino, mentre sognava di diventare una cantante pop. Aveva ragione Signorsì, erano meravigliose e vulnerabili. Mi si gelò il sangue nelle vene quando mi resi conto che la fine di quel lavoro non avrebbe posto fine alle minacce. L'avrebbero usata contro di me chissà quante altre volte.

Ci fermammo a un'altra stazione; il flusso e riflusso della folla si ripeté. Presi un profondo respiro e lasciai uscire lentamente l'aria. Cominciavo a non sentirmi più le gambe. Da qualsiasi angolazione guardassi la faccenda, l'unica alternativa che avevo era uccidere il ragazzo. No, non il ragazzo, usiamo le parole giuste, quelle usate da Signorsì, il giovanotto. Molti di quelli che, anni addietro, nell'hangar, avevano caricato i fucili erano più giovani di lui.

Avevo combinato un bel casino. Avrei dovuto ucciderlo il giorno precedente, quando ne avevo avuto la possibilità. Se non avessi portato a termine questo lavoro Kelly sarebbe morta, poco ma sicuro, e non potevo permettere che accadesse. Basta casini. Avrei fatto quello che voleva Signorsì e l'avrei fatto venerdì, entro il crepuscolo.

Il treno si fermò di nuovo e quasi tutti scesero per andare al lavoro nella City. Ero stanco morto e crollai su un sedile prima che mi cedessero le gambe. Mi asciugai il sudore sulla fronte continuando a pensare a Kelly. Stavo andando a Panama a uccidere una persona solo per dare la possibilità a Josh di occuparsi di lei. Pura follia, niente di nuovo.

Forse Josh non si poteva definire il mio migliore amico, in quel periodo, ma era quanto di più simile a un amico io avessi. Anche se aveva accettato a denti stretti di parlare di Kelly. Dalla metà di agosto Kelly viveva con lui e i suoi figli. Quando Signorsì mi aveva affidato il lavoro dei cecchini, le sedute di terapia a Londra si erano interrotte di colpo e due settimane dopo era partita.

Non si era ripresa del tutto dai disturbi psicologici successivi al trauma e non sapevo nemmeno se sarebbe mai riuscita a farlo. Non è facile riprendersi dopo aver visto sterminare tutti i componenti della propria famiglia. Era tenace, esattamente come suo padre, e durante l'estate aveva fatto passi avanti sensazionali. Non era più la ragazzina chiusa e incapace di emozioni, adesso era in grado d'intrecciare relazioni anche fuori della casa di cura di Hampstead, dove aveva trascorso dieci lunghi mesi. Non andava ancora alla scuola regolare con i figli di Josh, ma ci sarebbe riuscita presto. O per lo meno me lo auguravo, dal momento che le lezioni private costavano una cifra e Signorsì aveva cancellato la seconda parte del pagamento.

Da marzo mi ero impegnato a rimanerle a fianco durante le sedute di terapia, tre volte la settimana a Chelsea, e gli altri giorni andavo a trovarla nella casa di Hampstead. Prendevamo la metropolitana insieme per andare alla clinica dei ricchi, la Moorings. Durante il tragitto a volte parlavamo – per lo più di programmi televisivi per bambini –, altre volte invece restavamo in silenzio. Qualche rara volta si accoccolava contro di me e si addormentava.

Seduta nella sua poltrona in pelle, la dottoressa Hughes, una donna sulla cinquantina, sembrava più una giornalista americana che una strizzacervelli. Quello che non riuscivo a sopportare era quando Kelly diceva qualcosa che la dottoressa riteneva significativo. Con un piccolo movimento del capo si voltava a guardarmi al di sopra degli occhiali da lettura con la montatura dorata. «Cosa ne pensa, Nick?»

Rispondevo sempre allo stesso modo: «Siamo qui per Kelly, non per me». Il fatto è che dal punto di vista dei sentimenti ero un vero nano, definizione di Josh.

Fra scossoni e cigolii il treno si fermò alla stazione di

Camden Town. Inforcai le scale mobili insieme con un punk dai capelli verdi, una manciata di uomini d'affari e alcuni turisti mattinieri. A darci il benvenuto all'uscita trovammo un rasta che raccoglieva spiccioli facendo il giocoliere con tre sacchetti di palline e un vecchio ubriaco con una lattina di Tennent in mano che aspettava l'apertura del Pizza Express per andare a urlare contro le vetrine.

Dall'edificio di fronte proveniva un fracasso di martelli pneumatici così forte che faceva trasalire anche quelli che passavano in auto.

Rischiando la vita attraversai la strada per andare al Superdrug a comprare il necessario per lavarmi e radermi, poi continuai nella via principale per procurarmi qualcosa da mangiare. Tenevo le mani in tasca e la testa bassa come un adolescente depresso. Il marciapiede era ricoperto di scatole di Kentucky Fried Chicken, cartocci per il kebab e bottiglie rotte di Bacardi Breezer, non ancora rimossi dalla notte precedente. Nella zona c'era un numero esagerato di pub e club, prima cosa che avevo notato quando mi ero trasferito in zona.

Camden High Street e i mercati erano già in tenuta da turisti. Non erano ancora le dieci, ma i commercianti avevano appeso davanti ai negozi una quantità incredibile di oggetti che andavano dai faretti a luci psichedeliche ai pantaloni in pelle ai Doc Martens di tutti i colori. Infaticabili commessi cercavano, con sorrisi e musica a tutto volume, di accalappiare turisti norvegesi o americani con zaino in spalla e cartina in mano.

Passai sotto un'impalcatura che copriva il marciapiede all'angolo di Inverness Street e ricevetti un cenno di saluto da un rifugiato bosniaco che vendeva sigarette di contrabbando da una sacca sportiva. Porgeva ai passanti un paio di stecche e, con il giubbotto in finta pelle e i pantaloni della tuta, dava l'impressione di essere identico a me: stanco di vivere. Ci conoscevamo di vista e io risposi al cenno di saluto prima di svoltare a sinistra in direzione del mercato. Avevo lo stomaco così vuoto che mi faceva male, dolore che si aggiungeva a quello dei calci. Non vedevo l'ora di fare colazione.

Era l'ora della pausa e il bar era pieno dei muratori che costruivano i nuovi Gap e Starbucks. I caschi gialli e sporchi erano allineati contro il muro come in una stazione di pompieri, mentre loro si rimpinzavano con la colazione da tre sterline che doveva bastare per tutto il giorno. Nel locale aleggiava un fastidioso misto di fritto e fumo di sigarette, probabilmente fornite dal bosniaco. Feci la mia ordinazione e ascoltai le ultime notizie trasmesse dalla radio con una tazza di caffè istantaneo davanti. Radio Capital fornì un resoconto lampo dell'attentato terroristico del giorno precedente. La notizia principale era già la nuova pettinatura delle Spice.

Mi sistemai a un tavolino da quattro in ferro battuto e finto marmo, spostai il portacenere pieno fino all'orlo e cominciai a fissare la zuccheriera. Il formicolio riprese. Mi ritrovai con i gomiti poggiati sul tavolo e la testa tra le mani. Non so perché ma mi venne in mente quando a sette anni, con le lacrime che mi rigavano il viso, cercavo di spiegare al mio patrigno che avevo paura del buio. Non ricevetti carezze né il permesso di tenere la luce accesa, solo uno schiaffo e la minaccia che se mi fossi comportato ancora da femminuccia i mostri della notte sarebbero usciti da sotto il letto e mi avrebbero mangiato. Mi terrorizzava di continuo e io avevo passato la notte tutto rannicchiato sotto il lenzuolo, immobile, convinto che, se non mi fossi scoperto, i mostri della notte non mi avrebbero potuto prendere. Dopo tutti quegli anni stavo provando la stessa sensazione di terrore e impotenza.

Venni scosso dalla mia trance. «Piatto del giorno e uova extra?»

«Sì.»

Mi misi comodo, divorai il bacon, le salsicce e le uova e cominciai a concentrarmi sulle cose che dovevo comprare. Non avevo grandi acquisti da fare per la gita in Centro

America. Forse era un buon segno, se non altro andavo in un posto caldo.

Non ero mai stato a Panama, ma quando ero nell'esercito avevo operato lungo il confine con la Colombia contro le FARC. Eravamo impegnati nelle prime azioni della politica estera inglese degli anni '80, un'operazione finanziata dagli americani per sconfiggere all'origine la produzione di droga. Si era trattato di rimanere nella giungla per settimane e alla fine avevamo scovato e distrutto gli impianti per la produzione di droga, così da porre un freno al traffico diretto verso Inghilterra e America. Tempo perso. Oltre il settanta per cento della cocaina che entra negli Stati Uniti proviene tuttora dalla Colombia e il settantacinque per cento di quella che viene sequestrata nella costa orientale statunitense è colombiana. Gran parte della torta era gestita dalle FARC e le stesse percentuali valevano anche per l'Inghilterra.

Dal momento che avevo vissuto in quella nazione per più di un anno, continuavo a interessarmene, in modo particolare perché molti dei colombiani di cui m'importava qualcosa erano morti durante la guerra. Per mantenere la pace con le FARC, il governo colombiano gli aveva assegnato il controllo di una zona grande quanto la Svizzera ed era da lì che gestiva la propria attività. Adesso che il Plan Colombia era in pieno svolgimento c'erano speranze che le cose cambiassero. Clinton aveva dato al governo colombiano aiuti militari per un valore di mille e trecento miliardi di dollari per combattere il traffico di droga, compresi i sessanta preziosi elicotteri Huey e Black Hawk di cui parlava Signorsì, e assistenza militare di ogni genere. Ma non c'era da stupirsi. Sarebbe stata una guerra lunga e sporca.

Sapevo anche che, per gran parte del XX secolo, gli Stati Uniti avevano finanziato, gestito e protetto il canale di Panama e avevano anche installato una base sul territorio, il SOUTHCOM (US *Army's Southern Command*), che, quando ero in Colombia, era a capo di tutte le operazioni militari e d'informazione dal confine meridionale del Messico fino a capo Horn. Ogni operazione antidroga che aveva avuto luogo in Sud e Centro America era stata effettuata dalle migliaia di militari e mezzi aerei americani di base a Panama. Ma tutto era finito alla mezzanotte del 31 dicembre 1999, quando l'America restituì il controllo del canale ai locali e il SOUTHCOM e tutta la presenza americana vennero ritirati. Le forze erano adesso spezzettate e sparpagliate in basi distribuite su tutto il territorio centroamericano e dei Caraibi e meno efficaci di prima di fronte a una guerra di qualsiasi tipo.

Da quanto avevo letto, il passaggio di mano aveva colto alla sprovvista l'opinione pubblica americana. E quando si era venuto a sapere che una società cinese, e non americana, aveva avuto in concessione il contratto per il funzionamento del porto da entrambi i lati e il diritto a utilizzare le basi americane, la destra si era incazzata di brutto. Dal mio punto di vista non capivo il problema: società a capitale cinese gestivano porti in tutto il mondo, compreso Dover e altri nel nostro Paese. Non ci avevo pensato prima, ma forse era per quello che un cinese faceva parte della delegazione, come componente del nuovo corso in Centro America.

La dose letale di colesterolo mi rimise un po' in sesto. Uscii dal bar pulendomi le dita sporche di uovo sui jeans, che avevano già ricevuto la loro dose con quello che mi era sgocciolato prima.

Quindici frenetici minuti di acquisti al mercato mi procurarono un nuovo paio di Levi's taroccati per quindici carte, una felpa azzurra per sette, un paio di boxer e un pacco con tre paia di calze per altre cinque.

Continuai a camminare tra banchi di frutta e verdura fino ad Arlington Road e all'altezza del pub Good Mixer, una bettola anni '60 che aveva bisogno di una mano di pittura, svoltai a destra. I soliti individui sospetti erano seduti contro il muro del locale, tre vecchi, sporchi e con la barba lunga impegnati a bere birra Strongbow Super, evidentemente in offerta speciale da Oddbins. Tutti e tre, tendendo i palmi delle mani incrostati di sporcizia, chiedevano la carità senza neppure alzare lo sguardo sui passanti.

Solo pochi minuti mi separavano da una doccia calda. A un centinaio di metri dal mio residence – un imponente palazzo vittoriano in mattoni rossi – vidi che qualcuno veniva caricato su un'ambulanza. Non era una cosa insolita da quelle parti e nessuno degnò l'avvenimento di una seconda occhiata.

Costeggiando gli edifici fatiscenti ricoperti di graffiti sui muri, raggiunsi l'ingresso principale, proprio mentre l'ambulanza si allontanava. Subito dietro c'era un Transit bianco. Un drappello di uomini dell'Europa dell'Est era raccolto intorno al portellone posteriore. Tutti avevano zaini e sacche sportive. Ma certo, era lunedì: quelli di Manchester stavano distribuendo le sigarette di contrabbando e il tabacco che i ragazzi avrebbero venduto al mercato e nei pub.

Salii i due gradini sbreccati e con una spinta aprii la grande porta a vetri. A quel punto suonai per farmi aprire la seconda porta, quella di sicurezza, schiacciando la faccia contro il vetro in modo che il custode di turno potesse vedermi bene.

La porta ronzò e io entrai. Alla reception c'era Maureen, che mi accolse con un sorriso. Era un donnone sulla cinquantina con una particolare predilezione per i vestiti a fiori larghi come tendoni e un viso che ricordava un bulldog affetto da stitichezza. Non si faceva prendere in giro da nessuno. Con un sopracciglio sollevato mi studiò dalla testa ai piedi. «Ciao, tesoro, come mai da queste parti?»

Feci un'espressione felice. «Avevo voglia di vederti.»

Roteò gli occhi e scoppiò nella sua solita risatona da baritono. «Sì, certo.»

«Vorrei fare una doccia. Pensi che sia possibile? Nel nuovo posto dove abito ho un problema all'impianto idraulico.» Le mostrai il sacchetto con l'occorrente per lavarmi.

Ascoltò la mia storia roteando gli occhi e mordicchiandosi un labbro. Non credette a una sola parola di quello che avevo detto. «Dieci minuti, non dirlo in giro.»

«Maureen, sei la migliore.»

«Lo so, tesoro, dimmi qualcosa di nuovo. Ricorda, dieci minuti, non di più.»

Durante tutto il tempo che avevo vissuto lì, parecchi mesi, non avevo scambiato con lei più di una dozzina di parole. Era la prima volta che avevamo una parvenza di conversazione.

Salii le scale fino al secondo piano. I muri erano dipinti con vernice lucida e spessa e altamente lavabile, le scale erano coperte di linoleum industriale color grigio chiaro. Percorsi lo stretto corridoio che portava alle docce, situate proprio in fondo. Sulla mia sinistra c'era la fila delle camere, da cui provenivano rumori di gente che parlava da sola, tossiva e russava. Il corridoio puzzava di birra e sigarette. Spiaccicati sulla moquette logora, fette di pane stantio e mozziconi di sigaretta.

Al piano di sopra c'era un po' di casino, qualche vecchio stava sputando, litigando da solo, e le bestemmie rimbalzavano sulle pareti. A volte era difficile stabilire se le persone erano lì per problemi di alcol, di droga o di mente. Comunque fosse, Care Community significava che dovevano cavarsela da soli.

Il locale docce consisteva di tre cubicoli sporchi. Entrai in quello centrale e iniziai a spogliarmi lentamente, mentre nel corridoio c'era gente che andava avanti e indietro e si udiva ogni sorta di rumore. Quando fui nudo aprii l'acqua. Ero ancora mezzo intontito, volevo solo che tutto finisse; mi obbligai a controllare i lividi sul torace e sulle gambe senza curarmi del male che mi procuravano.

Dal corridoio qualcuno urlò il mio nome; riconobbi la voce. Non sapevo come si chiamasse, sapevo solo che era perennemente ubriaco. Né lui né gli altri avevano un modo diverso per evadere dalla loro triste esistenza. Con un confuso accento del Nord urlava sempre la stessa cosa e la ripeteva in continuazione, come Dio lo avesse fregato: aveva una moglie, dei figli, una casa e un lavoro, poi tutto era andato storto e aveva perso tutto, e tutto era solo colpa di Dio.

M'infilai sotto l'acqua cercando di isolarmi dal rumore degli altri che erano sopraggiunti e che gli stavano urlando di smetterla di rompere il cazzo.

L'«ostello» gestito dal comune era quello che da bambini chiamavamo dormitorio. Adesso ospitava non solo uomini di ogni età senza casa e con vite ugualmente tristi, ma anche rifugiati della Bosnia, della Serbia e del Kosovo. Si direbbe che siano venuti a Londra portandosi dietro anche la guerra perché continuano ad azzuffarsi tra loro nei corridoi e nelle docce.

Il rumore esterno mi penetrò ingigantito nella testa. Il cuore mi batteva all'impazzata e le gambe erano di nuovo paralizzate dal formicolio. Mi lasciai cadere sul piatto della doccia e con le mani mi coprii le orecchie.

Me ne stavo lì, con le orecchie tappate e gli occhi serrati, cercando di tagliar fuori il rumore, tormentato dallo stesso terrore infantile che mi aveva assalito nel bar.

L'immagine di Kelly addormentata nel suo letto, al buio, che Signorsì mi aveva conficcato nella testa non mi abbandonava. Di sicuro era a letto anche adesso, in quel preciso istante, nel letto a castello, sotto la figlia maggiore di Josh, nel Maryland. La vedevo distintamente. Mi ero alzato tante volte per rimboccarle le coperte, quando faceva freddo o quando il ricordo dello sterminio della sua famiglia tornava a perseguitarla. Di sicuro era mezza fuori e mezza dentro il piumino, sdraiata sulla schiena, braccia e gambe larghe come una stella marina, si succhiava il labbro inferiore e gli occhi si muovevano sotto le palpebre secondo il ritmo dei sogni.

Poi la pensai morta. Niente labbro succhiato, nessun movimento degli occhi sotto le palpebre, solo una stella marina irrigidita, cadavere. Cercai d'immaginare cosa avrei provato se fosse successo, sapendo perfettamente che toccava a me far sì che non accadesse. Il pensiero era intollerabile. Non so se era nella mia testa, o se stavo urlando forte, ma sentii la mia voce gridare: «*Come cazzo hai fatto a ridurti così?*»

8

STAVO diventando pazzo, come quelli in corridoio. Non avevo mai faticato troppo per capire i motivi che li spingevano a bere e a drogarsi per evadere da quella vita di merda.

Restai seduto qualche minuto a compatirmi ancora un po', a guardare gli unici segni in grado di dimostrare che avevo vissuto una vita reale: il segno rosa sullo stomaco di una pallottola calibro 9 e la nitida sequenza di punti sul braccio destro causati dal morso di un cane poliziotto del North Carolina.

Sollevai la testa dalle mani e mi parlai fuori dei denti. « Vedi di reagire, testa di cazzo che non sei altro. Datti una mossa. Tirati fuori da questa... »

Dovevo darci un taglio, lezione imparata sin da bambino. Per affrontare i mostri della notte, nessuno sarebbe corso in mio aiuto: dovevo cavarmela da solo.

Mi soffiai il naso e solo in quel momento mi resi conto che dovevo aver pianto.

Mi issai a fatica, presi il necessario per lavarmi e radermi e cominciai a lavorare. Quando ebbi finito, restai nella doccia altri dieci minuti asciugandomi con i panni che avevo tolto. Quindi infilai i nuovi jeans e la felpa; le uniche cose non nuove che indossai erano i Timberland, il giubbotto e la cintura.

Lasciai il resto nella doccia – che si tenessero tutto, era il mio regalo di addio – e mi avviai lungo il corridoio. Attraverso la porta aperta vidi che chissà-come-cazzo-si-chiama aveva smesso di prendersela con Dio ed era crollato a faccia in giù nel letto macchiato d'urina. Un po' più avanti c'era la porta della stanza, o meglio della cella, che avevo occupato io quando stavo lì. Me n'ero andato solo il sabato prima, ma qualcun altro aveva già preso il mio posto, a giudicare dalla radio accesa. Probabilmente teneva anche lui un cartone di latte sul davanzale della finestrella. Lo facevamo tutti, o per lo meno quelli che possedevano un bollitore.

Scendendo le scale mi sistemai i capelli con le mani e cercai di recuperare un minimo di contegno.

Una volta nell'atrio, sollevai il ricevitore del telefono a muro, infilai sei sterline e mezzo in moneta, e iniziai a comporre il numero di Josh, cercando disperatamente una scusa per giustificare una chiamata a quell'ora. La costa orientale americana era cinque ore indietro.

Dopo due soli squilli avvertii un grugnito assonnato e decisamente americano. «Sì.»

«Josh, sono io, Nick.» Sperai che non notasse il tremolio della mia voce.

«Cosa vuoi, Nick? Sono appena le sei.»

Mi coprii l'altro orecchio per non sentire un ragazzo barcollante e con lo sguardo fisso del tossico che veniva aiutato a salire le scale da un vecchio ubriaco. Li avevo già visti tutti e due: il vecchio era il padre del ragazzo, e anche lui viveva lì.

«Lo so, mi dispiace. È che non riesco a venire fino a martedì prossimo e...»

Ci fu un forte sospiro. La frase «non-riesco-a-venire» l'aveva sentita decine di volte, ormai. Josh non sapeva nulla di quello che stavo facendo, nulla di quanto era successo negli ultimi mesi. Di mio vedeva solo i soldi che gli spedivo.

«Sì, lo so, ma non posso davvero.»

Sentii il ricevitore abbaiare. «Perché diavolo non riesci a fare un po' di ordine nella tua vita? Eravamo d'accordo per *questo* martedì, cioè domani. Kelly ci aveva già messo il cuore sopra. Quella ragazza ti vuole troppo bene, troppo... Ma come fai a non rendertene conto? Non puoi capitare una volta ogni tanto e poi...»

Sapevo come avrebbe completato la frase per cui lo interruppi quasi implorando. «Lo so, lo so. Mi dispiace...» Sapevo dove ci avrebbe portato quella conversazione e sapevo anche che aveva ragione lui. «Per piacere, Josh, mi fai parlare con lei?»

Per una volta perse l'autocontrollo. «No!»

«Io...»

Troppo tardi, aveva riappeso.

Mi lasciai cadere su una sedia di plastica impilabile, gli occhi fissi su uno di quei cartelli che spiegano alla gente quello che si deve e non si deve fare e come si deve farlo.

«Tutto a posto, tesoro?»

Guardai Maureen dall'altra parte della reception: aveva la faccia da sorella maggiore e mi stava facendo segno di avvicinarmi. «Hai l'aria depressa. Vieni qui, tesoro, e parliamo un po'.»

Con la testa da un'altra parte mi avvicinai al buco nel muro che metteva in comunicazione con il suo ufficio, se così si può dire. Un buco ad altezza faccia. Fosse stato più grande e più basso, non l'avrebbe protetta dagli ubriachi e dai drogati che avevano qualche problema a uniformarsi alle regole della casa.

«Brutta telefonata con la tua ragazzina?»

«Cosa?»

«Tu sei un tipo chiuso, ma io dal mio buchetto vedo un sacco di cose. Ti ho sentito mentre telefonavi, e quando hai riappeso stavi peggio di prima. Non mi limito ad aprire la porta, cosa credi?» Scoppiò nella sua risata fragorosa mentre io accennavo un sorriso d'intesa di fronte ai suoi tentativi di sollevarmi il morale. «È stata brutta, vero, tesoro? Ma adesso va già meglio, non è così?»

«Sì, è tutto a posto.»

«Oh, bene, sono contenta. Sai, ti ho osservato entrare e uscire, sempre con quell'aria sbattuta. Stiamo parlando di divorzio, direi, e di solito non mi sbaglio. Dev'essere dura non poter vedere la tua piccolina. Mi preoccupo per te, nient'altro, tesoro.»

«Non è il caso, Maureen, va tutto bene, davvero.»

Fece finta di crederci. «Bene... bene, ma, lo sai, di solito le cose...»

Per un attimo la sua attenzione fu attratta da quanto stava accadendo per le scale. Alcuni kosovari, o qualcosa del genere, avevano iniziato a urlarsi di tutto su uno dei pianerottoli ai piani superiori. Si strinse nelle spalle e mi sorrise. «Diciamo che le cose trovano un modo per risolversi da sole. Ho visto altri sguardi come il tuo, qui dentro. E a tutti ho detto la stessa cosa, e io non sbaglio mai. La situazione non può che migliorare, vedrai.»

In quel momento, da qualche parte sopra le nostre teste, esplose una rissa: una sacca Nike rotolò giù dalle scale, seguita a ruota dal suo proprietario, un venditore di tabacco in maglione marrone con collo a V e calze bianche. Maureen afferrò la radiotrasmittente nel momento in cui altri due ragazzi piombavano sul disgraziato e lo riempivano di botte. Parlò alla radio con una calma rassicurante, frutto di anni d'esperienza.

Mi appoggiai al muro mentre altri due tabaccai si precipitavano a sedare la rissa.

Pochi minuti dopo si cominciò a sentire sempre più forte l'urlo delle sirene in avvicinamento. Maureen premette l'apriporta e i tabaccai con le sacche in mano, convinti che la polizia fosse lì per loro, si proiettarono all'interno dell'ostello alla velocità del fulmine, diretti nelle rispettive stanze per nascondere la merce, lasciando che i ragazzi di Manchester se la sbrigassero da soli. A distanza ravvicinata seguirono quattro poliziotti sopraggiunti a sedare la lite.

Controllai il nuovo Baby G, nero con l'illuminazione viola. Mancavano ancora tre ore all'appuntamento e non avevo voglia di far nulla. Non avevo voglia di mangiare, non avevo voglia di bere, non avevo voglia di stare senza fare niente e di sicuro non avevo voglia che Maureen continuasse a scrutarmi l'anima, anche se ne apprezzavo le buone intenzioni. Sapeva già abbastanza. Le feci un cenno di ringraziamento e mi avviai verso la strada. Anche in un momento di emergenza trovò il modo di dedicarmi un secondo del suo tempo. «Devi smetterla di preoccuparti, Nick. Preoccuparsi danneggia questa.» Con l'indice si batté la tempia. «Lo dico per esperienza, ne ho visti tanti qui dentro, tesoro.»

Dietro di lei squillò un telefono, mentre la zuffa dalle parti delle scale continuava. «Ora devo andare, caro. Ti auguro che i tuoi problemi si risolvano, di solito è così che succede. Buona fortuna, tesoro.»

Il rumore del cantiere soffocò quello della rissa. Mi sedetti sui gradini con gli occhi fissi alle lastre del selciato, mentre i protagonisti della rissa venivano portati via, le voci alterate che si perdevano nel fragore dei martelli pneumatici.

Alle tre in punto la Mercedes mi transitò di fronte e andò a parcheggiare poco più avanti. Al volante c'era Scarpedatennis e Sundance gli stava a fianco. Lasciarono il motore acceso.

Staccai il sedere intorpidito dai gradini e mi trascinai verso di loro. Erano vestiti come al mattino e bevevano caffè da bicchieri di carta. Ci misi un po', non per farli aspettare ma perché il mio corpo non riusciva ad accelerare, e neppure la mia mente.

M'infilai nel sedile posteriore senza che mi degnassero di un saluto, poi agganciarono le cinture di sicurezza.

Non appena partiti, Sundance mi allungò una busta marrone da sopra la spalla. «Per oggi è inutile che provi a ritirare dei soldi, ne ho già prelevate cinquecento. Coprono le ottantacinque che mi devi più gli interessi.»

Si scambiarono un sorriso. Il lavoro aveva le sue gratificazioni.

Il mio nuovo passaporto e la carta di credito erano freschi di stampa ma ben invecchiati; c'erano anche il nuovo PIN e un biglietto aereo, con il ritorno aperto, che alle 7.05 del mattino dopo partiva da Miami diretto a Panama. Come sarei arrivato in tempo a Miami non mi preoccupava, me lo avrebbero comunicato fin troppo presto.

Sbirciai i visti e scoprii che a luglio ero stato in vacanza in Marocco per due settimane. Tutti i visti avevano un aggancio con la realtà: in effetti c'ero stato, anche se non così di recente. Ma per lo meno di fronte a un normale controllo di immigrazione e dogana avrei potuto cavarmela. Il resto della storia di copertura era lo stesso di sempre: viaggiavo per evadere da una vita intera passata a vendere assicurazioni; dopo aver girato quasi tutta l'Europa, adesso volevo conoscere il resto del mondo.

Il cognome invece non mi convinceva. Hoff, perché Hoff? Non suonava bene. Nick Hoff, Nick Hoff. Anche l'iniziale era diversa dal mio vero cognome, il che avrebbe reso meno improbabile un errore al momento di dover firmare qualcosa. Hoff aveva un che di artificiale: se ti chiami Hoff, non battezzi tuo figlio Nicholas, a meno di non volergli preparare un duro apprendistato scolastico: bastava una piccola storpiatura per farlo diventare *knickers off*, « giù le mutande ».

Sundance non mi aveva chiesto di firmare e questo mi preoccupava. Le stronzate burocratiche mi facevano girare le palle, ma se non c'erano mi giravano di più.

« Cosa devo fare per il mio indirizzo di copertura? Posso telefonare? » domandai.

Stavamo avanzando a sobbalzi e Sundance, senza neppure voltarsi, rispose: « Già fatto ». Si frugò nei jeans ed estrasse un foglietto spiegazzato. « Il mini-raccordo finalmente è stato ultimato, ma sono tutti in attesa di una decisione a proposito della tangenziale. Dovrebbe essere approvata il mese prossimo. »

Annuii. Era un aggiornamento circa le notizie di quartiere del mio indirizzo di copertura, come lo aveva ribattezzato Signorsì. James e Rosemary mi amavano come un figlio, da ormai dieci anni, da quando cioè secondo la copertura abitavo da loro. Avevo una camera mia e vestiti nell'armadio.

La coppia faceva parte della mia copertura e l'avrebbe confermata. Non avevano un ruolo attivo, semplicemente mi avrebbero sostenuto in caso di bisogno. «Vivo lì», avrei risposto a chi m'interrogava. «Telefonate, chiedetelo.»

Andavo a trovare James e Rosemary ogni volta che potevo, ragione per cui, con il passare degli anni, la copertura era diventata sempre più solida. Non conoscevano e non volevano conoscere niente di quello che facevo; durante le nostre chiacchierate ci limitavamo a qualche pettegolezzo e a parlare di quello che succedeva al club. Avevo bisogno di sapere cose del genere perché se avessi davvero abitato con loro le avrei sapute di sicuro. Per il lavoro dei cecchini non li avevo utilizzati perché la Ditta non venisse a sapere che nome stavo usando per viaggiare e dove ero diretto. E da come erano andate le cose era stata la decisione giusta.

Sundance cominciò a spiegarmi come avrei raggiunto Miami in tempo per il volo a Panama. Signorsì non aveva perso un minuto. Entro quattro ore mi sarei ritrovato dentro un sacco a pelo sopra le casse da imballaggio contenenti attrezzatura militare trasportate da un Tristar della RAF in partenza dalla base militare di Brize Norton, vicino a Oxford, direzione Fort Campbell, Kentucky, dove un battaglione di fanteria scozzese avrebbe effettuato un'esercitazione congiunta con la 101ª divisione aviotrasportata *Screaming Eagles*. Da anni avevano abbandonato l'uso dei paracadute e adesso scorrazzavano per il cielo con più elicotteri di quanti ne possedesse buona parte degli eserciti europei messi insieme. A quell'ora non c'erano voli di linea che potessero farmi arrivare dove dovevo essere il giorno dopo di prima mattina; quello era l'unico modo. Mi avrebbero scaricato in Florida in una base dei marines dove mi avrebbero messo un visto preferenziale sul passaporto. A quel punto avrei avuto tre ore per raggiungere l'aeroporto di Miami da dove partiva il volo per Panama.

Sundance emise un grugnito osservando due donne in attesa dell'autobus. «Sul posto avrai l'assistenza di due medici.» Controllò ancora gli appunti. «Carrie e Aaron Yanklewitz. Che nomi del cazzo.»

Lanciò un'occhiata a Scarpedatennis, il quale annuì, quindi mise via il foglietto.

« Nessun contatto con il signor Frampton né con nessun altro qui. Le informazioni da dare o da ricevere passeranno attraverso gli incaricati. »

Mi domandai se gli Yanklewitz non fossero per caso polacchi americani. Tenevo la testa appoggiata al finestrino e osservavo la vita normale che mi scorreva davanti.

« Mi stai ascoltando, testa di cazzo? »

Guardai lo specchietto retrovisore e vidi che stava aspettando una risposta. Feci cenno di sì.

« Verranno all'aeroporto con un cartello con il tuo nome, e tredici è il numero di codice. Capito? Tredici. »

Annuii ancora, stavolta senza guardarlo.

« Ti indicheranno la casa del ragazzino e, per quando arriverai, dovrebbero aver ricevuto la documentazione fotografica e tutto il resto. Non sanno cosa devi fare. Noi invece sì, vero, figliolo? » Si voltò per guardarmi in faccia, ma continuavo a fissare il vuoto, privo di sensazioni, come paralizzato. « E cioè portare a termine il lavoro, lo sai, no? » Mentre parlava agitava l'indice nello spazio che ci divideva. « Tu devi finire il lavoro per cui sei stato pagato. E lo farai entro venerdì, al tramonto. Capito, Stone? Devi finirlo. »

Ogni volta che nominava la parola « lavoro » la mia depressione e la mia incazzatura aumentavano. « Non so cosa farei senza di te. »

Agitando ancora l'indice e il pollice Sundance cercò, con scarsi risultati, di trattenere la rabbia. « Fai fuori quel cazzo di ragazzino. » Parlando sputacchiò e alcune gocce di saliva mi schizzarono in faccia.

Avvertivo che in quella macchina tutti erano sotto pressione, e il motivo, ci avrei scommesso, era che a essere sotto pressione era Signorsì. Mi chiesi se C fosse al corrente dell'esistenza della mia « coperta di sicurezza ». Signorsì poteva aver deciso di sostenere che il « naufragio » dell'operazione era dovuto a un errore nelle comunicazioni. Dopo tutto era quello che gli avevo detto io, o per lo meno così mi pareva: al momento non riuscivo a ricordare con esattezza.

Con ogni probabilità Signorsì aveva detto a C che il caso era stato affidato al buon vecchio Stone, di cui C ignorava completamente l'esistenza, e che tutto sarebbe finito nel migliore dei modi. Ma avevo anche il dubbio insinuante che mi stavo recando a Panama invece che a Beachy Head solo perché ero l'unico idiota della compagnia che poteva tentare di farcela.

Appena fuori Londra imboccammo la A40 diretti a Brize e a quel punto mi concentrai per mettere a fuoco il lavoro. Meglio pensare al lavoro piuttosto che rimuginare e soffrire. Per lo meno questo è quello che si dice. Anche se è più facile dirlo che farlo. Ero senza un soldo. Per pagare le cure di Kelly mi ero venduto la Ducati e la casa a Norfolk, mobilia compresa, tutto tranne quello che poteva essere contenuto nella sacca sportiva. Ventiquattr'ore di assistenza privata nella casa di Hampstead circondata dal verde e le regolari sedute alla Moorings mi avevano lasciato all'asciutto.

Quando ero uscito dalla casa di Norfolk l'ultima volta, avevo provato la stessa ansia provata a sedici anni quando avevo abbandonato il quartiere di case popolari per arruolarmi nell'esercito. Allora non avevo neanche una sacca, ma un sacchetto di plastica della COOP con dentro un paio di calze bucate, una saponetta Wright Coal Tar ancora incartata e uno spazzolino da denti antidiluviano. Mi ero ripromesso che mi sarei comprato il dentifricio con la prima paga, anche se non sapevo ancora quando l'avrei ricevuta né di quanto sarebbe stata. Non m'importava poi gran che, perché, per quanto fosse brutta la vita nell'esercito, mi offriva la possibilità di tenermi alla larga dai riformatori e da un patrigno che aveva fatto il salto dalle sberle ai pugni.

Da marzo, da quando cioè avevo iniziato la terapia con Kelly, non avevo più potuto lavorare. E, senza numero di assistenza sociale, senza documenti d'impiego e nemmeno l'ombra di una scemenza come una cartolina che potesse provare la mia esistenza da quando avevo lasciato il reggimento, non potevo neppure richiedere il sussidio di disoccupazione o l'assegno integrativo. La Ditta non mi avrebbe aiutato: ero un K. E nessuno a Vauxhall vuole avere a che fare con te se non sei in grado di lavorare o se non c'è lavoro da affidarti.

Durante il primo mese di sedute avevo fatto il ballo dei letti in giro per Londra: se ero fortunato, se il padrone di casa era abbastanza stupido da non chiedere i soldi in anticipo, riuscivo a svignarmela senza pagare. Poi, con l'aiuto del numero di assistenza sociale di Nick Somerhurst comprato al Good Mixer, ero riuscito a conquistare un posto all'ostello e a mettermi in coda all'ora dei pasti dietro il furgone degli Hare Krishna, poco lontano dalla sala bingo la Mecca. E, a nome Somerhurst, adesso avevo anche passaporto e documenti relativi. Mai avrei dato la possibilità a Signorsì di rintracciarmi attraverso i documenti forniti dalla Ditta.

Mi venne da sorridere pensando a Peter, uno dei Krishna, un ragazzetto che sorrideva sempre. Aveva la testa rasata e una pelle così bianca da sembrare morto, anche se scoprii presto che era fin troppo vivace.

Con le sue vesti color ruggine, completate da un cardigan azzurro lavorato ai ferri e da un cappello di lana multicolore, andava avanti e indietro per il furgone ammaccato dispensando tè e piatti indiani a base di curry, al ritmo perenne di Krishna rap. «Ciao, Nick! Krishnaaa, Krishnaaaa, Krishnaaaa. Ciao! Hare rammaaaa.» Non mi ero mai sentito coinvolto al punto di aggregarmi, mentre altri, soprattutto gli alcolisti, lo avevano fatto. Danzava nel furgone e il tè e le fette di pane disposte su un vassoio di cartone si spargevano ovunque, ma ciò nonostante godeva della nostra stima.

Continuai a guardare dal finestrino, chiuso nel mio bozzolo fatto di un mondo color ruggine, mentre il mondo reale scorreva lungo la strada.

La A40 s'immise nell'autostrada e Sundance decise che era arrivato il momento di recitare il suo pezzo.

«Sai una cosa?» disse rivolto a Scarpedatennis, assicurandosi che potessi sentire.

Scarpedatennis si portò sulla corsia di destra e passò il tabacco a Sundance. «Dimmi.»

«Non mi dispiacerebbe fare una gita nel Maryland... potremmo andare prima a Washington e visitare i dintorni...»

Sapevo benissimo dove volevano andare a parare e continuai a fissare la corsia d'emergenza.

Scarpedatennis sembrava entusiasta. «Sarebbe una gran figata, ne sono sicuro.»

Prima di rispondere Sundance finì di leccare la cartina Rizla. «Sì, hai ragione, ho sentito dire che a Laurel...» Si voltò verso di me. «È lì che abita adesso, vero?»

Non risposi. Sapeva benissimo di non aver sbagliato. Sundance si girò a guardare la strada. «Dunque, ho sentito dire che ci sono posti molto pittoreschi da quelle parti, alberi, prati e cazzate del genere. E poi, una volta finito a Laurel, potremmo andare a New York, così mi fai conoscere quella tua sorellastra che abita lì...»

«Col cazzo che ti ci faccio avvicinare!»

Provai una fitta terribile alla bocca dello stomaco e fui costretto a una serie di respiri veloci pensando a quello che sarebbe potuto succedere se non fossi riuscito a portare a termine il lavoro. Ma, se mi lasciavo prendere dai loro giochetti, ce l'avevo nel culo. E, a dirla tutta, ero troppo stanco per reagire.

Circa un'ora dopo arrivammo alla base aerea di Brize e Scarpedatennis scese dalla macchina per organizzare la successiva fase della mia vita.

All'interno dell'auto nemmeno una parola. Ascoltavo il rombo dei jet da trasporto della RAF che decollavano e osservavo gli Argyll and Sutherland Highlander che, in tuta mimetica, gli zaini sulle spalle e le cuffie del walkman nelle orecchie, ci passavano davanti. Fu come tornare indietro nel tempo. Avevo la sensazione di aver trascorso metà della mia vita da militare in quel campo, perché là, oltre all'attività di routine del carico degli aerei – quella che stavano effettuando gli Highlander in quel momento –, avevo imparato a lanciarmi con il paracadute. Mi era piaciuto molto: forse perché provenivo da una città presidio dove c'erano solo tre pub, uno dei quali inaccessibile alla gente di basso rango come me, e un negozio di *fish and chips*. Qui invece c'era persino il bowling.

Osservai un capitano che radunava le reclute e le faceva passare attraverso una porta spuntando i nomi da un blocco via via che entravano nell'ampio edificio a vetrate stile anni '60.

Scarpedatennis tornò con un caporale della RAF dall'aria nervosa. Molto probabilmente non aveva la minima idea di quello che stava accadendo, sapeva solo di dover scortare un civile di merda su uno dei suoi magnifici aerei. Gli venne detto di aspettare poco lontano dall'auto, mentre Scarpedatennis si avvicinava e apriva la portiera posteriore dal lato del marciapiede. Di lui vedevo solo le gambe e la mano che mi faceva cenno di uscire.

Feci strisciare il sedere intorpidito sul sedile. Sundance mi bloccò con un grugnito.

Attesi, gli occhi fissi tra i sedili.

« Niente cazzate, giovanotto. »

Annuii: dopo la nostra chiacchierata in macchina e la precedente ramanzina di Signorsì, il messaggio era chiaro. Uscii e feci un cenno di saluto al caporale.

Avevamo fatto solo pochi passi quando Sundance mi chiamò. Tornai indietro e infilai la testa attraverso la portiera posteriore che Scarpedatennis aveva lasciato aperta. Il rombo dei jet da trasporto lo faceva urlare e mi spinsi più all'interno, posando le ginocchia sul sedile.

« Un'ultima domanda: com'è la tua orfanella? Ho sentito che prima della sua partenza siete andati a visitare un'azienda agricola. È anche un po' ritardata, non è così? »

Non riuscii a trattenermi e iniziai a tremare.

Fece un ghigno: alla fine aveva ottenuto quello che voleva. « Forse, se mandi affanculo tutto, potrebbe essere un bene per la piccina. Forse le faremmo persino un piacere. »

Si stava gustando la situazione momento per momento. Cercai di restare calmo, ma non ci riuscii. Anche lui comprese che ero furioso. « Fa male, vero? »

Feci il possibile per non reagire.

« Allora, giovane, porta via i coglioni, e fai le cose per bene stavolta. »

Cazzo.

Puntai le ginocchia, mi slanciai in avanti e gli afferrai la testa con entrambe le mani. Con un unico movimento abbassai la testa e tirai con forza la sua faccia contro il mio cranio. Ci fu il contatto, fu molto doloroso e mi lasciò un po' stordito.

Una volta fuori sollevai le mani in segno di resa. « Va tutto bene, va tutto bene... »

Aprii gli occhi e fissai Sundance all'interno. Era sprofondato nel sedile, si teneva il naso con le mani e il sangue gli colava lungo le dita. Mi sentii decisamente meglio e iniziai ad avanzare verso il Crab, mentre un altro drappello di Highlander di passaggio fingeva di non prestare troppa attenzione a quanto stava accadendo.

Scarpedatennis sembrava indeciso se spararmi o no. Mentre lui decideva, io sospinsi letteralmente lo spaventato Crab all'interno dell'edificio. Quindi lo seguii.

Potevano andarsene tutti affanculo. Io cosa avevo da perdere?

9

Martedì 5 settembre

CON cautela infilo la pistola nella cintura, il palmo sudato scivola sul calcio dell'arma. Se è qui non voglio che la veda. Forse sa già quello che è successo...

Accosto le labbra a una fessura tra i cartoni. «Kelly, sei qui? Sono io, Nick. Non aver paura, vengo piano verso di te. Tra un minuto mi vedrai spuntare e voglio vedere un bel sorriso...»

Sposto i cartoni e m'insinuo nel piccolo varco, avanzando lentamente verso la parete di fondo.

«Sto per infilare la testa dietro l'angolo, Kelly.»

Con un profondo respiro allungo la testa oltre il cartone, sorrido ma sono preparato al peggio e il sudore mi gronda lungo il volto.

Lei è lì, di fronte a me, gli occhi sgranati per il terrore, rannicchiata in posizione fetale, che dondola il corpo avanti e indietro, le mani sopra le orecchie, fragile e indifesa.

«Ciao.»

Mi riconosce ma continua a dondolare, fissandomi con occhi grandi, lucidi e spaventati.

«Mamma e papà adesso non possono venire a prenderti, ma tu puoi venire con me. Papà ha detto che va bene. Vieni con me, Kelly? Vieni?»

«Signore? Signore?»

Aprii gli occhi e vidi un'assistente di volo molto preoccupata. «Sta bene, signore? Vuole dell'acqua o qualcos'altro?»

Le mani sudate scivolarono sui braccioli del sedile mentre cercavo di mettermi seduto dritto. Lei versò l'acqua da una bottiglia in un bicchiere di plastica.

«Posso avere la bottiglia, per favore?»

Me la porse con un sorriso pieno d'ansia e la ringraziai. La mano sudata era tutta un tremito quando l'afferrai e la portai di scatto alla bocca, bevendo a grandi sorsate. Passai la mano libera sulla faccia per detergere il sudore. Era parte dello stesso sogno che avevo fatto sul Tristar. Merda, dovevo essere proprio esaurito. Staccai la felpa dalla pelle e cercai di darmi una sistemata.

Avevamo appena raggiunto la quota di crociera sul volo di quattro ore e qualcosa da Miami a Panama City, arrivo previsto ore 11.40, locali, stesso fuso orario della costa orientale americana e cinque ore indietro rispetto all'Inghilterra. Ero seduto accanto al finestrino e avevo accanto il più antisociale cittadino del Centro America, una donna dai tratti latini con una massa di capelli gonfia e tanto indurita dalla lacca da farmi sinceramente dubitare che il cranio riuscisse a toccare il poggiatesta. Indossava un completo in PVC effetto pelle, con jeans disegnati a spruzzo e una giacca di denim tigrata a strisce argento e nere. Mentre cercavo di rimettermi in sesto e finivo l'acqua rimasta mi guardava con disgusto e disapprovazione.

Iniziai a sfogliare la rivista dei voli interni e stavolta fu lei ad abbassare la testa. Le trovavo sempre estremamente interessanti, perché mi fornivano un'idea del posto in cui mi stavo recando quando viaggiavo su palle da fucile tipo questa. E poi mi distraevano da altri pensieri e mi aiutavano a concentrarmi sul lavoro, sulla missione, o su qualsiasi cosa mi avesse portato da quelle parti. All'aeroporto di Miami avevo cercato di comprare una guida di Panama, ma a quanto sembrava era un genere di articolo poco richiesto.

La rivista era piena di magnifiche foto di uccelli esotici, sorridenti bambini indio in canoa e tante altre cose che conoscevo ma che non sarei mai riuscito a esprimere in modo altrettanto efficace. «Panama è lo Stato centroamericano più meridionale, uno Stato lungo e stretto che può essere definito il cordone ombelicale che unisce Sud e Centro America. È a forma di S, confina a ovest con il Costa Rica e a est con la Colombia ed è vasto più o meno come l'Irlanda.»

Continuava dicendo che quasi tutti – me compreso quand'ero stato in Colombia – erano convinti che i confini panamensi andassero da nord a sud. Errore: il Paese si estendeva da ovest a est. Cose del genere avevano la loro importanza per persone come me alle quali poteva capitare di doversi allontanare di fretta. Non mi sarebbe piaciuto ritrovarmi diretto in Colombia senza volerlo: dalla padella alla brace. L'unica via d'uscita era verso il Costa Rica, il paradiso della chirurgia plastica a basso costo e degli appassionati di immersioni subacquee. Tutte nozioni apprese nella sala d'attesa di Moorings.

Giglio Tigrino si era addormentata e russava alla grande, si agitava sul sedile ed emetteva scoregge con intervalli di circa un minuto l'una dall'altra. Aprii entrambe le bocchette dell'aria condizionata e le puntai verso di lei nel tentativo di deviare i miasmi.

Le tre pagine di pistolotti ufficiali corredati da fotografie patinate m'informarono che Panama era nota in tutto il mondo per il canale che univa il mar delle Antille all'oceano Pacifico, e per la «spumeggiante attività bancaria». Seguivano altre foto di fiori dai colori stupendi, con didascalie che non smettevano di sottolineare quanto fossimo fortunati, noi tutti che ci trovavamo su quel volo, ad andare esattamente lì. Non mi stupì di non trovare nessun accenno all'operazione Giusta Causa, l'invasione degli Stati Uniti dell'89 finalizzata a estromettere il generale Noriega, e neppure al traffico di droga che rendeva il sistema bancario così spumeggiante.

L'elenco delle meraviglie da vedere comprendeva solo località a ovest della città di Panama, che loro chiamavano «l'interno». Tutto quello che si trovava a est non veniva neppure nominato, in particolare Darién, la zona di giungla al confine con la Colombia. Sapevo che la provincia di Darién era una zona di guerra a bassa intensità. Narcotrafficanti e guerriglieri – attività molto spesso coincidenti – si spostavano tra i due Paesi in grandi gruppi armati fino ai denti. Ci sono anche alcuni impianti per la produzione di droga, dal momento che i locali cercano di raggranellare soldi con le industrie, e gli elicotteri della polizia di confine panamense ronzano nei cieli, relegati in una guerra che non hanno nessuna possibilità di vincere. Esistono anche persone piene di spirito d'avventura che vanno da quelle parti a osservare gli uccelli o in cerca di orchidee rare, e diventano ostaggi (o vengono eliminate) se s'imbattono casualmente in faccende che i trafficanti non vogliono diffondere.

Sapevo anche che i narco, e le FARC in particolare, si stavano facendo più intraprendenti adesso che gli Stati Uniti si erano ritirati da Panama. Le loro incursioni si spingevano sempre più a ovest e, dato che il confine con la Colombia distava appena un paio di centinaia di chilometri dalla città di Panama, c'era da scommettere che nessuno dormisse sonni tranquilli.

Continuai a sfogliare la rivista e poiché non trovai altro d'interessante, solo pubblicità patinate, la utilizzai per farmi vento quando Giglio Tigrino grugnì scoreggiando per l'ennesima volta.

Guardai in basso lo sconfinato azzurro del mar dei Caraibi e ripensai alla telefonata del giorno prima con Josh. Aveva avuto ragione a mandarmi a quel paese; era l'ottava o nona volta che gli facevo uno scherzo del genere. Kelly aveva davvero bisogno di stabilità e di crescere in un contesto il più normale possibile. Era per questo che adesso si trovava con lui e il fatto di non-telefonare-quando-dovevo e di telefonare-quando-non-dovevo non la aiutava di sicuro.

Quel giorno avrei dovuto essere là a firmare i documenti con i quali cedevo a lui tutti i diritti di tutela su Kelly, a cambiare l'attuale situazione di tutela congiunta. Secondo le disposizioni testamentarie del padre di Kelly, sia io sia Josh eravamo tutori di sua figlia, ma era a me che era stata affidata. Non ricordavo neppure com'era successo, ma era così.

Stavano servendo il pranzo e cercai di estrarre il vassoio

dal bracciolo. Operazione impegnativa perché Giglio Tigrino era debordata dal suo sedile. La scrollai con gentilezza finché non aprì un occhio appannato e si voltò dall'altra parte come se lo scocciatore fossi io.

Il pranzo fece la sua comparsa, il solito vassoio sigillato mi ricordò Peter che riusciva a far ballare tutti i ragazzi del dormitorio a ritmo di rap: «Krishna, yo! Krishna, yo! Krishna, yo! Hare rama». Sollevai il coperchio di carta stagnola e scoprii che avrei fatto colazione a base di pastasciutta. Maneggiavo la forchetta cercando di muovere il braccio il meno possibile per non disturbare la mia nuova amica. Decisi che se fossi sopravvissuto avrei fatto una donazione ai ragazzi Krishna. Il fatto di aver pensato a Peter mi sorprese, era sbucato fuori da chissà dove, come molte altre cose negli ultimi tempi. Era urgente che tornassi in fretta al lavoro più confortevole, alle cose che mi facevano stare bene, e che smettessi di avere pensieri di quel tipo, prima di ritrovarmi membro effettivo del Caravan Club arancione.

Mentre mangiavo la pasta riflettei sul lavoro e sulle scarne informazioni che mi aveva fornito Sundance. Il numero di identificazione di Aaron e Carrie Yanklewitz era tredici. È un sistema semplice ed efficace. I numeri funzionano meglio delle parole d'ordine perché sono più facili da ricordare. Una volta mi era capitata una parola d'ordine che diceva: «Il conte sta mangiando aringhe affumicate con tua madre, stasera», e io avrei dovuto rispondere: «Le aringhe non si fermano mai». Vai a sapere chi cazzo se la sarà pensata.

Il sistema numerico è particolarmente indicato per chi non è del mestiere o per quelli come me che non riescono a imparare a memoria le parole d'ordine. Per quanto ne sapevo quella gente poteva rientrare in entrambe le categorie. Non avevo idea se fossero operatori esperti in grado di gestire sul campo le reazioni più adatte o semplici contatti che mi avrebbero fornito vitto e alloggio o ancora allegroni incapaci di tenere la bocca chiusa.

Una cosa non tolleravo, ed era che ci fosse altra gente coinvolta nelle mie azioni, ma stavolta non avevo scelta. Non sapevo dove abitava il bersaglio, non conoscevo le sue abitudini e non avevo il tempo necessario per scoprirlo.

Finito di mangiare mi appoggiai allo schienale per distendere i muscoli dello stomaco ancora indolenziti. Una fitta mi attraversò la gabbia toracica, forse per ricordarmi quanto erano robusti e resistenti gli stivali Caterpillar.

Per alleviare il dolore al torace mi discostai da Giglio Tigrino e abbassai la tendina. Sotto di me c'era solo giungla, allungata fino all'orizzonte. Da quell'altezza sembrava il campo di broccoli più grande del mondo.

Mi tirai la coperta sulla testa per non sentire la puzza.

10

Il volo atterrò alle undici e trenta, ora locale, con dieci minuti di anticipo. Uscii tra i primi e seguii le indicazioni per il ritiro dei bagagli e la dogana, oltrepassando file di sedili in acciaio cromato e finta pelle marrone.

Dopo quattro ore di aria condizionata, il caldo mi si abbatté addosso come un muro. Reggevo in mano i due moduli che ci avevano dato da compilare in aereo, uno per l'ufficio immigrazione e l'altro per la dogana. Sul mio c'era scritto che Nick Hoff avrebbe alloggiato al Marriott. I Marriott sono ovunque.

Oltre ai vestiti che indossavo – jeans, felpa e bomber –, avevo solo il passaporto e il portafoglio con cinquecento dollari statunitensi. Li avevo ritirati al bancomat all'aeroporto di Miami con la Visa della Royal Bank of Scotland intestata al mio schifoso nome di copertura.

Mi sentivo come uno di Camden: mi guardai nello specchio del bagno e vidi che avevo il volto solcato dalle rughe del sonno e i capelli dritti come la voce solista di un gruppo reggae.

Niente di cui preoccuparsi. Anche se non avevo bagaglio, passare l'immigrazione risultò facile. Un uomo di mezz'età parecchio annoiato prese il modulo che gli porgevo e mi fece cenno di passare: il livello di guardia non era dei più alti; del resto nessuno avrebbe cercato d'importare illegalmente droga *in* Centro America.

Visto che non possedevo nulla passai in fretta anche la dogana. Per darmi un'aria normale, a Miami mi sarei dovuto procurare qualcosa tipo bagaglio a mano, ma avevo avuto altri pensieri per la testa. Nessun problema, anche quelli della dogana panamense pensavano ad altro.

Mi diressi verso l'uscita adattando il nuovo Leatherman

alla cintura. L'avevo comprato a Miami per sostituire quello che Sundance mi aveva fregato, e mi era stato tolto dalla polizia aeroportuale che l'aveva infilato in un sacchetto per evitare che lo usassi per dirottare l'aereo. Lo avrei ritirato all'arrivo al banco del servizio bagagli.

La piccola sala arrivi sembrava ospitare le olimpiadi del casino. Voci spagnole che sbraitavano, turisti che squittivano, bambini che piangevano, cellulari che squillavano con una miriade di suoni diversi. Le corsie metalliche mi incanalarono all'interno della sala. Avanzai scrutando i volti di famiglie in attesa e tassisti. Qualcuno teneva sollevati dei cartelli. Le donne erano più numerose degli uomini, alcune molto magre, altre molto grasse, poche quelle di corporatura normale. Molte avevano fiori in mano e bambini di un paio d'anni abbarbicati addosso da ogni parte. Tre o quattro si sporgevano dalle barriere come fan a un concerto di Ricky Martin.

Dopo un po', in mezzo alla marea di gente, individuai un cartello bianco, quadrato, di circa trenta centimetri di lato, con su scritto YANKLEWITZ in stampatello. L'uomo dai capelli lunghi che lo reggeva era del tutto diverso dall'operatore CIA tutto perfettino che mi ero aspettato di trovare. Era magro, alto circa quanto me, forse un metro e settantasette, e decisamente vicino ai cinquant'anni. Indossava pantaloni corti color kaki e un gilè da fotografo dello stesso colore che aveva l'aria di fare gli straordinari nella locale officina meccanica in qualità di straccio per pulirsi le mani. I capelli sale e pepe erano raccolti in una coda di cavallo che lasciava libera la fronte abbronzata e il viso era coperto da una barbetta argentea di alcuni giorni. Aveva il volto sciupato: la vita aveva pagato un evidente pedaggio.

Lo oltrepassai andando dritto fino al termine della barriera: volevo entrare in sintonia con l'ambiente e studiare quell'uomo prima di mettermi nelle sue mani. Continuai a camminare per una decina di metri fino alla parete di vetro e alle porte scorrevoli. All'esterno c'era un grande parcheggio e il sole accecante si rifletteva su una moltitudine di parabrezza. A sinistra delle porte c'era uno dei tanti posti di ristoro: un chiosco Flying Dogs che vendeva i soliti hot-dog e *nacho*; mi appoggiai alla vetrata e osservai il mio contatto spinto e schiacciato nella mischia.

Aaron, immaginai che fosse lui, scrutava con attenzione ogni nuovo arrivo maschile che emergeva dalla dogana controllando in continuazione che il cartello fosse nel verso giusto, prima di tornare a sollevarlo al di sopra della folla. I tassisti erano vecchie volpi dell'operazione e riuscivano a rimanere saldi sul posto, ma Aaron veniva continuamente fatto ondeggiare dalla marea di persone. Se fosse stata una svendita di saldi invernali, sarebbe uscito solo con un paio di calze scompagnate.

Di tanto in tanto riuscivo a scorgergli le gambe abbronzate e senza peli. Erano muscolose e presentavano graffi sui polpacci; ai piedi calzava sandali da frate in pelle invece dei più normali sandali sportivi. Non era in tenuta da turista, questo era chiaro. Aveva l'aspetto di un bracciante agricolo o di un hippy vecchio stile. Non di un dottore.

D'un tratto, mentre cercavo di sintonizzarmi con l'ambiente, Giglio Tigrino fece la sua comparsa trascinando a fatica un'enorme valigia dalle ruote cigolanti. Urlò all'unisono con due donne di colore grasse quanto lei, mentre ciascuna saltava addosso alle altre in un tripudio di baci e carezze.

La sala arrivi era piena di bancarelle di cibo e bibite e tutte emettevano i loro odori che rimbalzavano sul soffitto senza trovare via d'uscita. Latinoamericani dai vestiti sgargianti, neri, bianchi e cinesi sbraitavano nel tentativo di superarsi uno con l'altro nell'assordante gara di urla. Ero pronto a scommettere che Aaron avrebbe perso anche quella oltre al concorso mantengo-il-mio-posto-nella-folla. Continuava a galleggiare avanti e indietro come un tappo di sughero in un mare in tempesta.

Non so se l'aria condizionata fosse in funzione, ma in ogni caso non era sufficiente a far fronte al calore prodotto da tutti quei corpi. Il pavimento era bagnato di condensa, come se fosse appena stato lavato, e le vetrate erano in buona parte appannate dall'umidità. Il caldo si era impossessato di me. Sentii il sudore colarmi sulla pelle scivolosa e gli occhi bruciarmi. Mi tolsi il giubbotto e tornai ad appoggiarmi alla vetrata. Il braccio umidiccio si appiccicò alla felpa.

In giro ronzava un gruppo di cinque poliziotti dalla faccia di pietra, nei loro pantaloni color kaki rigorosamente stirati e nelle camicie a maniche corte con tanto di targhetta. Avevano un'aria molto *macho*, con le mani appoggiate sulle pistole infilate nella fondina e i piedi che stacchettavano in scarpe nere di pelle, simbolo di privilegio. Oltre ai piedi l'unica cosa che mossero furono i cappelli a punta, quando gratificarono di un'accurata ispezione le tre ragazze latinoamericane dai jeans attillati e tacchi alti che stavano passando.

A sinistra dei poliziotti, seduta su una panca, c'era l'unica persona che non sudava e che manteneva il pieno controllo di sé. Una donna bianca sulla trentina che assomigliava al soldato Jane, capelli corti, pantaloni verdi da lavoro e ampia maglietta grigia che le arrivava fino al collo. Portava gli occhiali da sole e stringeva una lattina di Pepsi.

Nella mia panoramica, due cose mi colpirono. La prima era che di fatto tutti avevano il cellulare, o alla cintura o in mano. L'altra che tutte le camicie degli uomini, come quelle dei poliziotti, erano stirate rigidamente e la piega del braccio proseguiva lungo la spalla e quindi fino al colletto. In città c'era forse una lavanderia sola.

Era passato un quarto d'ora e la folla si stava assottigliando; ormai anche gli ultimi cari erano arrivati alla spicciolata e i tassisti avevano recuperato i loro clienti. Scese la calma, che probabilmente sarebbe durata fino all'arrivo del volo successivo.

Adesso vedevo Aaron in linea retta, tra i pochi rimasti in attesa alla barriera. Sotto il gilè sporco portava una maglietta azzurra sbiadita con una scritta in spagnolo appena leggibile. Lo osservai sollevare il cartello agli ultimi passeggeri, sporgendosi dalla barriera per riuscire a leggere il numero del volo sulle etichette dei bagagli.

Era arrivato il momento di smettere di pensare ad altro e di concentrarmi sul lavoro, sulla missione. Odiavo quella parola, ricordava troppo l'esercito, ma avrei continuato a usarla per non perdere la concentrazione.

Osservai un'ultima volta la sala per controllare che non ci fosse nulla di sospetto, giungendo alla conclusione che tutto ciò che vedevo rientrava in un'unica categoria: l'intera zona arrivi aveva l'aspetto di una riunione di soggetti bizzarri. Mi avvicinai.

Dovevo essere a tre passi dalla sua schiena, quando lui ficcò il cartello sotto il naso di un uomo d'affari americano che trascinava una valigia con le ruote. «Signor Yanklewitz?»

Si voltò stringendosi al petto il cartello come uno scolaro la lavagnetta. Aveva gli occhi arrossati ma di un azzurro incredibile, annegati in profonde rughe di espressione.

La prassi prevedeva che fosse lui a iniziare la conversazione con una storia contenente un numero, tipo: «Oh, ha portato dieci valigie?» e io avrei dovuto rispondere: «No, ne ho solo tre». O qualcosa del genere. Ma non avevo tempo da perdere: avevo caldo, ero stanco e volevo andare avanti.

«Sette.»

«Oh, allora io sono sei, credo.» Il tono era appena dispiaciuto. Molto probabilmente aveva impiegato tutta la mattinata per inventarsi una storia.

Sorrisi. Poi ci fu una pausa: aspettavo che lui m'indicasse il passo successivo.

«Ehm, okay, andiamo?» Parlava un americano chiaro, da persona istruita. «A meno che naturalmente lei non voglia...»

«Non voglio fare altro se non venire con lei.»

«D'accordo, mi segua.»

Ci avviammo verso l'uscita e io mi misi alla sua sinistra. Mentre camminava piegò il cartello. Andava un po' troppo veloce per i miei gusti. Non volevo che ci notassero, ma in fondo di cosa mi preoccupavo in quella gabbia di matti?

Al di là delle porte automatiche c'era la corsia per carico e scarico. Più oltre il parcheggio e in lontananza, sotto uno scintillante cielo azzurro, il verde lussureggiante di montagne irregolari. Tutto là fuori mi era sconosciuto e mai, se avessi potuto scegliere, mi sarei avventurato nell'ignoto senza aver fatto prima una ricognizione.

« Dove andiamo? »

Con lo sguardo stavo ancora ispezionando il posteggio. Non sapevo se mi stesse guardando quando rispose a voce molto bassa: « Be', in un certo senso dipende da... ehm, mia moglie... »

« Carrie, vero? »

« Sì, Carrie. »

Mi ero dimenticato di presentarmi. « Conosce il mio nome? »

Con la coda dell'occhio vidi che si girava verso di me e mi voltai anch'io. I suoi occhi azzurri ebbero un guizzo e mi misero a fuoco in obliquo. « No, ma, se non vuole dirlo, per me va bene. Faccia quello che la fa sentire più al sicuro, quello che è meglio per lei. »

Non aveva l'aria spaventata, ma era chiaro che era a disagio. Forse percepiva in me l'odore del perdente.

Mi fermai e allungai la mano. « Nick. » Sempre meglio essere cordiali con chi ti aiuta piuttosto che tenere le distanze: si ottengono risultati migliori. Una lezione che Signorsì avrebbe dovuto imparare prima di prendere servizio.

Fece un sorriso imbarazzato che scoprì una fila di denti non in ottime condizioni, anneriti dal troppo caffè o dal tabacco. Tese la mano. « Aaron. Lieto di conoscerti, Nick. »

La mano era grande e con la pelle indurita, ma la stretta di mano era giusta. Piccole cicatrici sul dorso, non certo le mani di un impiegato. Le unghie erano sporche e spezzate e a sinistra portava la fede nuziale in oro opaco e uno Swatch da bambini molto colorato.

«Allora, Aaron, come vedi dal bagaglio non penso di fermarmi a lungo. Venerdì, una volta portato a termine il lavoro, mi tolgo dai piedi. E nel frattempo cercherò di non darvi troppo fastidio. Come ti pare?»

Il suo sorriso imbarazzato mi convinse che sembrava troppo bello per tutti e due. Comunque la risposta fu nobile. «Nessun problema. È che in un certo senso mi hai spiazzato. Non mi aspettavo tu fossi inglese.»

Sorrisi e mi avvicinai come chi confida un segreto. «In realtà sono americano, è tutto un travestimento.»

Fece una pausa cercando di leggere nei miei occhi. «Stai scherzando, vero?»

Annuii, sperando di essere riuscito a rompere un po' il ghiaccio. «Mi aspettavo di vedere anche Carrie.»

Indicò un punto alle mie spalle. «Eccola.»

Mi voltai e vidi il soldato Jane che si avvicinava. Mi salutò con un sorriso e tese la mano. «Ciao, io sono Carrie.»

Aveva i capelli neri tagliati all'altezza della nuca. Poteva avere trentacinque anni o qualcuno di più, solo pochi meno di me. Qualche ruga faceva capolino da sotto le lenti scure degli occhiali da sole, e altre si formavano ai lati della bocca mentre parlava.

Strinsi la sua mano salda. «Sono Nick. Finita la Pepsi?» Non sapevo se mi avesse notato mentre aspettavo, non che fosse poi importante.

«Certo, buona.» Aveva modi bruschi, quasi aggressivi, che sarebbero andati perfettamente a Wall Street. Anche lei, come Aaron, parlava da persona istruita. A dire il vero lo penso di chiunque pronunci in modo corretto le acca.

Era di fianco ad Aaron e insieme formavano una coppia a dir poco insolita. Forse non avevo capito niente. Forse erano padre e figlia. Lui aveva già la pancetta e dimostrava tutti i suoi anni, lei aveva un corpo armonioso e curato.

La gente continuava a entrare e a uscire. Ogni volta che la porta si apriva venivamo investiti dal rumore degli aerei e da ondate di caldo.

Carrie si strinse nelle spalle. «E adesso cosa facciamo?»

Aspettavano istruzioni.

« Non l'avete mai fatto, vero? »

Aaron fece cenno di no con la testa. « È la prima volta. Ci è stato detto solo di venire a prenderti e che poi tu ci avresti detto cosa fare. »

« Va bene, avete le immagini? »

Annuì. « Dal satellite, le ho scaricate dalla rete ieri notte. Sono a casa. »

« E quanto ci vuole per andarci? »

« Se la pioggia ritarda, all'incirca quattro ore. Altrimenti cinque ore o più, come minimo. Stiamo parlando di zone completamente disabitate. »

« E per andare alla casa di quell'altro? »

« Da qui un'ora e mezzo, forse due. È dall'altra parte della città, sempre in zona disabitata. »

« Per prima cosa vorrei vedere dove abita, poi andiamo a casa vostra. Si riesce ad arrivarci abbastanza vicino da farmi un'idea precisa? »

Non potevo permettermi di passare forse dieci ore in viaggio e neppure di prepararmi a passare un giorno sotto gli alberi. L'unica alternativa era andare subito alla casa, fare la ricognizione sul posto e poi, nel tragitto verso casa loro, iniziare a pianificare il da farsi.

Lei annuì e Aaron fece lo stesso. « D'accordo, ma, come ho detto, si trova nella foresta. » Si voltò verso Aaron. « Sai cosa facciamo? Io vado a prendere Luce dal dentista e ci vediamo a casa. »

Ci fu una pausa come se fosse rimasto qualcosa da aggiungere, come se si aspettasse che chiedessi chiarimenti su quanto aveva detto. Ma non m'importava gran che scoprire chi fosse Luce. Al momento non era importante e avevo la certezza che prima o poi me lo avrebbero detto. « Io sono pronto, quando volete andiamo. »

Uscimmo all'aria aperta e nel caldo opprimente. Strizzai gli occhi per difendermi dal sole che, attraversando la fibra acrilica della felpa, mi bruciava le spalle e la nuca.

Carrie avanzava all'altro fianco di Aaron. Non portava

fede nuziale, né orologio, né altri gioielli alle mani. I suoi capelli non erano semplicemente neri, ma di più, corvino lucente, e la carnagione appena abbronzata e non annerita e coriacea come quella di Aaron. Aveva le ascelle depilate e, non so dire perché, proprio non me l'aspettavo. Probabilmente dopo aver visto Aaron ero rimasto ancorato allo stereotipo dei personaggi New Age.

La corsia di servizio era affollata di mini-bus, taxi, automobili che facevano scendere passeggeri e facchini che si proponevano con insistenza ai nuovi arrivati per tirar su quattro soldi. Fuori il rumore era forte come quello all'interno, con l'aggiunta dei clacson e dei tassisti che litigavano per i posteggi.

Il sole abbagliante mi dava la sensazione di avere un faro da interrogatorio puntato negli occhi. Li socchiusi come una talpa e quando presero a prudermi cercai di tenere lo sguardo basso. Aaron estrasse dalla tasca del gilè un paio di occhiali da sole alla John Lennon e li indossò mentre mi indicava un punto in diagonale a destra. «Abbiamo posteggiato da quelle parti.»

Attraversammo la strada fino a raggiungere quello che aveva l'aspetto di un qualsiasi parcheggio di un centro commerciale americano. Utilitarie giapponesi e americane allineate a berline e furgoncini, e nessuna sembrava avere più di due anni. La cosa mi sorprese: mi aspettavo di peggio.

Carrie si staccò da noi e si diresse verso l'altro lato del parcheggio. «Ci vediamo più tardi.»

Feci un cenno di saluto. Aaron non disse una parola e si limitò a sua volta a un cenno con la testa.

Il selciato era umido di pioggia e il sole ci si rifletteva sopra. Quando arrivammo a un pick-up Mazda di colore azzurro, pieno di ruggine e di fango, avevo ancora gli occhi semichiusi.

«Eccoci.»

Quello rientrava di più nelle mie aspettative. Aveva una cabina doppia e, sopra il cassone, una copertura in vetroresina altrettanto vecchia che lo trasformava in un furgone. La lucentezza della vernice se n'era andata da parecchio a causa del caldo tropicale. Aaron era già salito e si sporgeva per aprirmi la portiera.

Fu come entrare in un forno. Il sole aveva picchiato forte sul parabrezza e all'interno il caldo era così feroce che quasi non si riusciva a respirare. Apprezzai molto la coperta posata sui sedili che proteggeva in parte dal PVC quasi sciolto dei rivestimenti, anche se il calore riusciva comunque a passare.

Al parabrezza era applicata una bussola a pallina galleggiante e fissata al cruscotto c'era una piccola lattina aperta. I fiori riportati sull'etichetta lasciavano intuire che in una vita precedente doveva aver contenuto un deodorante.

« Vuoi scusarmi, Nick? Solo un attimo. Non ci metterò molto. »

Lasciai aperta la portiera nel tentativo di far circolare un po' d'aria, mentre lui chiudeva la sua sparendo dietro il Mazda.

Eravamo a non più di cento metri dal terminal ed ero già in un bagno di sudore. I jeans appiccicati alle gambe e le gocce di sudore che mi rotolavano lungo il naso davano il loro significativo contributo al disagio generale. Per fortuna, una volta acceso il motore, l'aria condizionata avrebbe cominciato a lavorare.

Nello specchietto laterale, rotto, vidi quattro immagini di Aaron e Carrie e accanto a loro quattro vecchie carrette. Anche l'altro era un pick-up, ma di un modello decisamente più antico del Mazda, forse un vecchio Chevy con il cofano e i parafanghi arrotondati e un pianale circondato da stecche di legno, tipo quelli usati per il trasporto del bestiame. Erano accanto alla portiera aperta dal lato del guidatore e stavano discutendo. Lei continuava ad agitare le mani e lui a fare cenno di no con la testa.

In attesa che finissero spostai lo sguardo verso il verde delle montagne ripensando ai lunghi mesi che avevo trascorso in posti simili a quelli. Un bel mal di testa da jet lag era in agguato.

Dopo un paio di minuti, Aaron saltò al posto di guida come se niente fosse successo. « Mi spiace, Nick, è che avevo bisogno di una cosa dal negozio. »

Da come aveva reagito lei, doveva trattarsi di qualcosa di molto costoso. Annuii come se non mi fossi accorto di nulla, chiudemmo le portiere e partimmo.

Non avevo aperto il finestrino per agevolare i benefici effetti dell'aria condizionata, ma Aaron abbassò in fretta il suo mentre manovrava per uscire dal posteggio, usando solo la punta delle dita per girare il volante probabilmente arroventato. Con tono quasi di scusa disse: « Devi allacciare la cintura, su questo sono molto severi ». Poi si accorse del mio finestrino chiuso e aggiunse: « Mi dispiace, l'aria condizionata non c'è ».

Lo abbassai e allacciammo entrambi le cinture con molta cautela, perché le fibbie scottavano come una moneta passata nell'asciugatrice. Uscimmo dal parcheggio, dove non c'era più traccia di Carric. Molto probabilmente era sfrecciata via subito dopo aver ricevuto la lista della spesa.

Abbassai l'aletta parasole mentre superavamo un gruppo di giovani neri in calzoncini corti armati di grandi secchi gialli, spugne e flaconi di detersivo per i piatti. Sembrava che gli affari non andassero male, viste le pozze d'acqua e sapone sull'asfalto che non evaporavano a causa dell'umidità. Il Mazda avrebbe avuto bisogno dei loro servizi, sia dentro sia fuori. I tappetini consumati erano incrostati di fango secco; carte di caramelle ovunque, alcune infilate nella portiera dalla mia parte insieme con fazzoletti di carta usati e pacchetti di caramelle alla menta iniziati. Sul sedile posteriore c'erano copie ingiallite del *Miami Herald*. Tutto aveva l'aspetto e l'odore di stantio; anche il rivestimento in PVC sotto la coperta era strappato.

Lasciammo la zona dell'aeroporto e c'immettemmo in una strada a due corsie. Aaron aveva sempre l'aria tesa. Adesso che andavamo più veloci la marmitta da sotto il pianale emetteva strani rumori, ma nonostante i finestrini aperti il caldo non accennava a diminuire. Cartelloni con la pubblicità di qualsiasi cosa, dai profumi ai cuscinetti a sfera alle aziende di tessuti, erano piantati qua e là nel terreno e facevano di tutto per svettare tra la piuma della pampa alta tre metri che costeggiava la strada.

Due minuti dopo fummo costretti a fermarci a un casello e Aaron allungò una banconota da un dollaro americano. « È la valuta corrente qui, si chiama balboa. »

Annuii come se la cosa m'interessasse, ma continuai a osservare la strada a due corsie di recente costruzione. Il grigio chiaro del cemento rifletteva con violenza la luce del sole: un aiuto gagliardo al progredire del mal di testa.

Aaron colse la mia difficoltà e frugò nello scomparto della portiera. « Ecco qua, Nick, vuoi? »

Gli occhiali da sole dovevano essere di Carrie, avevano grandi lenti ovali di cui Jackie Onassis sarebbe andata fiera. Mi coprivano metà faccia. Probabilmente mi facevano sembrare un coglione, ma funzionavano.

Poco dopo la giungla cominciò a cercare di riottenere dalla piuma della pampa il dominio sul terreno ai lati della strada, per lo meno nelle zone in cui non c'erano blocchi di calcestruzzo e baracche di latta. Foglie e rampicanti di formato gigante coprivano come una malattia verde i pali della luce e le recinzioni.

Decisi di scaldarlo un po' prima di passare alle domande importanti. « Da quanto tempo vivi qui? »

« Da sempre. Sono uno della Zona. »

Dovette essere evidente che non avevo la minima idea di quello che intendeva dire.

« Sono nato qui, nella Zona, la Zona americana del canale. È una striscia larga sedici chilometri che abbraccia l'intera lunghezza del canale. Gli Stati Uniti hanno avuto il controllo sulla Zona fin dai primi del Novecento. » C'era orgoglio nella sua voce.

« Questo non lo sapevo. » Pensavo che gli americani si limitassero alle basi militari e non che avessero giurisdizione sopra un'intera fetta di Paese.

«Mio padre faceva il pilota nel canale. Prima di lui, mio nonno iniziò come comandante di rimorchiatori e diventò poi controllore di stazza, sai, quelli che certificano il peso delle navi per stabilirne il pedaggio. La Zona è la mia patria.»

Adesso andavamo veloci e il vento mi sferzava il lato destro del viso. Non era particolarmente fresca, ma per lo meno era aria. Il rovescio della medaglia era che dovevamo urlare per superare il rumore del vento, dei giornali che sventolavano e della coperta che sbatteva contro il PVC.

«Ma tu sei americano, vero?»

Si lasciò andare a un piccolo, misurato sorriso di fronte alla mia ignoranza. «Mio nonno era di Minneapolis, ma mio padre è nato qui, nella Zona. Gli Stati Uniti sono sempre stati presenti qui, per coadiuvare le autorità del canale o per motivi militari. Il quartier generale del SOUTHCOM aveva sede qui, abbiamo avuto fino a sessantacinquemila soldati di stanza. Ora però, naturalmente, è tutto finito.»

I dintorni erano ancora piuttosto verdi, ma adesso si trattava più che altro di erba. Gran parte del territorio era stata ripulita e qualche mucca infestata dalle pulci pascolava sull'erba. Quando tornarono, gli alberi erano di taglia normale, tipo quelli europei, per nulla simili agli imponenti alberi di trenta metri che avevo visto nella giungla primaria più a sud, in Colombia o nel Sudest asiatico. Il basso tetto di foglie e le palme creavano condizioni da giungla secondaria, perché il sole riesce a filtrare e fra i tronchi degli alberi cresce altra vegetazione. Erba alta, grosse palme e rampicanti di ogni genere facevano del loro meglio per riuscire a cogliere i raggi.

«Sì, l'ho letto, dopo tutti questi anni dev'essere stato uno shock.»

Aaron annuì piano continuando a guardare la strada. «Sissignore, crescere qui è stato come crescere in una cittadina americana», disse con entusiasmo. «Solo che non avevamo l'aria condizionata, non ce la passavamo bene in quel periodo. Ma che cavolo, non era poi così importante. Tornavo a casa da scuola e – *bam!* – ero nel mezzo della foresta. A costruire fortini, a pescare tarponi atlantici. Si giocava a pallacanestro, a football, a baseball, esattamente come nel Nord. Era Utopia, tutto quello di cui avevamo bisogno si trovava nella Zona. E sai una cosa? Non mi sono avventurato a Panama città finché non ho avuto quattordici anni, ci credi? Fu per un raduno di boy-scout.» Un sorriso intenerito al pensiero dei bei vecchi tempi gl'illuminò il volto, mentre la coda di cavallo argentea svolazzava al vento. «Naturalmente sono andato al Nord, in California, per frequentare l'università, e una volta laureato sono tornato a insegnare all'università locale. Cosa che faccio ancora adesso, ma con ritmi più blandi. Ed è là che ho incontrato Carrie.»

Dunque era sua moglie. Fui felice che la mia curiosità fosse soddisfatta, il che mi accese una speranza per il futuro, se mai fossi riuscito a invecchiare.

«Cosa insegni?»

Non appena cominciò a rispondermi, desiderai non aver fatto la domanda.

«Come proteggere la biodiversità di animali e piante selvatiche. Difesa e gestione delle foreste, cose del genere. Questa zona è una cattedrale della natura.» Guardò a destra, oltre me, verso la fitta vegetazione e le montagne coperte di verde in lontananza. «Sai una cosa? Panama rimane una delle regioni più ricche della terra dal punto di vista dell'ecologia, una miniera di biodiversità...»

Tornò a osservare gli alberi e fu travolto da un'ondata di commozione, come se provasse il desiderio di abbracciarli.

Io vedevo solo i pali per le comunicazioni a strisce bianche e rosse, alti come la Tour Eiffel, che sembravano piantati ovunque.

«Ma sai una cosa, Nick, la stiamo perdendo...»

Cominciavano a intravedersi edifici da entrambi i lati della strada. Capanni in lamiera circondati da spazzatura che stava marcendo e diventando preda di cani rognosi, misti a profili di nuove case in costruzione, grandi come mini-garage dai tetti piatti in lamiera rossa su blocchi di calcestruzzo imbiancati. Gli operai edili erano sdraiati all'ombra, al riparo dal sole di mezzogiorno.

Più avanti, in lontananza, iniziai a distinguere profili di grattacieli, una specie di Manhattan in miniatura, altra cosa che non mi sarei mai aspettato.

Cercai di cambiare discorso, prima che si trasformasse nella versione verde di Billy Graham. Non mi piaceva l'idea di perdere gli alberi per il cemento, ma il mio impegno era insufficiente anche solo per ascoltare, figurarsi per fare qualcosa. Ecco perché c'era bisogno di persone come lui. Almeno credo.

« Insegna anche Carrie? »

Fece cenno di no, spostandosi per far passare un camion carico di bottiglie d'acqua.

« No, abbiamo un piccolo fondo di ricerca dall'università. È per questo che io devo continuare a insegnare. Sai, non siamo l'istituto Smithsonian, anche se Dio sa quanto vorrei che lo fossimo. »

Stavolta fu lui a voler cambiare discorso. « Mai sentito parlare delle FARC? Le forze armate rivoluzionarie della Colombia? »

Annuii, ero disposto a parlare di qualsiasi cosa lo facesse sentire a suo agio, tutto tranne l'amore per gli alberi. « Ho sentito dire che, ora che il SOUTHCOM se n'è andato, spesso attraversano il confine e vengono a Panama. »

« Vero. Sono tempi difficili. E non solo per problemi ecologici. Se le FARC dispiegassero tutte le loro forze, Panama non riuscirebbe a contrastarle. Sono più forti, non c'è il minimo dubbio. »

Continuò sostenendo che bombardamenti, omicidi, rapimenti, estorsioni e dirottamenti erano sempre esistiti. Ma negli ultimi tempi, da quando l'America si era ritirata, si erano fatti più spregiudicati. Un mese prima che l'ultimo contingente americano lasciasse Panama, avevano fatto irruzione all'interno della città. Avevano rubato due elicotteri dalla base aerea della Zona ed erano rientrati in patria. Tre settimane dopo, sei o settecento guerriglieri delle FARC avevano attaccato la base navale colombiana vicino al confine con il Panama, utilizzando quegli stessi elicotteri per fornire il supporto di fuoco.

Seguì una pausa. Lo vidi fare una smorfia per concentrarsi su quello che voleva dirmi. «Nick...» Un'altra pausa. Qualcosa lo tormentava. «Nick, voglio che tu sappia che non sono una spia, non sono un rivoluzionario. Sono solo uno che vuol fare il suo lavoro e vivere in pace. E questo è tutto.»

11

FECI cenno di aver capito. «Te lo confermo, venerdì andrò via e fino ad allora cercherò di rompere i coglioni il meno possibile.» Sapere di non essere l'unico a disagio dovrebbe avere un effetto rassicurante. Fece un mezzo sorriso mentre imboccava la sopraelevata che portava verso la città a centocinquanta metri da terra. Mi ricordò la strada che collega le Keys, le piccole isole della Florida, e che giunge fino a Key West.

Oltrepassammo una serie di baracche in lamiera ondulata cresciute intorno ai condotti fognari in cemento che scaricavano in mare. Esattamente di fronte, gruppi di torri alte e affusolate che si stagliavano contro il cielo e i cui vetri a specchio o colorati riflettevano con orgoglio i raggi del sole.

Pagato un altro balboa all'uscita della sopraelevata, imboccammo un ampio viale costeggiato da alberi su un tappeto d'erba perfettamente curato. Nei marciapiedi erano ricavati larghi canali di scolo per fronteggiare le piogge tropicali. La strada era gremita di pazzi scatenati alla guida di auto, camion, autobus e taxi. E tutti guidavano come se avessero appena rubato il mezzo. L'aria era satura del fetore dei gas di scarico e del rumore di clacson e motori su di giri. Da qualche parte sopra di noi un elicottero volava basso e veloce. Anche se stavamo andando piano, Aaron continuava a urlare per farsi sentire. Fece un cenno con la testa in direzione della Manhattan in miniatura. «Ecco dove stanno i soldi.»

C'era da credergli. Tutte le scintillanti torri di vetro erano tappezzate dalle insegne di banche ben note in Europa e in America e di altre dai nomi più dubbi. Il quartiere era innegabilmente raffinato: gli uomini che camminavano sui marciapiedi indossavano pantaloni di buon taglio, camicia stirata con la piega fin sul colletto e cravatta. Le donne eleganti completi gonna e camicetta, da ufficio.

Aaron agitò la mano fuori del finestrino evitando un furgone che trasportava birra e che voleva piazzarsi esattamente dov'eravamo noi. «Panama ambisce a diventare la nuova Singapore», disse distogliendo lo sguardo dal traffico, cosa che mi causò qualche preoccupazione. «Hai presente, banche off-shore e via discorrendo.»

Stavamo passando davanti a bar alla moda, ristoranti giapponesi, negozi di stilisti e uno showroom della Porsche. Sorrisi. «Ho letto che la situazione è già piuttosto spumeggiante.»

Cercò di schivare un pick-up che procedeva a clacson spianato e dal quale ondeggiavano ficus imponenti. «Chi ritiene che molti dei soldi della droga vengano riciclati qui non si sbaglia. Si dice che il giro della droga frutti più di novanta miliardi di dollari americani all'anno, circa venti miliardi in più delle entrate di Microsoft, Kellogg's e McDonald's messi insieme.»

Inchiodò perché un motorino, per abbandonare la strada principale, ci aveva tagliato la strada. Allungai le braccia per puntellarmi fino a scottarmi le mani sulla plastica del cruscotto, mentre la donna, con un bambino piccolo sul sellino posteriore, sfidava a dadi la morte infilandosi di misura tra noi e una Mercedes nera. La loro unica protezione erano un casco leggero da ciclista e degli occhialini da piscina. Evidentemente rientrava nella normalità delle cose: Aaron non smise di parlare. «E una grossa fetta di quei dollari arriva da queste parti. 'Ehi', fanno alcune banche, 'andiamo, portali qui.' I veri delinquenti indossano il gessato, non si dice così?» Il suo sorriso si fece amaro. «I trafficanti costituiscono al momento il più influente gruppo d'interesse del mondo. Lo sapevi questo?»

Feci cenno di no. No, non lo sapevo. Quando ero nella giungla a combatterli, sarebbe stata l'ultima cosa che avrei avuto bisogno di sapere. Un'altra cosa non sapevo: sarei uscito vivo da quel Mazda? Se a Panama esistevano istruttori di guida, facevano la fame. Poco ma sicuro.

Il traffico cominciò a rallentare e poi si fermò del tutto, ma i clacson non smisero di suonare. Poliziotti in divisa verde con stivaloni alti e corpetti antiproiettile neri stavano immobili davanti a un grande magazzino. Gli occhiali da sole a specchio sotto le visiere dei berretti li facevano assomigliare a soldati israeliani, il che li rendeva ancora più minacciosi. A tracolla portavano HK MP5 e fondine da coscia legate molto in basso. Il tempo aveva consumato la brunitura protettiva sulle canne da 9 mm e cominciava a intravedersi il lucido acciaio sottostante.

Il traffico si sbloccò e iniziammo a muoverci. La gente nell'autobus che ci precedeva ebbe tutto il tempo di ammirare i miei occhiali alla Jackie O e ci fu chi si lasciò prendere dall'ilarità alla vista del povero idiota nel Mazda. «Se non altro oggi ho fatto divertire qualcuno.»

«Anche perché sei un *rabiblanco*», replicò Aaron. «È così che chiamano la classe dirigente, culi bianchi.»

Il viale abbandonò la piccola Manhattan e continuò seguendo per alcuni chilometri l'ampia curva della costa. Sulla nostra sinistra una marina protetta da una diga costituita da blocchi di cemento grandi quanto una Ford Fiesta. All'ormeggio, motoscafi da milioni di dollari insieme con yacht da altrettanti milioni di dollari, tutti ben tenuti e tirati a lucido da equipaggi in uniforme. Nella baia, una flottiglia di vecchie barche da pesca in legno era ancorata intorno a una nave da carico affondata di cui spuntavano solo gli alberi arrugginiti e la prua. In rada, a tre o quattro chilometri, era allineata, rivolta verso terra, una dozzina di grosse navi portacontainer. Aaron seguì il mio sguardo. «Sono in attesa di entrare nel canale.»

Fu costretto a sterzare di colpo per schivare una vecchia Nissan malandata che aveva deciso di cambiare corsia senza dir niente a nessuno. D'istinto premetti il piede del freno. Questo non era guidare, era una lunga serie di esperienze al confine con la morte. Le macchine davanti a noi inchiodarono e noi anche, sbandammo un po' ma riuscimmo a fermarci senza tamponare la Nissan. Altri veicoli alle nostre spalle non furono altrettanto fortunati. Ci fu un rumore di vetri in frantumi e di metallo che si accartocciava, seguito da voci spagnole alquanto incazzate.

Aaron sembrava un bambino. «Sono spiacente.»

Il motivo che ci aveva fatto fermare adesso era evidente. Degli scolaretti in fila per due attraversavano la strada tenendosi per mano diretti verso la passeggiata lungo la baia. Le bambine erano tutte vestite di bianco e i maschietti indossavano calzoncini azzurri e camicia bianca. Uno degli insegnanti urlava contro un autista di taxi che si lamentava per la lentezza, e il vecchio braccio peloso che usciva dal finestrino lo ricambiò a gestacci. Tutti suonavano il clacson, come se potesse cambiare qualcosa.

I volti dei bambini avevano caratteristiche somatiche di due tipi, esattamente come in Colombia. Quelli di origine ispanica avevano capelli neri e ricci e carnagione olivastra, mentre quelli di origine indio capelli neri ma lisci e tratti più delicati, volti un po' più piatti, occhi più piccoli e carnagione appena più scura. Aaron sorrise guardando i bambini che attraversavano e chiacchieravano come se niente stesse accadendo intorno a loro. «Hai figli, Nick?»

«No.» E ribadii il concetto scuotendo la testa. Non volevo infilarmi in quel genere di conversazione. Meno sapeva di me e meglio era. Uno del mestiere non avrebbe mai fatto una domanda simile e mi faceva uno strano effetto trovarmi con qualcuno che non conosceva le regole. E comunque dopo la settimana successiva non avrei più avuto la mia bambina. Josh sì.

«Capisco.»

Gli insegnanti avevano radunato i bambini sul lato della strada verso la baia. Due bambine, che ancora si tenevano per mano, ci stavano fissando o forse guardavano i miei occhiali da sole, non si capiva bene. Aaron si portò il pollice sul naso e fece una smorfia. Le bimbe si scambiarono uno sguardo e risposero con un marameo, ridendo tra loro per essere riuscite a farlo senza che gli insegnanti se ne accorgessero.

Aaron si voltò verso di me. « Noi abbiamo una bambina, Luce. A novembre fa quindici anni. »

« Ottimo. » Mi augurai che non cominciasse a estrarre foto dal portafoglio perché sarei stato costretto a dire quanto era carina e roba del genere, anche se avesse avuto l'aspetto di una che ha ricevuto una palata di piatto in piena faccia.

Il traffico riprese a muoversi. Aaron fece un cenno di saluto alle bambine, che nel frattempo avevano infilato i pollici nelle orecchie e sventolavano le altre dita.

Avanzavamo lentamente lungo il viale. Sulla destra c'era una serie di grandi ville in stile spagnolo coloniale che dovevano essere di proprietà governativa. Tutte protette da recinzioni in ferro battuto molto elaborato, tutte perfettamente dipinte, tutte immerse in ettari di prati, cascate e aste per bandiere su ciascuna delle quali sventolavano il bianco, l'azzurro e il rosso dei quadri e delle stelle della bandiera panamense. Tra gli edifici si aprivano parchi pubblici molto curati, con siepi e sentieri ben disegnati e statue più grandi del vero di spagnoli del XVI secolo con copricapo ovoidali in ferro e braghe a calzamaglia che puntavano eroicamente la spada verso il mare.

Subito dopo oltrepassammo le altrettanto imponenti ambasciate americana e inglese. All'interno delle zone recintate, Stars and Stripes e Union Jack sventolavano al di sopra degli alberi e delle alte reti di recinzione. Lo spessore dei vetri delle finestre lasciava intuire che non si trattava solo di esibizionismo.

Due sono le cose che è bene sapere di un Paese per i momenti in cui ci si trovi nei casini: la prima è da che parte bisogna scappare, la seconda dove si trova la propria ambasciata. Sapere che esisteva un posto dove potevo rifugiarmi se le cose fossero andate fuori controllo mi aveva sempre rassicurato. Non che gli ambasciatori siano teneri con i K che chiedono aiuto. Avrei dovuto scavalcare l'inferriata:

nessuno avrebbe fatto entrare dall'ingresso principale uno come me. Ma, una volta dentro, non sarebbero bastati i poliziotti di guardia per ricacciarmi in strada.

Arrivammo alla fine della baia e a quello che aveva tutta l'aria di essere il quartiere meno prestigioso della città. Gli edifici avevano l'intonaco che si sfaldava e la pittura sbiadita e alcuni erano decisamente in rovina. Eppure si percepiva un barlume di orgoglio civico. Lungo il perimetro della baia correva un muretto alto un metro, più per impedire alla gente di cadere sulla spiaggia che per difendersi dal mare. Era decorato da tessere da mosaico azzurre, che una banda di una decina di donne – in jeans e maglietta gialla con la scritta COMUNALE sulla schiena – strofinava con impegno tuffando le spazzole in grossi secchi d'acqua insaponata. Si occupavano anche di estirpare tutto ciò che di verde si ostinava a crescere tra i lastroni della pavimentazione. Un paio, appoggiate al muro, erano in pausa e con una cannuccia bevevano un liquido rosa da un contenitore in plastica e latte da una noce di cocco.

Di fronte a me si sporgeva in mare, per circa un chilometro, la penisola su cui era abbarbicata l'antica città coloniale spagnola, un'accozzaglia di vecchi tetti in terracotta accalcati intorno alle torrette immacolate di una chiesa. Aaron infilò una strada sulla destra che ci allontanò dalla baia immettendoci in un quartiere ancor più degradato. La strada era piena di buche e il mal di testa, grazie al cigolio e allo scricchiolio delle sospensioni del Mazda, andò peggiorando. Le case erano fatiscenti costruzioni popolari a un piano con il tetto piatto. Il sole aveva scolorito le facciate un tempo multicolori e l'alto tasso di umidità le aveva riempite di chiazze scure. Le fenditure nell'intonaco lasciavano scorgere i blocchi di cemento sottostanti.

La strada divenne più stretta e il traffico rallentò. Pedoni e motorini si facevano largo tra i veicoli e Aaron doveva fare appello a tutta la sua capacità di concentrazione per evitare d'investire qualcuno. Se non altro, per un po' sarebbe stato zitto.

Adesso il sole era a picco sopra di noi e sembrava accanirsi in modo particolare con questa zona della città, creando una sorta di coperchio sopra la calura e i gas di scarico (molto peggio lì che nel viale). La mancanza di circolazione d'aria mi faceva sudare come una fontana e i capelli sulla nuca erano completamente bagnati. Ci stavamo trasformando in due porcellini fradici.

Sentii il ruggito di un bulldozer, e vidi reticolati metallici arrugginiti che coprivano ogni possibile punto d'ingresso negli edifici fatiscenti. Alle finestre e sui terrazzi c'erano bucati stesi ad asciugare e i ragazzini si urlavano da una parte all'altra della strada.

La via divenne così stretta che gli automobilisti erano in pratica costretti a salire sul marciapiede, sfiorando con lo specchietto retrovisore i passanti. Ma nessuno ci faceva caso; erano tutti troppo impegnati a scambiarsi pettegolezzi, a fare spuntini a base di banane fritte o a bere birra.

Poco dopo il traffico si paralizzò e, trascorsa una frazione di secondo, tutti si rovesciarono sui clacson. Al passaggio di alcune donne fui avvolto da un intenso profumo di fiori e da una porta aperta mi arrivarono zaffate di cibo fritto. Tutto l'ambiente – muri, porte e cartelloni pubblicitari – era un'esplosione di rossi e di gialli.

Riuscimmo a progredire di qualche metro e ci fermammo accanto a due vecchie che dimenavano i fianchi al ritmo di un'assordante musica caraibica. Alle loro spalle c'era un negozio poco illuminato che vendeva cucine a gas, lavatrici, cibo affumicato, pentole e padelle in alluminio, da cui proveniva il samba che si riversava in strada. Mi sentii più a mio agio: la piccola Manhattan non mi aveva colpito gran che; il mio tipo di città era questo.

Superammo un mercato all'aperto e il traffico cominciò a smuoversi. «Qui siamo al Chorrillo. Ricordi Giusta Causa? L'invasione, hai presente?»

Annuii.

«Bene, questa era la zona *ground zero* quando loro – cioè noi – occuparono la città. Il quartier generale di Noriega era qui. Adesso è zona franca. Le bombe hanno demolito tutto. »

« Capito. » Spostai lo sguardo su una fila di donne sedute dietro tavolini su cui, in modo molto ordinato, erano posati quelli che sembravano essere biglietti della lotteria. Un ragazzo nero, un culturista tutto muscoli con maglietta Golds Gym molto attillata e jeans, stava acquistando alcuni biglietti a un tavolino. L'aria da perfetto imbecille che aveva era probabilmente dovuta all'ombrello da gentleman della City con cui si riparava dal sole.

Non so come, riuscimmo a uscire dalla zona del mercato, raggiungere un incrocio e fermarci. La strada davanti a noi aveva l'aria di essere un'arteria importante e molto trafficata. Da quel poco che avevo potuto vedere, la legge vigente era che, se la tua macchina era più grossa di quella che stava sopraggiungendo, non dovevi fermarti: suonavi il clacson e schiacciavi il pedale. Non che il Mazda fosse il giocattolo più grosso del negozio, ma Aaron non sembrava rendersi conto di essere sufficientemente ben messo per poter procedere.

A destra avevo un chiosco in legno per le bibite. La Pepsi aveva vinto la guerra panamense delle *cola*: un tabellone pubblicitario su due la reclamizzava, se non era coperto dai cowboy con la barba incolta che ci davano il benvenuto nel Marlboro Country. Vicino al chiosco, all'ombra di un albero, appoggiati al portellone di un Ford Explorer lucidissimo, con i cerchioni cromati scintillanti e una Madonna appesa allo specchietto retrovisore, c'erano cinque ragazzi latinoamericani sui vent'anni. Una coppia di imponenti altoparlanti, da cui fuoriusciva un'assordante musica rap, era conficcata nella parte posteriore del Ford. Tutti i ragazzi avevano l'aspetto da duro: testa rasata, occhiali avvolgenti a specchio. Sarebbero risultati perfetti anche a Los Angeles. L'oro che avevano indosso sarebbe stato sufficiente per pagare cene con tre portate, vita natural durante, alla vecchietta che chiedeva l'elemosina all'angolo. Ammucchiate ai loro piedi montagnole di cicche di sigarette e di tappi di Pepsi.

Uno dei ragazzi colse con la coda dell'occhio i miei Jackie O special. Aaron continuava a pendolare avanti e indietro all'incrocio. Il sole imperversava sulla cabina di guida aumentando la temperatura del forno. Alle nostre spalle si era formata una lunga coda di veicoli in attesa d'immettersi nella strada principale. I clacson suonavano e l'attenzione generale si stava concentrando su di noi.

Ormai i miei accessori alla moda erano di dominio pubblico. I latini si erano alzati per vedere meglio. Uno di loro tornò ad appoggiarsi al baule e sotto la camicia distinsi con chiarezza la sagoma di una pistola. Aaron continuava a rimanere steso sopra il volante. L'aveva vista anche lui e si era agitato ancora di più. Si raddrizzò e avanzò nell'incrocio fino a quando le auto che suonavano per farci tornare indietro non superarono quelle che, alle nostre spalle, ci suggerivano di toglierci dai coglioni.

I ragazzi ridevano di gusto dei miei occhiali, ed evidentemente facevano battute in spagnolo molto divertenti perché continuavano a darsi il cinque e a puntare l'indice verso di me. Aaron aveva lo sguardo fisso in avanti. Il sudore gli colava dalla testa lungo il naso, lungo la barba, si raccoglieva sotto il mento e sgocciolava sul volante rendendolo scivoloso. Quello che stava succedendo non gli piaceva per niente e quei tipi si trovavano a non più di cinque metri da noi.

Anch'io sudavo. Il sole mi stava tostando il lato destro del viso.

A un tratto ci ritrovammo in una scena di *Baywatch*. A bordo di due mountain bike si era materializzata una coppia di agenti in caschetto da ciclista e uniforme, calzoncini corti scuri, scarpe di gomma nere e polo beige con la scritta POLICIA sulla schiena. Smontarono, parcheggiarono le bici contro un albero e con grande flemma iniziarono a riorganizzare il caos. Ancora con i caschi e gli occhiali da sole inforcati, soffiarono a tutta forza nei fischietti e si misero a dirigere il traffico. Miracolosamente, riuscirono ad aprirsi un varco nella via principale e a fischi e gesti lasciarono intendere ad Aaron che poteva passare.

Ci allontanammo svoltando a sinistra, in un coro di grida incazzate rivolte soprattutto ai poliziotti. « Sono davvero spiacente. Sconvolti di quel genere ci mettono un attimo a sparare. Mi fanno venire i brividi. »

Poco dopo uscivamo dai quartieri poveri e c'inoltravamo negli aristocratici quartieri residenziali. Oltrepassammo una casa in costruzione dove i martelli pneumatici andavano alla grande. Alcuni scavavano e altri posavano le tubature. L'energia era garantita da un generatore di proprietà dell'esercito americano. Avevo riconosciuto la verniciatura mimetica e la scritta US ARMY.

Era evidente che Aaron si sentiva decisamente meglio. « Vedi quello? » E indicò il generatore. « Quanto diresti? Quattromila dollari? » Annuii, non ne avevo la minima idea. « Be' » – l'indignazione nella sua voce era palese –, « questa gente l'avrà pagato sì e no cinquecento. »

« Non posso crederci. » A dire il vero non me ne fregava un cazzo, ma era chiaro che avrebbe continuato.

« Quando il SOUTHCOM si rese conto che non sarebbe riuscito a smantellare le ultime cinque basi entro il limite massimo di dicembre, venne deciso di abbandonare, o semplicemente di dare via, tutto quello che restava e che aveva un valore inferiore ai mille dollari. Allora accadde che per rendere le cose più facili praticamente tutto venne valutato novecentonovantanove dollari. L'idea era di darlo a chi poteva farne buon uso, ma quello che accadde fu che ogni cosa venne etichettata e venduta, veicoli, arredi, tutto. »

Guardandomi in giro mi resi conto che non si erano sbarazzati solo di quello. Individuai un'altra squadra di addetti alla pulizia delle strade con la maglietta gialla. Stavano strappando il verde che spuntava sul marciapiede e indossavano tutti la tenuta mimetica da deserto dell'esercito americano, decisamente nuova di zecca.

Fu come se mi stesse confidando il pettegolezzo del paese. «Mi hanno raccontato di una Xerox da duecentotrentamila dollari infilata nell'elenco dei novecentonovantanove perché la procedura per imbarcarla verso nord sarebbe stata troppo complicata.»

Intorno a me vedevo un'area residenziale, graziose villette a un piano con grandi ficus davanti, macchine familiari e una moltitudine di siepi e inferriate. Senza indicare niente in particolare, continuò. «Da qualche parte qui nei dintorni ci sono persone che riparano i loro veicoli con sofisticati strumenti per aerei del valore di quindicimila dollari, pagati la bellezza di seicento.» Sospirò. «Non mi sarebbe dispiaciuto mettere le mani su qualche pezzo importante, e invece ci siamo dovuti accontentare di pochi rimasugli.»

Alle case si avvicendò una miriade di negozi con insegne al neon di Blockbuster e Burger King. A circa un paio di chilometri, s'innalzavano verso il cielo le gigantesche H delle strutture delle gru per container. «Sono i moli di Balboa. Si trovano all'ingresso del canale. Saremo nella Zona, nella vecchia Zona del canale», si corresse, «fra pochissimo.»

Non ci voleva molto per capirlo, bastava leggere i cartelli. In realtà non ce n'erano molti in quella parte del Paese, ma ne scorsi uno dell'esercito americano, in equilibrio precario sul suo palo di sostegno, che diceva che la base aerea di Albrook non era lontana. Un cartello azzurro con la scritta in bianco un po' sbiadita ci comunicò dove potevamo trovare l'associazione dei Servitori di Cristo e poco dopo imboccammo una via in cemento grigio in buone condizioni che piegando a destra costeggiava un campo d'aviazione pieno di piccoli aerei ed elicotteri privati e commerciali. Proseguimmo per la strada che correva lungo il perimetro dell'aeroporto, lasciandoci i moli di Balboa alle spalle, sulla sinistra. «Questa era la base aerea di Albrook. È da qui che le FARC hanno rubato gli elicotteri di cui ti ho parlato prima.»

Oltrepassammo una serie di case in legno alte quattro

piani con i condizionatori d'aria appesi praticamente a ogni finestra. Le pareti immacolate color crema e i tetti di tegole rosse rendevano tutto molto americano e molto militare.

La bandiera panamense sventolava da pennoni alti cinquanta metri che si stagliavano contro il cielo e che un tempo, nessun dubbio in proposito, avevano issato enormi bandiere a stelle e strisce.

Aaron sospirò. «E sai qual è stato il colmo della situazione?»

Stavo osservando una zona della base riconvertita a capolinea d'autobus. C'era un grande cartello con la scritta UNITED STATES AIR FORCE ALBROOK sul quale erano stati incollati gli itinerari degli autobus, che in quel momento stavano ripulendo ed eliminando.

«Quale?»

«Dopo la svendita dei novecentonovantanove, l'aviazione si è trovata ad avere un disperato bisogno di muletti per caricare sulle navi le ultime attrezzature da riportare in America ed è stata costretta a prenderli a noleggio da quelli cui li aveva venduti.»

Superata la zona aeroportuale la strada riprese a essere fiancheggiata da entrambi i lati dalle piume della pampa alte tre metri o più. Raggiunta un'altra barriera per il pagamento del pedaggio e scuciti i pochi centesimi richiesti, ci avviammo all'interno.

«Benvenuto nella Zona. Questa strada corre parallela al canale, che si trova a circa mezzo chilometro in quella direzione.» Indicò la nostra sinistra. D'improvviso fu come ritrovarsi nel bel mezzo della Florida, tra bungalow e case tipicamente americane, file di cabine telefoniche, semafori e cartelli stradali in inglese. Anche l'illuminazione stradale era diversa. Poco più avanti alcuni cartelli in inglese e spagnolo segnalavano un campo da golf. Aaron lo indicò. «Era il circolo ufficiali.»

Sulla destra c'era una scuola superiore abbandonata che sembrava presa di peso da un programma televisivo americano. A fianco stava acquattata la gigantesca cupola bianca per le gare sportive indoor.

Nessun dubbio, eravamo dove viveva l'altra metà.

«Quanto manca per arrivare alla casa?»

Aaron continuava a guardare da una parte all'altra della strada praticamente deserta, assimilando nel dettaglio la delimitazione della Zona.

«Direi quaranta, cinquanta minuti, forse. C'era parecchio traffico in centro.»

Era giunto il momento di parlare di lavoro. «Ti sei fatto un'idea del perché sono qui, Aaron?» Mi augurai di no.

Con un gesto evasivo si strinse nelle spalle e parlò nel suo tono di voce calmo che si udiva appena al di sopra del vento. «Ci è stato detto solo ieri sera che saresti arrivato. Dobbiamo aiutarti per quanto è possibile e farti vedere dove vive Charlie.»

«Charlie?»

«Charlie Chan. Ti ricordi? Il ragazzo di quel vecchio film in bianco e nero. Non è il suo vero nome, naturalmente, ma è così che lo chiama la gente di qui. Non in sua presenza, che Dio ce ne scampi. In realtà si chiama Oscar Choi.»

«Charlie Chan mi piace decisamente di più. Gli sta bene.»

Aaron annuì. «Hai ragione, anche secondo me non ha la faccia da Oscar.»

«Cosa sai di lui?»

«È molto conosciuto da queste parti. È generoso, gli piace fare il buon cittadino a tutto campo, mecenate delle arti e di tutto il resto. Di fatto è lui che finanzia il corso di laurea dove insegno io.»

Non erano cose da ragazzino. «Quanti anni ha?»

«Forse è un po' più giovane di me. Diciamo sui cinquant'anni.»

Cominciai a preoccuparmi. «Ha figli?»

«Oh, sì, e anche tanti. Quattro maschi e una femmina, se non sbaglio.»

«E quanti anni hanno?»

«Dei più grandi non so nulla, ma il più piccolo ha appena iniziato l'università. Ha scelto un buon indirizzo: tutto quello che riguarda l'ambiente va bene di questi tempi. Credo che gli altri lavorino con lui giù in centro.»

Mi pulsava la testa in modo intollerabile. Facevo fatica a concentrarmi. Infilai le dita sotto gli occhiali e mi massaggiai gli occhi.

Evidentemente Aaron aveva le sue idee sul cinese. «Trovo strano che uomini come lui passino la vita tra violenze, omicidi, saccheggi per ottenere quello che vogliono. Poi, una volta accumulata una grande fortuna, si prodigano per proteggere tutte le cose che fino a quel momento hanno cercato di distruggere, anche se sotto sotto non cambia niente. Molto vichingo, non trovi, Nick?»

«Che cos'è, un politico?»

«No, non ne ha bisogno, li ha già tutti a libro paga. La sua famiglia era qui nel 1904 quando hanno iniziato a scavare il canale, vendeva oppio agli operai per tenerli su di morale. Ha le mani in pasta ovunque, in ogni giurisdizione e in ogni settore, dall'edilizia all''import-export'.» Aaron fece con l'indice il segno delle virgolette. «Sai, continua la tradizione di famiglia... cocaina, eroina, fornitura di armi alle FARC e a chiunque giù al Sud abbia i soldi. Lui è tra i pochi a essere contento del fatto che l'America sia andata via. È più facile gestire gli affari ora che non siamo più qui.»

Staccò la mano sinistra dal volante e sfregò insieme pollice e indice. «Questi procurano molti amici, e lui ne ha molti.»

Droga, armi e affari leciti, aveva un senso: di solito viaggiano insieme.

«Lui è quello che mia madre avrebbe chiamato 'il figlio di un perverso'. È abile, è molto abile. Qui tutti conoscono la storia di come abbia fatto crocifiggere sedici uomini in Colombia. Erano amministratori del governo locale, poliziotti, gente così, che aveva cercato di escluderlo da un accordo per lo smercio della coca. Li aveva inchiodati nella pubblica piazza in modo che tutti li vedessero morire. Il figlio di un perverso, non c'è dubbio.»

Sulla destra apparve un reticolato metallico.

«Questo è, *era*» – si corresse ancora una volta –, «Fort Clayton.»

Il posto era deserto. Attraverso la rete si allungava un'interminabile serie di costruzioni militari. Sui pali bianchi che avevano bisogno di qualche mano di pittura non sventolava nessuna bandiera, ma le palme, alte e sottili, in righe ordinate, stavano ancora di guardia.

Vidi abitazioni simili a quelle di Albrook, tutte ben allineate, con sentieri in cemento che s'intersecavano tra l'erba incolta. Si vedevano ancora bene i segnali stradali che raccomandavano alle truppe di non bere prima di mettersi alla guida e di ricordare sempre che erano ambasciatori del loro Paese.

Per alcuni minuti restammo in silenzio, in contemplazione del vuoto.

«Nick, ci sono problemi se ci fermiamo a bere una Coca? Ho la gola secca.»

«Quanto ci vuole? Siamo ancora lontani dalla casa di Charlie?»

«Forse un dieci, dodici chilometri dopo la sosta per bere. Si tratta di una deviazione di pochi minuti.»

Mi stava bene: mi aspettava una giornata assai lunga.

Superammo l'entrata principale della base e Aaron sospirò. Al muro d'ingresso c'erano le spesse lettere in ottone che adesso formavano solo la scritta LAYTON. «Dicono che diventerà un parco tecnologico o qualcosa del genere.»

«Magnifico.» E chi se ne frega? Da quando ne aveva parlato mi era venuta una voglia matta di bere qualcosa, e magari di trovare il modo di farlo parlare ancora della casa bersaglio.

12

RESTAMMO sulla strada principale all'incirca per un altro chilometro, poi svoltammo a sinistra in una strada decisamente più piccola. Sull'altura davanti a noi in lontananza si distinguevano a stento la sovrastruttura e il carico di una nave portacontainer, un'immagine piuttosto insolita, visto che si stagliava contro il profilo verde delle montagne.

«È lì che andiamo, alle chiuse di Miraflores», illustrò Aaron. «È l'unico posto dei dintorni dove si può bere qualcosa: tutti quelli che fanno questa strada vengono qui, è come un'oasi nel deserto.»

Iniziammo a salire e raggiunta la sommità della collinetta la scena che mi apparve mi fece pensare che il presidente Clinton fosse atteso a momenti. Il posto era sovraffollato di veicoli e persone. Autobus dai colori brillanti avevano scaricato una banda molto americana, di quelle che marciano suonando, e un gruppo di majorette diciottenni. Casacca rossa, pantaloni bianchi e stupidi cappelli con le piume al vento, i musicisti soffiavano dentro ogni sorta di tromboni smaltati di bianco, mentre le majorette, fasciate in body rosso e stivali bianchi fino alle ginocchia, facevano roteare le mazze cromate e i pompon. Sembrava di essere allo zoo: gente che montava stendardi, scaricava sedie pieghevoli da camion, si aggirava con pali da impalcature sulle spalle.

«Accidenti», sospirò Aaron, «pensavo che fosse sabato.»

«Che cosa?»

«L'*Ocaso*.»

Entrammo nell'area recintata gremita di auto private e pulmini di gruppi organizzati, punteggiata tutt'intorno da eleganti abitazioni in stile coloniale molto ben tenute. I suoni degli ottoni che facevano prove e un vociare veloce e concitato in spagnolo penetrarono all'interno della nostra auto.

«Non ti seguo, amico. Che cos'è l'*Ocaso*?»

«Una nave da crociera, una delle più grandi. Significa 'tramonto'. Oltre duemila passeggeri. Sono anni che attraversa il canale, fa rotta tra San Diego e i Caraibi.»

Mentre cercava posteggio si fermò a leggere i manifesti appesi al reticolato. «Sì, avevo ragione, è sabato, il quattrocentesimo e ultimo passaggio. Sarà un grande evento. Ci saranno le televisioni, i politici, e alcuni interpreti del programma del momento – *La bella e il coraggioso* – saranno a bordo. Questa dev'essere la prova costumi.»

Pochi metri oltre gli autobus e il reticolato, vidi per la prima volta gli enormi blocchi di cemento delle chiuse, circondati da erba perfettamente tagliata. Mi aspettavo di più, niente da restare senza fiato, sembravano solo la versione ingrandita (circa trecento metri di lunghezza e trenta di larghezza) della serie di chiuse di un canale di grandezza normale.

Nella prima chiusa una nave azzurra e bianca con strisce di ruggine, alta cinque piani e lunga duecento metri, stava manovrando, spinta dalle sue eliche ma guidata da sei locomotori elettrici in alluminio dalla forma un po' tozza (senza dubbio, però, molto potenti), che avanzavano su rotaie, tre per ogni lato. I sei cavi che collegavano lo scafo alle locomotive, due a prua e quattro a poppa, l'aiutavano a passare tra le muraglie di cemento senza toccarle.

Aaron parlò con tono da guida turistica incuneandosi in un piccolo spazio tra due auto. «Ti trovi di fronte a qualcosa come seimila automobili chiuse lì dentro, dirette verso la costa occidentale degli Stati Uniti. Il quattro per cento del commercio mondiale e il quattordici per cento di quello americano transitano attraverso il canale. Una quantità di traffico esorbitante.» Fece un ampio gesto con la mano per sottolineare la grandezza dell'idrovia che avevamo di fronte. «Ci vogliono solo otto o dieci ore dalla baia di Panama qui sul Pacifico per arrivare nei Caraibi. Senza il canale, ci vorrebbero circa due settimane per doppiare capo Horn.»

Annuii, producendomi in quello che mi augurai fosse il corretto grado di stupore quando vidi dove avremmo bevuto la nostra Coca. Un rimorchio aveva messo radici in mezzo al parcheggio trasformandosi in un bar con negozio di souvenir annesso. All'ombra di ombrelloni multicolori c'erano sedie di plastica bianca intorno a tavoli dello stesso materiale. Ovunque erano appese magliette ricordo in quantità tale da rivestire un intero esercito. Trovammo un parcheggio e scendemmo. Faceva un caldo opprimente, ma se non altro potevo finalmente staccare la felpa dalla schiena.

Aaron si diresse verso il finestrino laterale per unirsi alla fila composta da turisti e da due membri della banda con gli strumenti sotto il braccio, intenti a sbirciare i corpi torniti di un gruppo di majorette che stava pagando. «Ne prendo un paio a testa belle fredde.»

Rimasi sotto un ombrellone a osservare la nave che avanzava poco alla volta dentro la chiusa. Mi tolsi i Jackie O e iniziai a pulirli: la luce accecante mi fece immediatamente pentire di averlo fatto.

Il sole era spietato, ma gli addetti alla chiusa, che indossavano tute ed elmetti, continuavano il loro lavoro senza farci caso. Un'aria di svelta efficienza accompagnava le procedure, un altoparlante diffondeva in spagnolo comunicati tecnici sul traffico riuscendo a malapena a farsi udire sopra il gran casino intorno agli autobus e il rumore dei pali dell'impalcatura. Sul prato davanti alla chiusa, a sinistra della struttura permanente, stavano costruendo un'altra tribuna a quattro piani vicina al centro per i visitatori, anch'essa coperta da stendardi. Sabato ci sarebbe stato un sacco di gente.

La nave era quasi tutta dentro la chiusa, con poco più di mezzo metro per parte. I turisti osservavano dalla piattaforma fissa, scattando all'impazzata con le loro Nikon, mentre sul prato la banda continuava a suonare. Alcune ragazze si esercitavano a fare la spaccata, con un sorriso professionale stampato sul viso e tette e culo in movimento quando tornavano ad allinearsi.

Sul prato c'era un'unica persona che non sembrava interessata alle acrobazie delle ragazze, un bianco che indossava una camicia hawaiana a fiori rosa shocking. Stava appoggiato a una larga GMC Suburban blu scuro, e guardava la nave aspirando profonde boccate dalla sigaretta che stava fumando. Con la mano libera sventolava il fondo della camicia in modo da far circolare un po' d'aria. Sullo stomaco aveva la cicatrice di una bruciatura grande quanto una pizza che aveva l'aspetto di plastica fusa. Doveva avergli fatto un male cane. Fui lieto che il dolore del mio stomaco provenisse semplicemente dall'incontro con i Caterpillar di Sundance.

Tranne il parabrezza, tutti gli altri finestrini erano stati oscurati con pellicola adesiva. Una piega nel finestrino posteriore mi fece capire che si trattava di un lavoro fai da te. Formava come un triangolo nel punto dove la plastica era stata strappata per sei, otto centimetri.

D'un tratto, come se si fosse improvvisamente ricordato di aver dimenticato di chiudere il portone di casa, saltò nella vettura e sfrecciò via. Ma forse il vero motivo era che aveva messo una targa falsa sulla GMC e non voleva che la polizia la esaminasse da vicino. L'auto era pulita, ma non tanto quanto la pulitissima targa. Io, quando devo usare un'auto per un lavoro, di solito faccio così: cambio le targhe, porto l'auto a un autolavaggio, quindi faccio un lungo giro, così da sporcare targhe e carrozzeria in modo uniforme. Avrei scommesso che da quelle parti parecchie persone usassero targhe false, giusto per mantenere spumeggiante il settore bancario.

Una biscaglina dall'aria un po' fragile, fatta di legno e corda annodata, venne calata dal fianco della nave, e due uomini in camicia bianca immacolata e pantaloni lunghi che erano in attesa sul prato salirono a bordo mentre Aaron arrivava con quattro lattine di Minute Maid. « La Coca è finita, oggi sono stati presi d'assalto. »

Restammo seduti all'ombra a osservare le pompe idrauliche che lentamente portavano i cancelli a chiudersi e l'acqua – centoventi milioni di litri, secondo Aaron – ad affluire dentro la chiusa. La nave salì fino al cielo davanti a noi mentre gli operai che montavano la tribuna posarono gli attrezzi e si misero seduti per godersi lo spettacolo della prova delle majorette.

La contemplazione silenziosa evidentemente non faceva parte del repertorio di Aaron, perché cominciò subito a parlare. « Capisci, il canale non è, come crede la maggior parte della gente, un grande semplicissimo fossato scavato nel territorio, come Suez. No, no, no. È un'opera di alta ingegneria. Fantastico, se si pensa che è stato progettato più o meno in epoca vittoriana. »

Non avevo nessun dubbio che si trattasse di qualcosa di veramente affascinante, ma avevo altre cose in mente, e molto più deprimenti.

« Le chiuse di Miraflores, e le altre due più avanti, fanno salire o scendere le navi di venticinque metri. Quando arrivano in cima proseguono la navigazione sul lago e poi vengono fatte scendere di nuovo a livello del mare dall'altra parte. È come un ponte sopra l'istmo. Puro genio, l'ottava meraviglia del mondo. »

Aprii la seconda lattina di aranciata e feci un cenno in direzione della chiusa. « È parecchio stretta, no? » Questo l'avrebbe fatto parlare per un po'.

Mi rispose come se quell'affare l'avesse progettato lui stesso. « Nessun problema, le navi vengono tutte costruite seguendo le specifiche del canale di Panama. Ormai sono decenni che i cantieri lavorano tenendo bene in mente le misure delle chiuse. »

La nave continuava a salirmi davanti come un grattacielo. In quel momento le trombe, i tamburi e i fischietti partirono, la banda esplose in un samba sfrenato e le ragazze fecero il loro spettacolo per la gioia degli operai.

Dieci minuti più tardi, quando l'acqua raggiunse il livello dovuto, la chiusa davanti venne aperta e tutto ricominciò da capo. Era come una gigantesca scalinata. Le mazze volavano ancora in aria e la banda marciava avanti e indietro per il prato. L'atmosfera latinoamericana sembrava contagiare tutti e anche i musicisti accennarono qualche movimento di danza mentre marciavano con passo solenne.

Una Lexus 4x4 nera con finestrini laterali a specchio dorato si fermò davanti allo spaccio. I finestrini si abbassarono e vidi un paio di occhi da bianco in camicia e cravatta. Quello seduto davanti, un ventenne tutto muscoli e abbronzatura, scese e, incurante della coda, si diresse verso il finestrino del rimorchio. Alla cintura portava un lucido Nokia ultimo modello, piccolo e cromato, e al fianco destro una fondina con la pistola. Anche di questo esemplare, com'era successo per quello con la GMC, non pensai proprio nulla: dopo tutto eravamo in Centro America. Mi limitai a rovesciare la testa all'indietro per finire l'ultimo goccio di aranciata mentre mi domandavo se non fosse il caso di comprarne un altro paio per il viaggio.

Quando Tuttomuscoli tornò con le bibite, una voce giovanile chiamò dalla Lexus. «Salve, signor Y! Come sta?»

Aaron si voltò aprendosi in un sorriso. Salutò con la mano. «Ciao, Michael, tutto bene? Come sono andate le vacanze?»

Mi voltai anch'io. Avevo ancora la testa all'indietro ma riconobbi subito il viso sorridente che si sporgeva dal finestrino posteriore.

Finito di bere, abbassai la testa mentre Aaron si avvicinava alla macchina. Tutta la stanchezza svanì, l'adrenalina era a mille. Questa non ci voleva, non ci voleva proprio. Guardai per terra facendo finta di rilassarmi e cercando di ascoltare la conversazione al di sopra della musica.

Il ragazzo tese la mano, che Aaron strinse, ma i suoi occhi non si staccavano dalle ragazze. «Mi dispiace, non posso uscire dall'auto... mio padre dice che devo restare con Robert e Ross. Sapevo che le ragazze sarebbero state qui oggi, così ho pensato di venire a dare un'occhiata mentre andavo a casa. Lei mi capisce, vero, signor Y? Non guardava anche lei le ragazze pompon? Intendo dire prima di sposarsi... »

Notai che le guardie del corpo non si lasciavano minimamente distrarre dalle ragazze o dalla musica, ma facevano il loro lavoro. Il volto coperto da occhiali da sole colorati, rimasero impassibili e continuarono a bere dalle lattine. Il motore era ancora acceso e vidi la condensa del condizionatore gocciolare sull'asfalto.

La banda smise di suonare e iniziò a marciare seguendo il ritmo di un tamburo. Michael parlottò pieno di eccitazione e, a una sua frase, Aaron sollevò un sopracciglio. « Inghilterra? »

« Sì, sono tornato ieri. C'è stata una bomba e sono morti dei terroristi. Mio padre e io eravamo molto vicino, nel Parlamento. »

Aaron si mostrò sorpreso e Michael sollevò l'anello della lattina. « Ehi, Nick, hai sentito questa? » Con un cenno del capo m'indicò al bersaglio. « Nick... lui è inglese. »

Merda, merda, Aaron, no!

Michael diresse il suo sguardo verso di me e sorrise, lasciando intravedere denti bianchi e perfetti. Anche le guardie del corpo voltarono la testa per darmi un'occhiata. Niente bene.

Sorrisi guardando il bersaglio. Aveva capelli corti, neri e lucidi, con la scriminatura da una parte; gli occhi e il naso avevano qualcosa di europeo. La pelle morbida e senza difetti era più scura di quella di molti cinesi, forse la mamma era panamense e lui stava molto tempo al sole.

Aaron si rese conto di aver fatto una cazzata e balbettò: « Mi ha chiesto un passaggio giù in città per venire a vedere le chiuse, sai, e per dare un'occhiata alle pollastre... »

Michael annuì, non troppo interessato, a dire il vero. Rivolsi la mia attenzione alla nave che stava lasciando il molo. In realtà desideravo solo buttarmi su Aaron e ficcargli in bocca la lattina.

Dopo un minuto passato a parlare di università Michael recepì un segno delle guardie del corpo e iniziò a porre fine alla conversazione. Sporse la mano per salutare continuando però a guardare i body e le pompon. Vennero dati comandi al suono di fischietto e i tamburi esplosero di nuovo. «Devo andare, adesso. Ci vediamo la settimana prossima, signor Y?»

«Questo è certo.» Aaron batté il cinque. «Hai finito quel progetto?»

«Credo che le piacerà. Comunque lo avrà tra non molto.» Solo per educazione mi fece un cenno al di sopra della spalla di Aaron, poi i finestrini vennero chiusi e la Lexus partì lasciando una pozzanghera (grande quanto la pipì di un barboncino) che proveniva dall'aria condizionata.

Aaron continuò a salutare finché non furono scomparsi alla vista, poi si girò rapidamente verso di me con espressione desolata mentre gli ottoni e le ragazze si unirono al veloce ritmo dei tamburi. «Nick, sono davvero spiacente.» Scosse la testa. «È che non ci ho pensato. Non sono tagliato per questo tipo di cose. Quello era il figlio di Charlie, ti avevo detto che segue un mio corso? Mi dispiace, proprio non ho riflettuto.»

«È tutto a posto, amico. Non è successo nulla di grave.» Stavo mentendo. L'ultima cosa di cui avevo bisogno era essere presentato al bersaglio e, ancora peggio, che le guardie del corpo sapessero com'ero fatto. E poi c'era il collegamento con Aaron. Mi batteva il cuore. Per dirla tutta, era stata una giornata disastrosa.

«I due ragazzi che erano con lui, Robert e Ross... sono loro che hanno appeso quei colombiani. La squadra speciale di Charlie, ho sentito molte storie...» L'espressione di Aaron cambiò di colpo. «Ma tu c'entri qualcosa con la bomba a Londra? Cioè, quello che succede adesso...»

Feci cenno di no con la testa e finii di bere quello che restava dell'aranciata. Sentivo il sangue scorrermi veloce nella testa.

«Mi dispiace, sono cose che non mi riguardano. Non voglio sapere niente.» Non ero del tutto sicuro che mi avesse creduto, ma non m'importava. «Quanto manca per arrivare alla casa di Michael?»

«Te l'ho detto, nove, forse dieci chilometri. Se la foto che ho a casa dice il vero è quasi un palazzo.»

Cominciai a tirare fuori i soldi mentre mi avvicinavo alla finestra del rimorchio. «Penso che a maggior ragione è meglio se faccio un sopralluogo, non credi? Cosa ne dici di bere ancora mentre aspettiamo che Michael arrivi a casa e si sistemi?»

L'espressione di colpevolezza non lo abbandonava.

«Sai cosa facciamo? Paghi tu e così siamo pari.» Se non altro riuscii a farlo sorridere mentre scavava nella tasca per recuperare delle monete. «E chiedi anche se hanno qualcosa per il mal di testa, ti spiace?»

Dall'altra parte del parcheggio vidi un bancomat con il logo HSBC. Sapevo che non avrei potuto ritirare altri soldi in giornata, ma, se ci avessi provato, nel giro di poco Signorsì sarebbe venuto a sapere che almeno ero nel Paese.

Nei successivi quaranta minuti ammazzammo il tempo al tavolo di plastica; solo il ronzio dei locomotori sulle rotaie ci teneva compagnia perché tutti gli altri erano in pausa pranzo. Avevo indosso i Jackie O nel tentativo di dare riposo agli occhi e alla testa. Sembrava che nessuno avesse mai mal di testa, da quelle parti.

Aaron ne approfittò per spiegarmi la ritirata dell'America avvenuta a dicembre. Il fatto che riuscisse a dire così velocemente e senza sbagliare date e numeri aumentava l'amarezza per quanto era successo poco prima.

In totale, oltre quattrocentomila acri di Zona del canale e di basi, del valore di oltre dieci miliardi di dollari, erano stati restituiti, insieme con il canale stesso (costruito e pagato dagli Stati Uniti la bellezza di ulteriori trenta miliardi). E l'unico modo che avevano per tornare era in base alle condizioni dell'accordo DeConcini, che prevedeva un intervento militare se il canale fosse stato in pericolo.

Tutte cose molto interessanti, ma l'unica che mi premeva

davvero era la conferma che Michael sarebbe stato all'università quella settimana.

«Certo», annuì Aaron. «Sono già rientrati tutti. Per molti il semestre è iniziato la settimana scorsa.»

Partimmo alla volta della casa attraversando Clayton. Aaron mi spiegò che, adesso che gli americani se n'erano andati, Charlie si era accaparrato parte della Zona e ci aveva costruito sopra.

Un vecchio mezzo addormentato sulla veranda della guardiola era quanto restava di tutta la sicurezza. Accanto a sé aveva una caraffa piena a metà di un liquido scuro che poteva essere tè nero, e il fatto di essere stato svegliato per aprire la sbarra lo rendeva piuttosto scazzato.

In futuro Clayton poteva diventare un parco tecnologico, ma non lo era ancora. Oltrepassammo una serie di baracche abbandonate e circondate dall'erba alta. L'eredità lasciata dall'esercito americano era ancora molto evidente. Su ogni porta c'erano placche di metallo con sopra scritto: BUILDING 127, HQ THEATER SUPPORT BRIGADE, FORT CLAYTON, PANAMA, US ARMY SOUTH. Mi domandai se i capi del SOUTHCOM del mio periodo in Colombia ci avessero mandato fotografie via satellite e ordini da qualcuno di quegli edifici.

Tutto il quartiere aveva l'aria di essere stato abbandonato alla notizia di un ciclone. Le altalene dei bambini, tra i bungalow deserti e gli edifici a due piani ornati da palme, mostravano i primi segni di ruggine attraverso la vernice azzurra, e il tabellone sul campo da baseball, che aveva bisogno di essere falciato, indicava ancora il risultato dell'ultima partita giocata. Cartelli stradali americani ci ricordarono di andare a non più di venti chilometri all'ora perché in quella zona giocavano i bambini.

Arrivammo dall'altra parte dell'imponente complesso del forte e puntammo in direzione delle montagne. La giungla avvolse da entrambe le parti la stretta, tortuosa strada asfaltata. La visibilità era di cinque metri, oltre ai quali tutto si confondeva in un muro di verde. Ho sentito parlare di una pattuglia nel Borneo che, durante gli anni '60, si ritrovò con un uomo ferito da un colpo di fucile. Nulla di grave, ma doveva essere soccorso. Lo sistemarono ai piedi di una collinetta e andarono tutti sull'altura a ripulire una zona in modo che l'elicottero di soccorso potesse sollevarlo con il cestello e portarlo all'ospedale. Non era una cosa complicata e il ferito poteva essere tranquillamente preso a bordo entro il tramonto, se solo non avessero commesso il fatale errore di non lasciare qualcuno con lui o quanto meno di segnare il punto in cui si trovava. Impiegarono una settimana per ritrovare il posto in cui l'avevano lasciato, anche se distava solo un centinaio di metri dalla base della collina. E quando arrivarono era morto.

Il sole batteva sul parabrezza evidenziando tutti i moscerini schiantatisi contro e spalmati dai tergicristallo. Aaron faceva fatica a guardare fuori.

Si trattava di giungla secondaria; muoversi là in mezzo sarebbe stato molto, molto difficile. Preferivo di gran lunga quella primaria, dove il tetto di foglie è decisamente più alto, per cui il sole penetra con difficoltà fino a terra e c'è meno vegetazione. Passarci attraverso è comunque un casino infinito, perché il terreno è ingombro di ostacoli.

Nuvole grigie iniziavano a coprire il cielo e a rendere tutto più scuro. Ripensai ancora a tutti i mesi che avevo passato nella giungla durante le missioni. Ne esci dieci chili più magro e a causa della mancanza della luce del sole la pelle diventa bianca e umidiccia come una patata da friggere, ma mi piaceva molto. Provavo una grandissima eccitazione ogni volta che stavo per entrare nella giungla, perché non c'è posto più bello dove stare; dal punto di vista tattico, paragonato a qualsiasi altro terreno, ha le condizioni ambientali più favorevoli per lavorare. C'è tutto quello che serve: riparo, cibo e, fondamentale, acqua. Basta abituarsi alla pioggia, ai morsi delle zanzare, a tutti quegli animaletti che volano e al novantacinque per cento di umidità.

Aaron si piegò in avanti e guardò in alto attraverso il parabrezza. «Eccole lì, puntualissime.»

Le nuvole grigie erano scomparse, allontanate da quelle più nere. Sapevo cosa intendeva e, manco a dirlo, il cielo di colpo si riversò sopra di noi. Era come stare seduti sotto una vasca da bagno che veniva rovesciata. Ci precipitammo a chiudere i finestrini, ma non del tutto perché l'umidità stava già appannando l'interno del parabrezza. Aaron azionò il dispositivo antiappannante, il cui rumore venne soffocato dalla pioggia battente sopra il tetto.

Fulmini schioccavano e sfrigolavano, spruzzando la giungla di una brillante luce azzurrina. Un tuono incredibilmente forte rimbombò sopra di noi. Di sicuro aveva fatto partire diversi antifurto delle macchine giù alla chiusa.

Aaron procedeva adesso a passo d'uomo, con i tergicristallo al massimo che sbattevano da una parte all'altra del parabrezza senza nessuna efficacia, poiché la pioggia scendeva sull'asfalto e rimbalzava di nuovo in aria. L'acqua schizzata sopra il finestrino laterale mi spruzzava la spalla e il viso.

Urlai cercando di superare il tambureggiare della pioggia sul tetto. «Questa strada va direttamente alla casa di Charlie?»

Aaron era sdraiato sopra il volante, indaffarato a pulire l'interno del vetro. «No, è una strada secondaria, porta solo a una stazione elettrica. La nuova strada privata che porta alla casa parte da lì. Pensavo di farti scendere dove le due strade s'incontrano, altrimenti mi troverei in una strada senza sbocco.»

Il ragionamento filava. «E dall'incrocio alla casa quanto c'è?»

«Se la scala sulla fotoplanimetria è giusta, forse un chilometro e mezzo, al massimo due. Si tratta solo di seguire la strada.»

Il diluvio continuava mentre ci arrampicavamo sulla collina. Mi piegai e tastai sotto il sedile alla ricerca di qualcosa con cui proteggere i miei documenti. Non li avrei lasciati ad Aaron: non me ne separavo mai, come i codici di comunicazione che andavano portati addosso in qualsiasi situazione.

Aaron mi guardò. «Cosa cerchi?» Era ancora tutto proteso sul volante, come se questo potesse aiutarlo a vedere meglio attraverso il solido schermo formato dalla pioggia mentre avanzavamo a fatica a quindici chilometri all'ora.

Glielo spiegai.

«Troverai sicuramente qualcosa nel retro. Ormai non manca molto, tre o quattro chilometri al massimo.»

Mi andava bene. Mi appoggiai contro il sedile e mi lasciai ipnotizzare dalla pioggia che ci rimbalzava intorno.

Seguimmo la strada che piegava verso destra, poi Aaron accostò e si fermò. Indicò un punto davanti a noi. «La strada che porta alla casa è quella. Te l'ho detto, un chilometro e mezzo, forse due. Dicono che da lì Chan possa vedere il sole sorgere sui Caraibi e tramontare nel Pacifico. Adesso cosa vuoi che faccia?»

«Primo, resta dove sei, così posso andare dietro.»

Uscii e indossai il giubbotto. La visibilità adesso era a venti metri. La pioggia mi martellava la testa e le spalle.

Andai dietro e aprii il portellone ribaltabile. Ero bagnato fradicio già a metà strada. Una cosa però mi consolava: non essere in un Paese in cui bagnato faceva rima con congelato.

Frugai dentro. Quattro taniche dell'esercito americano da venti litri erano fissate con corde elastiche in fondo al pianale, adiacenti alla cabina. Se non altro non saremmo rimasti senza carburante. Sparpagliati intorno alle taniche altri giornali ingialliti, un cric, una corda da traino in nylon e tutti gli accessori previsti per casi del genere. In mezzo al resto trovai quello che stavo cercando: due sacchetti di plastica. Uno conteneva un paio di cavi unti per il collegamento volante tra batterie, l'altro era vuoto, se si esclude qualche tocchetto di fango secco e qualche foglia d'insalata. Li vuotai entrambi, infilai passaporto, biglietto aereo e portafoglio nel primo e li avvolsi per bene. Infilai il primo sacchetto nel secondo, lo chiusi e lo misi nella tasca interna della giacca.

Controllai ancora ma non vidi altro che potesse servirmi per la ricognizione. Sbattendo il portellone andai al finestrino di Aaron e infilai la faccia nello spazio aperto.

«Mi passi la bussola, amico?» Avevo dovuto urlare per farmi sentire.

Si sporse, la staccò dal cruscotto e me la passò. «Spiacente, non ci ho pensato. Avrei dovuto portarne una migliore e una cartina.»

Dirgli che non era un problema mi avrebbe fatto girare le palle. La testa pulsava alla grande e volevo andare avanti. L'acqua mi scorreva a cascata lungo la faccia, il naso e il mento, mentre premevo il pulsante per illuminare il quadrante del Baby G.

«A che ora fa buio?»

«Alle sei e mezzo, più o meno.»

«Sono appena passate le tre e mezzo. Fatti un bel giro, vai in città o fai quello che vuoi. Poi torna esattamente qui alle tre del mattino.»

Annuì senza nemmeno pensare.

«Okay, parcheggia qui e rimani fermo per dieci minuti. Lascia la porta del passeggero senza la sicura e rimani seduto in macchina con il motore acceso.» Durante un lavoro il motore deve sempre restare acceso: se lo spegni, la dura legge del menga dice che non si metterà più in moto. «Devi inventarti una storia da raccontare se ti fermano. Potresti dire che stai cercando una pianta rara o qualcosa del genere.»

Guardò nel vuoto attraverso il parabrezza. «Sì, è una buona idea. In effetti il *barrigon* è un albero che si trova in zone disturbate e lungo le strade e...»

«Molto bene, amico, molto bene, basta che abbia un senso, ma fai in modo di avere la tua storia bene in mente quando torni a prendermi, così sarà più convincente.»

«D'accordo.» Fece un secco cenno di assenso, continuando a guardare fuori e a pensare agli alberi.

«Se non sono qui alle tre e dieci, vai via. Torna e fai la

stessa cosa ogni ora fino a quando non fa giorno, d'accordo?»

Con lo sguardo ancora fisso davanti a sé fece di nuovo un secco cenno di assenso. «D'accordo.»

«Poi, alla prima luce, molla tutto. Smetti di fare il giro. Torna a prendermi a mezzogiorno, ma non qui, ci vediamo alla chiusa, vicino al rimorchio. Lì aspetti per un'ora. Hai capito?»

Annuì di nuovo.

«Domande?»

Nessuna. Pensavo di essermi concesso il tempo necessario, ma, se qualcosa fosse andato storto e non fossi riuscito ad arrivare per l'appuntamento, non tutto era perduto. Potevo sempre raggiungere un fiume, darmi una ripulita da tutta la merda della giungla e, con un po' di fortuna, se c'era il sole, la mattina seguente sarei riuscito anche ad asciugarmi. A quel punto qualche possibilità di riuscire a passare inosservato tra la gente normale giù alla chiusa ce l'avevo.

«Ascolta, Aaron, ultima possibilità, la peggiore, e questo è veramente molto, molto importante.» Stavo ancora urlando per superare il rumore della pioggia. Ruscelletti d'acqua mi scendevano lungo il volto e mi entravano in bocca. «Se non mi vedi alla chiusa a mezzogiorno di domani, a quel punto faresti meglio a chiamare chi ti ha ingaggiato e spiegare con esattezza le istruzioni che ti avevo dato, d'accordo?»

«E perché?»

«Perché molto probabilmente io sarò morto.»

Ci fu una pausa. Era evidente che era scioccato. Forse non aveva ancora capito a che gioco stavamo giocando; forse pensava davvero che fossimo qui per l'amore per gli alberi. «Hai capito?»

«Certo. Racconterò parola per parola». Continuava a tenere lo sguardo fisso in avanti, era preoccupato ma annuiva.

Bussai sul finestrino e voltò la testa. «Ehi, non preoccuparti, amico. Sto solo immaginando il peggio. Ci vediamo qui alle tre.»

Fece un sorrisetto nervoso. «E prima di venire faccio il pieno, giusto?»

Picchiettai ancora sul vetro. «Ottima idea. Ci vediamo più tardi.»

Aaron partì. Il rumore del motore venne attutito dalla pioggia. Abbandonai la strada per inoltrarmi nel mondo buio e oscuro della giungla. In un attimo mi ritrovai a farmi largo tra foglie di palma e cespugli. La pioggia che vi era rimasta intrappolata sopra si riversò tutta su di me.

Mi spinsi all'interno per cinque metri così da restare fuori vista finché Aaron non fosse scomparso del tutto, e mi lasciai cadere nel fango e nelle foglie marcite appoggiando la schiena contro un tronco mentre altri tuoni esplodevano nel cielo. La pioggia continuava a trovare la sua strada verso di me rovesciandosi dal tetto di foglie.

Mi passai le mani tra i capelli bagnati, avvicinai le ginocchia e ci poggiai sopra la fronte mentre la pioggia mi batteva sul collo per poi gocciolare giù dal mento. Sentii una puntura nel braccio sinistro sotto la giacca. Grattai con forza la stoffa nel tentativo di schiacciare qualsiasi cosa fosse arrivata fin lì, forse per darmi il benvenuto nella «cattedrale della natura» di cui parlava Aaron. Alla sala partenze dell'aeroporto di Miami mi sarei dovuto preoccupare di comprare qualche repellente per insetti invece di cercare una guida del posto.

Mi alzai: i jeans fradici e pesanti mi si attaccarono alle gambe. Non avevo certo l'abbigliamento adatto per strisciare nella giungla, ma dovevo cavarmela con quello che avevo. Se dovevo andare a caccia dovevo muovere il culo e andare dov'erano le anatre, così tornai in direzione della strada secondaria. Per quanto ne sapevo, poteva anche aver smesso di piovere là fuori. All'interno della giungla è difficile da capire, perché la pioggia continua a scendere per secoli da foglia a foglia.

Svoltai a destra nella stretta strada sterrata: era inutile

continuare ad avanzare nella giungla perché ero ancora troppo lontano. Il diluvio si era attenuato un poco, adesso rimbalzava sul selciato per soli tre o quattro centimetri, ma era ancora sufficiente perché un veicolo in arrivo non mi vedesse se non quando lo avessi avuto addosso.

Iniziai a camminare guardando la bussola. Stavo salendo in direzione ovest, cioè esattamente quello che avevamo fatto con il Mazda provenendo da Clayton. Mi tenni su un lato in modo da potermi nascondere in fretta e camminai lentamente, così da riuscire a sentire il rumore di un'auto in avvicinamento al di sopra del fruscio dei jeans bagnati.

Non avevo ancora idea di come avrei agito, ma per lo meno ero in un luogo in cui sapevo muovermi. Desiderai che la dottoressa Hughes potesse vedermi in quel momento: avrebbe capito che qualcosa la sapevo fare anch'io.

Mi fermai e mi grattai la pelle alla base della spina dorsale per scoraggiare qualsiasi cosa mi stesse morsicando, poi continuai a camminare.

13

BAGNATO dalla pioggia e inzuppato di sudore, percorsi due faticosi chilometri in salita, i capelli incollati alla faccia e i vestiti avvinghiati addosso come amici che non vedevo da tanto.

Infine la pioggia cessò e il sole si affacciò tra una nuvola e l'altra, bruciandomi la faccia e costringendomi a strizzare gli occhi perché si rifletteva sul lucido asfalto bagnato come uno specchio. I Jackie O tornarono sul naso. Guardai la bussola – procedevo in direzione ovest appena spostato verso nord – e controllai anche i sacchetti di plastica. Avevano tenuto bene: i documenti erano asciutti.

L'umidità evaporava dalla giungla. Gli uccelli riprendevano a cantare oltre il tetto di foglie. Uno in particolare si distingueva, emettendo un suono che sembrava quello rallentato di un misuratore della frequenza cardiaca. Mentre camminavo altre forme di vita selvatica frusciavano tra il fogliame e il solito rumore di grilli, cicale o qualsiasi altra cosa fossero avvolgeva tutto. Sembravano essere ovunque, in ogni giungla, anche se non ne avevo mai visto uno.

Non mi lasciai ingannare dal sole o dagli animali in movimento. Sapevo che ci sarebbe stata altra pioggia. Le nuvole nere non erano scomparse del tutto e sentivo ancora tuoni in lontananza.

Seguii una leggera curva e mi apparve un cancello in ferro battuto che bloccava la strada a mezzo chilometro. Era inserito in un muro alto, imbiancato a calce, che scompariva nella giungla da entrambi i lati.

Era giunto il momento di tornare al riparo, cosa che feci dopo aver controllato la direzione sulla bussola. Ma non mi precipitai dentro, mi aprii invece un varco spostando con cautela i rami e le fronde. Non volevo lasciare tracce alte del mio ingresso. Le tracce alte sono quelle che si lasciano a un livello più alto del terreno e che in quel caso si sarebbero viste dalla strada. Una foglia larga di un ficus o di una felce, per esempio, non espone mai alla luce il lato più chiaro, quello che normalmente sta sotto; accade solo se viene mossa da qualcuno o se qualcosa ci passa in mezzo. La foglia, in seguito, riprende la posizione naturale per poter raccogliere la luce, ma, se un occhio ben addestrato nel frattempo la vede, è come aver lasciato in vista il proprio biglietto da visita. Non sapevo se quella era gente così sveglia da cogliere dettagli simili passando in macchina, ma non avevo intenzione di rischiare.

Una volta all'interno, sotto il tetto di foglie, mi sentii come dentro una pentola a pressione: l'umidità non ha modo di fuoriuscire, e ciò provoca ai polmoni seri problemi di adattamento. La pioggia continuava a cadere a scrosci ogni volta che un uccello nascosto spiccava il volo dai rami più alti.

Dopo aver percorso forse una trentina di metri in linea retta dalla strada, mi fermai e controllai la bussola. Il mio intento era di continuare ancora in direzione ovest e di provare a vedere se m'imbattevo nel muro perimetrale. Se dopo un'ora non avessi incontrato niente mi sarei fermato, sarei tornato indietro e avrei riprovato. Sarebbe stato molto facile trovarsi «geograficamente in difficoltà», così lo definiscono gli ufficiali: nella giungla c'è un'unica regola che conta ed è fidarsi sempre e solo della bussola e non di quello che l'istinto ti dice di fare.

Il muro di verde era a non più di sette metri, e non lo avrei mai perso di vista mentre avanzavo, per poter individuare presenze nemiche o la casa.

Mentre ripartivo mi sentii tirare per la manica e capii subito che mi ero imbattuto nel primo cespuglio di *wait-a-while*, «aspetta un momento». Si tratta di una sottile pianta rampicante ricoperta di piccole spine che arpionano la stoffa e la pelle, molto simile ai rovi. Ogni giungla in cui ero stato ne era piena. Se ci finisci in mezzo l'unico sistema per uscirne è tirare con forza. Se ti perdi a togliere le spine una alla volta puoi restarci per sempre.

Proseguii. Dovevo raggiungere la casa prima del tramonto in modo da avere luce sufficiente per effettuare una ricognizione come si deve. Inoltre non avevo nessuna intenzione di restare bloccato là dentro di notte: non sarei mai riuscito ad arrivare in tempo ai RV (punti d'incontro) del mattino e ciò avrebbe anche significato perdere ore preziose in attesa di mezzogiorno, tempo che invece mi serviva per preparare il lavoro che ero venuto a fare.

Per un'altra mezz'ora o poco più continuai a salire in direzione quasi-ovest, districandomi con una certa frequenza dalle spire dei *wait-a-while*. Alla fine mi fermai appoggiandomi a un tronco per riprendere fiato e controllare la bussola. Non sapevo che albero fosse, per una misteriosa ragione riuscivo a riconoscere il mogano, e questo non lo era. Avevo le mani coperte da piccoli tagli e graffi che facevano male come punture di vespe.

Ripresi ad avanzare, pensando al sopralluogo. Se avessi potuto mi sarei preso il tempo necessario per scoprire le abitudini del bersaglio, in modo da scegliere uno scenario d'attacco di mio gradimento e avere un vantaggio su di lui. Ma non c'era tempo e l'unica cosa che Aaron mi aveva detto sugli spostamenti di Michael era che sarebbe andato all'università un imprecisato giorno della settimana.

Uccidere qualcuno è una cosa abbastanza facile, la parte difficile è riuscire a togliersi dai piedi. Dovevo studiare un sistema per ucciderlo in modo da correre meno rischi possibile. Potevo giocare a Rambo e piantare un casino della miseria, ma questo non faceva parte dei miei piani, per lo meno non per adesso.

Vidi uno spazio aperto sei, sette metri davanti a me, proprio oltre il sipario di verde, inondato da un sole accecante e da un mare di fango. Tornai lentamente sui miei passi, all'interno della giungla, finché non sparì dal campo visivo, e mi appoggiai contro un albero.

Respirai profondamente e mi asciugai il sudore dalla

fronte. Rimasi immobile in ascolto dei suoni del mondo che mi circondava.

Avevo caldo, ero tutto appiccicoso, senza fiato e con un disperato bisogno di bere, ma nonostante questo mi ritrovai ad ascoltare incantato il verso meraviglioso di una scimmia urlatrice che, sugli alberi, stava dando il meglio di sé per mantenersi all'altezza del suo nome. Ancora una volta mi diedi uno schiaffo sulla faccia per schiacciare ciò che si era posato per dirmi ciao, qualunque cosa fosse.

Quando tirai la cintura di pelle per aprirla, infilare dentro la felpa e darmi una sistemata generale, l'umidità ne gocciolò fuori. Non m'importava sapere che dopo poco i jeans sarebbero tornati a penzolarmi sul sedere, farlo mi faceva sentire un po' meglio. Sentii sul collo il primo di una numerosa colonia di rigonfiamenti che prudevano e ne avevo un altro, decisamente grosso, che mi stava crescendo sulla palpebra sinistra.

Per la ricognizione il mio piano era semplice: avrei fatto come quei giocattoli elettrici che avanzano sul pavimento finché non sbattono contro una parete, rimbalzano, si girano e ripartono, girano di nuovo e tornano a sbattere contro il muro in un punto diverso.

Avevo bisogno di risposte a molte domande. C'erano persone di guardia e, se sì, erano giovani o vecchie? Erano capaci e/o armate? E, se sì, con che tipo di armi? Se c'erano sistemi anti-intrusione, dov'erano inseriti?

Il modo migliore per trovare le risposte era rimanere a osservare il bersaglio il più a lungo possibile. Le risposte ad alcune domande le trovi sul posto, ma molte vengono fuori solo quando te ne stai a letto con una tazza di cioccolata a pensare al piano. Più a lungo fossi rimasto lì, più il mio inconscio avrebbe assimilato informazioni che sarebbero riaffiorate nel momento del bisogno.

La grande incognita restava: avrei dovuto fare il Rambo? La risposta, però, l'avrei trovata solo quando fossi stato sul bersaglio. Ripensai a Signorsì e a Sundance e compresi che, se non ci fosse stato altro modo, sarei stato costretto a farlo.

Ma poi ci diedi un taglio; adesso avevo solo bisogno di portare il culo nel fango pochi metri più avanti e osservare quanto succedeva là fuori, prima di perdermi nei miei pensieri.

Avanzai con attenzione continuando a fissare il muro verde.

A sei metri da me vidi la luce del sole che si rifletteva nelle pozzanghere e mi abbassai fino ad avere la pancia nel fango e in mezzo alle foglie che stavano marcendo. Allungai le braccia in avanti, puntai i gomiti e facendo forza sulla punta dei piedi mi trascinai innanzi sollevando il corpo quel tanto che bastava per non sfregarlo per terra. Avanzavo di quindici centimetri alla volta, cercando di evitare di schiacciare le pallide foglie secche delle palme. Anche quando sono bagnate continuano a emettere uno scricchiolio secco e penetrante.

Mi sentivo come ai tempi della Colombia quando mi avvicinavo a un impianto per la produzione di droga per fare una ricognizione tattica, in modo che grazie alle informazioni che riportavamo si potesse organizzare un attacco. Mai avrei pensato di ritrovarmi alle prese con le stesse stronzate dieci anni dopo.

Ogni due colpi mi fermavo, sollevavo la testa, guardavo, ascoltavo, e lentamente mi toglievo le spine dalle mani e dal collo mentre le zanzare continuavano a lavorare. Cominciavo ad avere qualche ripensamento riguardo al mio idillio con la giungla. Mi resi conto che l'amavo solo quando potevo stare in piedi.

Imitare l'alligatore con quell'umidità era faticoso, ero senza fiato, ed essere così vicino al terreno ingigantiva ogni suono dieci volte; anche le foglie davano l'impressione di fare molto più rumore del normale. Per giunta il dolore alle costole non mi agevolava, anche se sapevo che sarebbe svanito una volta sulla casa bersaglio.

Mentre mi avvicinavo lentamente alla parete di luce, foglie marcite e altre schifezze da giungla mi entravano nelle maniche del giubbotto e nello scollo della felpa. All'interno del giubbotto le buste di plastica frusciavano con discrezione. Adesso che i jeans erano di nuovo scivolati sul culo, anche il mio stomaco conosceva la sua dose di pezzetti di foglie e di rametti. Quella che si dice una giornata di merda.

Un altro balzo, poi mi fermai, guardai e ascoltai. Mi asciugai lentamente il sudore che colava negli occhi desiderando che non bruciassero tanto, poi schiacciai un mostro alato che mi stava morsicando la guancia. Da quella posizione così rasoterra ancora non riuscivo a vedere nient'altro se non la luce del sole e il fango e, lo sapevo bene, non sarei riuscito a vedere nulla di quello che c'era là fuori, qualsiasi cosa fosse, finché non fossi arrivato alla fine del tetto di foglie.

Una rete metallica che correva lungo il margine della giungla fu la prima cosa di un certo rilievo che riuscii a individuare. Mi avvicinai con cautela a un cespuglio molto poco invitante e pieno di spine al confine con la radura e m'insinuai al suo interno. Le spine che coprivano i rami mi graffiarono le mani. Erano così affilate che il dolore non era immediato; arrivava qualche secondo dopo, come succede per i tagli di un coltello Stanley.

Sempre a pancia in giù, posai il mento sulle mani, sollevai lo sguardo e mi misi in ascolto, cercando di assimilare più dettagli che potevo. Non appena mi fermai, uno stormo di zanzare si mise in formazione sopra la mia testa come 747 in attesa di atterrare su Heathrow.

Stavo guardando attraverso un reticolato con rombi da otto centimetri che aveva lo scopo di proteggere più da animali selvatici che da esseri umani. La casa doveva essere molto recente e si poteva intuire che Charlie Chan avesse avuto tanta voglia di andarci ad abitare da non riuscire ad aspettare che fosse dotata di un sistema di sicurezza adeguato.

Lo spazio aperto di fronte a me era un altopiano dalla superficie ondulata ampio più o meno venti acri. Ceppi di alberi tagliati spuntavano qua e là come denti cariati, in attesa di essere estirpati o fatti saltare, prima di far crescere l'erba. Dal punto in cui ero non riuscivo a vedere traccia di oceano, ma solo alberi e cielo. Sparpagliati ovunque, macchinari su cingoli di ogni tipo; erano fermi, ma era evidente che gli affari di Choi & Co., adesso che gli americani se n'erano andati, prosperavano sotto ogni aspetto. L'edificio sembrava più un albergo di lusso che una residenza privata. Il corpo principale era a non più di trecento metri sulla mia sinistra. Non mi trovavo perfettamente di fronte al bersaglio, lungo la linea del cancello e del muro; dovevo aver tagliato un angolo perché mi ritrovavo sul lato destro del perimetro. Vedevo bene la parte frontale e la costruzione sulla destra. Si trattava di un'imponente villa in stile spagnolo con muri bianchi, ringhiere in ferro battuto ai terrazzi e un tetto con tegole in terracotta dall'aria nuova di pacca. Al suo fianco si ergeva con fierezza una torre belvedere, interamente in vetro. Gli oceani si vedevano da lì.

Altri tetti a spioventi di diverse altezze si diramavano in tutte le direzioni dall'edificio principale, a copertura di una rete di verande e porticati. A destra della costruzione principale c'era una piscina circondata da un patio, dove si ergevano sparute colonne in stile romano che aggiungevano un tocco da *Gladiatore* a tutto l'insieme. L'unica cosa che mancava era qualche statua di spagnoli del XVI secolo con le spade e le braghe larghe.

Individuai quattro campi da tennis dietro una siepe, vicino ai quali c'erano tre enormi dischi satellitari fissati al terreno. Forse Charlie era un appassionato di football americano o forse controllava il Nasdaq per verificare l'andamento dei suoi soldi riciclati.

Compresa la Lexus, c'erano sei tra berline e pick-up tirati a lucido e parcheggiati sul vialetto che, girando intorno a un'elaborata fontana in pietra, portava al cancello principale, più o meno trecento metri alla mia sinistra. Tornai a osservare i veicoli. Uno in particolare mi aveva colpito. Una GMC blu scuro con i finestrini oscurati.

Grande impressione suscitava un elicottero Jet Ranger bianco e giallo che utilizzava il vialetto di fronte alla casa come piattaforma. Quello che ci vuole per sconfiggere il traffico dei pendolari.

Giacevo immobile e osservavo, ma non c'erano movimenti, non accadeva nulla. Aprii appena la mascella per attutire il rumore che facevo inghiottendo, nel tentativo di riuscire a captare ogni suono che provenisse dalla casa, ma ero troppo lontano e loro persone troppo giudiziose: se ne stavano dentro con l'aria condizionata in funzione.

La testa mi si stava riempiendo di bitorzoli. Osservavo migliaia di grandi formiche rosso scuro che scorrevano a pochi centimetri dal mio naso, trasportando pezzi di foglie a volte grandi il doppio di loro. Il gruppo di testa che tracciava la pista era composto da qualche centinaio di esemplari che marciavano in formazione di una trentina per fila. Il resto seguiva a ranghi così serrati che riuscivo quasi a sentirne il fruscio.

Tornai a osservare la casa bersaglio e subito dopo avvertii un odore piuttosto sgradevole. Non ci misi molto a capire che ero io. Bagnato, coperto di fango, di pezzi di rami e di cespugli, mi prudeva ovunque e provavo un estremo bisogno di grattarmi le punture degli insetti. Sicuramente qualcosa di nuovo era intento a morsicare il piccolo spazio scoperto sulla schiena. Non potevo che permettergli di farlo: l'unica cosa che potevo rischiare di muovere erano gli occhi. Forse il giorno dopo sarei tornato ad amare la giungla, ma in quel preciso istante volevo il divorzio. Dopo vent'anni passati a fare quel genere di cose avvertivo il bisogno reale di vivere una vita vera.

Non era necessario fare il giocattolo elettrico e compiere un giro completo del bersaglio, da lì potevo benissimo vedere tutto quello che mi serviva. Avvicinarsi alla casa di giorno era impossibile: lo spazio senza copertura era troppo ampio. E di notte sarebbe stato altrettanto difficile; non sapevo se avevano dispositivi per la visione notturna, o telecamere a circuito chiuso con luce bianca o raggi infrarossi e quindi dovevo comportarmi come se li avessero.

Ma i miei problemi non finivano lì. Anche se fossi riuscito ad arrivare alla casa, dove avrei trovato Michael? Solo Errol Flynn riesce a entrare nel salone principale e sbucare di colpo da dietro un tendone dopo che squadre di guardie armate lo hanno superato a passo di marcia.

Cambiai la posizione delle mani e sistemando meglio il mento iniziai a memorizzare la scena che avevo di fronte. Continuavo a stringere gli occhi fino a chiuderli per poi rimettere a fuoco. Le formiche stavano facendo un ottimo lavoro e un'enorme farfalla nera atterrò a pochi centimetri dal mio naso. Ero di nuovo in Colombia. Per Bernard catturavamo ogni cosa colorata che avesse le ali. Era alto oltre un metro e novantacinque, pesava centoventi chili e aveva l'aspetto di uno che mangia bambini a colazione. E invece ci stupiva tutti perché raccoglieva farfalle e falene per la mamma. Tornavamo alla base da un giro di perlustrazione e nel frigo trovavamo solo vasetti sigillati pieni di cose con le ali, non di bibite ghiacciate e Marmite. Ma nessuno osava dire qualcosa di fronte a lui per non ritrovarsi appeso al muro con gli spilli.

Si udiva il lento rumore di tuoni in lontananza, mentre la foschia prodotta dal calore brillava sopra lo spazio aperto che avevo davanti e il vapore saliva lento dal fango.

Sarebbe stato meraviglioso uscire da lì e stiracchiarsi al sole, fuori di quel mondo fatto di oscurità e di insetti. Quando mi attaccavano ai lati della testa il ronzio assomigliava al trapano di un dentista indemoniato, e quello che mi aveva punto il fondoschiena era senza dubbio psicopatico.

Nella casa stava accadendo qualcosa.

Due bianchi, con camicia a maniche corte e cravatta, uscirono dalla porta principale insieme con un uomo con una camicia hawaiana rosa shocking che salì sulla GMC. Il mio amico Pizzaiolo. Gli altri due salirono su un pick-up e un quarto uscì di corsa dalla porta e montò dietro. Rimase in piedi, sporgendosi in avanti verso la cabina di guida, come se capeggiasse una carovana. Seguiti dalla GMC, girarono intorno alla fontana e si diressero verso il cancello d'ingresso. L'ultimo uomo non era tirato a festa come gli altri due, portava stivali di gomma, un cappello di paglia a tesa larga e un fagotto di qualcosa sotto il braccio.

Entrambi i mezzi si fermarono per circa trenta secondi in attesa che i cancelli si aprissero, poi scomparvero dalla mia visuale mentre i cancelli tornavano a chiudersi alle loro spalle.

Una raffica di vento fece ondeggiare gli alberi al bordo della giungla. Tra non molto una scarica di pioggia si sarebbe abbattuta dalla nostra parte. Se all'ora del tramonto volevo essere fuori della giungla dovevo darmi una mossa. Cominciai a scivolare all'indietro, facendo forza sui gomiti e sulla punta dei piedi, continuai su mani e ginocchia per un altro tratto e poi, quando fui bene al coperto all'interno del muro verde, mi misi finalmente in piedi. Mi grattai come un forsennato, mi scrollai dalla testa ai piedi, infilai tutto dentro, mi passai le mani tra i capelli e sfregai la schiena contro un albero. Uno sfogo di origine ignota si stava sviluppando alla base della schiena e la tentazione di grattarlo ancora di più era fortissima. La palpebra sinistra si stava gonfiando a dismisura fino a chiudere l'occhio. Molto probabilmente stavo diventando un clone di Darth Maul.

Il Baby G mi comunicò che erano da poco passate le cinque: avevo un'ora o poco più prima del tramonto, perché all'interno della giungla fa buio prima che fuori. Morivo dalla voglia di bere qualcosa, ma dovevo attendere la prossima pioggia.

La mia intenzione era di andare verso sud, in direzione della strada, poi svoltare a destra e avanzare parallelamente alla carreggiata ma sempre all'interno della giungla, fino a incontrare di nuovo la zona aperta, stavolta dal lato del cancello principale. Là mi sarei seduto e sarei rimasto appostato nel buio a osservare il bersaglio. Così facendo, non appena finito, con un balzo sarei stato sulla strada, in tempo per raggiungere Aaron all'incrocio per il RV delle tre. In qualsiasi altro modo sarei rimasto bloccato all'interno per tutta la notte.

Mi avventurai attraverso la spessa cortina di umidità. Subito, tra le foglie, mi apparvero l'asfalto bagnato e il cielo scuro e nervoso, e in quel momento attaccarono i BUB, *Basha-up beetles*, coleotteri fracassoni, con le loro grida acute. Li avevo intorno da ogni parte. Sembravano grilli con il megafono. Mi informavano che Dio stava per spegnere la luce e che bisognava andare a dormire.

Sulla cima degli alberi si sentiva il rumoreggiare dei tuoni in lontananza, poi il silenzio, come se la giungla trattenesse il fiato. Trenta secondi dopo sentii il primo scroscio d'acqua. Il rumore che faceva sbattendo sulle foglie riusciva a superare quello prodotto dai BUB, poi i tuoni si spostarono sopra di noi. Dopo altri trenta secondi l'acqua era penetrata attraverso il tetto di foglie e la sentivo sulla testa e sulle spalle.

Svoltai a destra e mi avviai verso la recinzione che correva parallela alla strada, sette, otto metri all'interno. Psicologicamente mi stavo preparando al disagio di trascorrere qualche ora al buio. Era comunque meglio passare il tempo in attesa di Aaron osservando il bersaglio piuttosto che restare a far niente giù all'incrocio. Il tempo trascorso in ricognizione non è quasi mai tempo sprecato. Inoltre non ero obbligato a strisciare per terra: la casa era troppo lontana perché potessero vedermi.

Avanzai cercando di catalogare mentalmente le cose che avevo notato del bersaglio. Mi fermavo ogni venti passi per controllare la bussola, mentre al di sopra del tetto di foglie i tuoni continuavano a rombare e la pioggia tamburellava sulle foglie e sulla mia testa. I jeans erano di nuovo scesi scoprendo una porzione di pelle, come capita ai muratori. Pazienza, mi sarei sistemato più tardi. Scivolavo e slittavo sul fango che giaceva sotto il fogliame marcito, ma volevo arrivare alla recinzione prima che fosse buio.

Una volta caddi sulle ginocchia, scontrandomi con la roccia nascosta sotto il fango. Rimasi seduto per un po' in mezzo al marciume con la pioggia che s'infilava negli occhi, nelle orecchie e lungo il collo, in attesa di far passare il dolore. Se non altro faceva caldo.

Mi rialzai, resistendo a malapena alla tentazione di grattarmi a sangue lo sfogo nella schiena. Pochi metri avanti la strada era bloccata da un grande tronco d'albero che stava marcendo. Non avevo voglia di fare una lunga deviazione per aggirarlo e poi tornare a controllare la bussola, così mi ci sdraiai sopra e lo superai strisciando. La corteccia si staccò dal tronco in decomposizione come la pelle di una pustola e il dolore al petto, provocato dal bestiale trattamento che mi avevano riservato Sundance e il suo compare nel garage, tornò a farsi sentire.

Mentre mi rialzavo e con gli occhi a terra cercavo di darmi una ripulita, notai sulla destra qualcosa di strano, qualcosa che non avrebbe dovuto trovarsi là.

Nella giungla non ci sono linee rette e nulla è mai perfettamente piatto; tutto è messo a caso. Tutto tranne quello.

Immobile, a cinque o sei metri da me, l'uomo mi stava fissando.

14

INDOSSAVA un poncho verde dell'esercito americano con il cappuccio tirato sopra la testa, e la pioggia sgocciolava dall'ampia tesa del cappello di paglia che ci stava appollaiato sopra.

Era un uomo minuto, alto circa un metro e settanta, e stava completamente immobile. Se fossi riuscito a vedergli gli occhi li avrei trovati sbarrati, in movimento da un lato all'altro, in preda all'indecisione. Battersi o battersela? Doveva essere nervoso. Io ero nervoso.

Il mio sguardo si spostò di scatto sui primi quindici centimetri di un machete che sporgeva dal nylon verde della mantella e su cui stava appoggiata la sua mano destra. Sentivo la pioggia battere sul nylon teso, come un rullo di tamburo, prima di sgocciolare negli stivali di gomma neri.

Non staccavo gli occhi dalla sezione visibile di quella che con ogni probabilità era una lama di machete lunga sessanta centimetri. Se si fosse mosso, si sarebbe mossa anche quella.

Non accadeva nulla, nessuna parola, nessun gesto, ma sapevo che uno dei due sarebbe stato colpito.

Eravamo fermi. Quindici secondi che sembrarono quindici minuti. Qualcosa andava fatto per rompere la situazione di stallo. Ancora non sapevo come avrebbe agito e secondo me non lo sapeva neanche lui, ma avevo la certezza che non mi sarei avvicinato a un machete senza qualcosa per proteggermi, anche solo un paio di pinze appuntite. Per trovare ed estrarre la lama del coltello del Leatherman avrei impiegato troppo.

Spostai la mano destra fino a tastare la piccola custodia in pelle umida. Con le dita aprii il gancio che lo teneva bloccato e sentii tra le dita il metallo del Leatherman. Tutto senza mai staccare gli occhi dal machete ancora immobile.

Aveva deciso. Con un urlo disumano si avventò contro di me.

Risposi. Mi voltai e presi a correre in direzione della strada. Molto probabilmente aveva pensato che stessi per impugnare una pistola. Non so cos'avrei dato per averne una. Correvo, continuando ad armeggiare per estrarre il Leatherman dalla custodia, poi ripiegai i manici su se stessi e le pinze vennero allo scoperto. Lui seguiva nella mia scia.

Stava urlando qualcosa. Ma cosa? Chiedeva aiuto? Mi intimava di fermarmi? Non era importante, la giungla ingoiava la sua voce.

Rimasi impigliato in un *wait-a-while*, che in quel momento mi parve carta velina. Sentivo la mantella di nylon sbattere alle mie spalle, e l'adrenalina schizzò a mille.

Vidi l'asfalto... una volta lì, con quegli stivali di gomma, non mi avrebbe più preso. Inciampai e caddi di culo, ma non mollai la presa sul Leatherman, come se la mia vita dipendesse da quello. *Ed era così.*

Sollevai lo sguardo verso di lui. Oscillò verso sinistra e si fermò. Aveva gli occhi grandi come piattini da caffè. Sollevò in aria il machete, io piantai le mani nel fango e arretrai scivolando e slittando nel disperato tentativo di alzarmi. Mentre la lama brillava nell'aria urlò ancora più forte.

Non era di buona qualità: la lama si scontrò con un rametto ed emise un rumore di latta. In una frenesia di urla e strepiti si avvitò su se stesso mostrandomi la schiena e scivolò anche lui con il culo nel fango.

Mentre cadeva, il poncho restò impigliato a un *wait-a-while* e rimase appeso in verticale. Strinsi il Leatherman nella destra e afferrai con la sinistra la stoffa che ondeggiava e tirai con tutte le mie forze. Ancora non avevo idea della prossima mossa. Una cosa sola avevo ben chiara, dovevo fermare il machete. Quest'uomo faceva parte dei ragazzi di Chan, quelli che avevano crocifisso a morte le loro vittime. Non avevo nessuna intenzione di unirmi al gruppo.

Tirai ancora e finì sulle ginocchia, poi con più violenza sino a farlo cadere all'indietro del tutto. Afferrai un'altra manata della mantella e tirai, poi mentre mi rialzavo afferrai anche il cappuccio stringendogli il collo. Sentivo la pioggia battere sull'asfalto esterno e mentre scalciava trascinai lui e il rumore che stavamo facendo all'interno della giungla, ancora incerto sul da farsi.

Teneva la mano sinistra intorno al cappuccio del poncho nel tentativo di proteggersi il collo dal nylon che lo stringeva. Con la destra impugnava il machete. Anche se non riusciva a vedermi dal momento che ero alle sue spalle, con la forza della disperazione continuava a menare il machete in giro. La lama squarciò il poncho.

La paura e la rabbia lo facevano urlare con tutto il fiato che aveva e intanto scalciava quasi fosse in preda a una crisi epilettica.

Come un pugile mi spostavo avanti e indietro e in alto e in basso, non sapevo bene il perché, semplicemente mi sembrava la reazione più naturale da tenere di fronte all'acciaio affilato che mi sventolava davanti al volto. Il suo culo avanzava come un cingolato sul fogliame e sui rami di palma. Visti dall'esterno potevamo sembrare una guardia forestale che trascina fuori dell'acqua, per la coda, un coccodrillo incazzato. A me importava solo di riuscire a trasportarlo all'interno della giungla e di evitare che la lama rotante mi colpisse.

E invece lo fece. Mi prese in pieno sul polpaccio destro.

Urlai per il dolore ma non mollai la presa e continuai a trascinarlo all'indietro. Non avevo scelta: se mi fossi fermato gli avrei dato la possibilità di alzarsi. E chi se ne fotte se qualcuno poteva sentirci. Stavo lottando per la mia vita.

Mentre il coccodrillo si dimenava contorcendosi sul terreno ci fu lo schianto di un altro potentissimo tuono, un fragore così forte e prolungato che sembrò non avere mai fine. Tuoni e fulmini scoppiarono in cielo coprendo le urla di lui e il clangore della pioggia.

Il dolore acuto del taglio si estese a tutta la gamba, ma

non potevo fare altro che continuare a trascinarlo all'interno della giungla.

Non vidi il tronco. Le mie gambe lo urtarono e si piegarono, e senza mollare il poncho caddi all'indietro contro una palma, investito da un torrente d'acqua piovana.

In quell'istante il dolore alla gamba svanì di colpo. Era più importante pensare ad altre cose, per esempio a restare in vita.

L'uomo avvertì che la presa intorno al collo stava cedendo, ne approfittò e si girò di scatto. Riuscì a mettersi in ginocchio e sollevò il machete. Indietreggiai arrancando su mani e piedi nel tentativo di rialzarmi e di tenermi fuori portata.

Bestemmiando e urlando in spagnolo mi si avventò contro come un forsennato. Feci in tempo a vedere due occhi neri inferociti mentre la lama del machete oscillava come un pendolo impazzito verso di me. Mi trascinai all'indietro e riuscii a rialzarmi. Era giunto il momento di ricominciare a correre.

Udii il sibilo del machete alle mie spalle. Troppo vicino. Stavo per morire.

'Fanculo, dovevo almeno provarci.

Mi voltai e, a testa bassa, con il corpo piegato in modo che l'unica zona scoperta fosse la schiena, mi slanciai contro di lui. Miravo a quella zona della mantella sotto la quale doveva trovarsi il suo stomaco.

Urlai più forte che potevo, più per me stesso che per lui. Dovevo essere molto veloce, se non lo fossi stato abbastanza lo avrei saputo subito perché la lama mi si sarebbe conficcata tra le spalle.

Nella mano destra tenevo ancora le pinze del Leatherman. Entrai in contatto; sentii il suo corpo che si piegava per il colpo e feci scattare il braccio sinistro intorno a lui nel tentativo d'immobilizzare il braccio che impugnava il machete.

Poi infilai con forza la punta delle pinze dentro il suo stomaco.

Insieme ci muovemmo all'indietro. Le pinze del Leatherman non erano ancora penetrate nella pelle: erano trattenute dal poncho o da qualsiasi altra cosa portasse sotto. Anche lui urlò, probabilmente perché sentiva il metallo che stava per bucarlo.

Finimmo contro un albero. La sua schiena ci poggiava contro. Sollevando la testa e il resto del corpo, feci forza con tutto il mio peso per riuscire a penetrare dentro la stoffa e dentro la carne.

Emise un lamento d'agonia e sentii il suo stomaco irrigidirsi. Poteva sembrare che stessimo facendo del sesso: io continuavo a spingere e a sbattere il mio corpo contro il suo con tutto il mio peso e le pinze tra noi. E alla fine sentii il suo corpo cedere. Fu come trapassare della gomma; e, una volta ben dentro, niente poteva farle uscire. Agitai la mano in su e in giù e in tondo, qualsiasi movimento che potesse aumentare il danno. Respiravo a denti stretti tenendo la testa sulla sua spalla sinistra, lui urlava a pochi centimetri dalla mia guancia. Tentò di mordermi, ma vidi i suoi denti e reagii con una testata che lo tenne lontano. Urlò così forte che riuscii a sentire la forza del suo fiato.

A quel punto non avrei saputo dire se avesse ancora in mano il machete. Sentii il profumo dell'acqua di colonia e la sua pelle morbida contro il collo mentre dimenava il viso da ogni parte, inarcando e contorcendo il corpo.

La ferita da taglio doveva essersi allargata, poiché mi sgocciolava addosso. Il sangue aveva superato il buco nel poncho e ne sentivo il calore sulle mani. Continuai a spingere e a tenere il corpo contro il suo usando le gambe per bloccarlo contro l'albero.

Emetteva suoni sempre più deboli e la sua bava calda mi colava sul collo. Ormai la mano e il poncho erano praticamente dentro il suo stomaco. Sentivo l'odore delle sue viscere.

Cadde in avanti e io caddi sulle ginocchia insieme con lui. Solo a quel punto ritirai la mano.

Quando il Leatherman venne fuori, spinsi via con un

calcio l'uomo e lui si mise in posizione fetale. Forse stava piangendo, difficile stabilirlo.

Mi allontanai in fretta, raccolsi il machete nel punto in cui l'aveva lasciato cadere e andai a sedermi contro un albero. Respiravo a fatica, incredibilmente sollevato che fosse tutto finito. Quando il mio corpo si rilassò il dolore alla gamba e al torace tornò. Sollevai i jeans tagliati e controllai i danni alla gamba destra. Mi aveva colpito dietro il polpaccio; il taglio era di una decina di centimetri e non troppo profondo, tuttavia abbastanza per fare uscire molto sangue.

La mano che impugnava ancora il Leatherman sembrava ridotta peggio, però la pioggia iniziò a diluire un sangue che non era mio. Cercai di estrarre la lama del coltello ma non era facile: mi tremava la mano, adesso che avevo allentato la presa, forse anche per lo shock. Alla fine dovetti usare i denti e quando la lama finalmente uscì la usai per tagliare le maniche della felpa. Ottenni delle strisce bagnate che usai come fasciatura girandole intorno alla gamba per comprimere la ferita.

Per cinque minuti buoni rimasi seduto nel fango. La pioggia mi cadeva con forza sulla faccia, dentro gli occhi, dentro la bocca, e mi gocciolava dal naso. Fissai l'uomo ancora rannicchiato, coperto di fango e di marciume.

Il poncho gli era finito intorno al torace, come un vestito sollevato, e la pioggia continuava a batterci contro come sulla pelle di un tamburo. Si teneva lo stomaco con entrambe le mani; il sangue, colando dalle fessure delle dita, luccicava. Le gambe facevano piccoli movimenti circolari come se stesse cercando di correre.

Mi spiaceva per lui ma non avevo avuto scelta. Quando quella lama così lunga e affilata come un rasoio aveva cominciato a roteare nell'aria, si era trattato o di lui o di me.

Non ero particolarmente fiero del mio operato, ma, quando mi resi conto che non mi ero imbattuto in un semplice taglialegna, lasciai cadere quel pensiero nel secchio della spazzatura mentale e richiusi bene il coperchio. Aveva unghie pulite e mani curate e, sebbene in quel momento i capelli fossero una poltiglia di fango e foglie, vidi che avevano un buon taglio, quadrati sul collo e basette corte. Poteva essere sulla trentina, ispanico, aspetto gradevole e barba rasata. Aveva una caratteristica strana: non aveva due sopracciglia, bensì una unica e spessa.

Quel ragazzo non era un bracciante, era un ragazzo di città; era quello che stava in piedi sul pianale del pick-up. Come aveva detto Aaron, era gente che non perdeva tempo, e mi avrebbe tagliato a metà senza pensarci due volte. Ma cosa ci faceva lì?

Rimasi seduto a fissarlo mentre calava il buio e i tuoni e la pioggia riprendevano le loro attività al di sopra del tetto di foglie. L'episodio aveva rovinato la fine del sopralluogo ed entrambi dovevamo scomparire. Con certezza si sarebbero accorti della sua assenza. Forse l'avevano già notata. Sarebbero venuti a cercarlo e se sapevano dov'era diretto non avrebbero avuto difficoltà a trovarlo, se lo avessi lasciato lì.

Richiusi il Leatherman e lo riposi nella sua custodia, domandandomi se Jim Leatherman avesse mai potuto immaginare che la sua invenzione sarebbe stata usata in quel modo.

Decisi che la recinzione era più vicina della strada: se andavo da quella parte almeno avrei avuto una guida per uscire dalla giungla.

Sopracciglio emetteva respiri poco profondi e rapidi e si comprimeva ancora lo stomaco con tutt'e due le mani. Borbottava debolmente con il viso contorto per il dolore. Gli aprii gli occhi. Anche con quella poca luce le pupille avrebbero dovuto reagire meglio: si sarebbero dovute chiudere più in fretta. Nessun dubbio, stava morendo.

Andai in cerca del suo cappello, con il machete in mano. Era in effetti un oggetto da poco, con il manico in plastica fissato ai lati da rivetti di metallo fragili e arrugginiti.

Ma cosa avrei fatto di lui una volta fuori di lì? Se fosse stato ancora vivo non avrei potuto portarlo in ospedale perché avrebbe parlato di me, cosa che avrebbe messo in allarme Charlie e compromesso il lavoro. Certo non potevo portarlo a casa di Aaron e Carrie perché li avrei messi nei guai. Sapevo solo che dovevo portarlo lontano da lì. Ci avrei pensato dopo.

Trovai il cappello e tornai da Sopracciglio, gli afferrai il braccio destro e lo issai su schiena e spalla con la presa del pompiere. Si lamentò e grugnì, e cercò in modo patetico di darmi dei calci.

Afferrai insieme braccio e gamba destri, poi feci qualche saltello per sistemarmelo bene sulle spalle. Il poco ossigeno che le ferite gli permettevano d'inspirare uscì fuori, cosa che lo fece stare sicuramente peggio, ma non potevo fare in modo diverso. Il poncho mi sventolò davanti alla faccia e dovetti scostarlo. Afferrai il cappello e, con il machete in mano, controllai la bussola e feci rotta verso la recinzione.

Si stava facendo sempre più buio; riuscivo a malapena a vedere dove mettevo i piedi. Sentii sul collo qualcosa di caldo e umido, più caldo della pioggia, e immaginai che fosse il suo sangue.

Avanzai a fatica e zoppicando, fermandomi di tanto in tanto per controllare la bussola. Non m'importava di nient'altro se non di raggiungere la strada e arrivare in tempo all'appuntamento. In pochi minuti arrivai alla recinzione. I BUB stavano raggiungendo il crescendo. Un altro quarto d'ora e sarebbe stato buio pesto.

Davanti a me si apriva un solido muro di pioggia che picchiava sul fango con violenza tale da creare piccoli crateri. Nella casa le luci erano già accese, e in una zona, probabilmente un corridoio, un immenso lampadario mandava i suoi bagliori attraverso un'ampia finestra. La fontana era illuminata ma non vedevo la statua. Ottimo, questo voleva dire che loro non potevano vedere me.

Per alcuni minuti seguii la recinzione; la testa e la mantella del mio passeggero rimanevano in continuazione impigliati in rami di *wait-a-while*, ed ero costretto a fermarmi e fare qualche passo indietro per liberarlo. Per tutto il tempo tenni gli occhi incollati alla casa. Incrociai uno stretto sentiero, apparentemente tracciato da qualche mammifero, che correva parallelo alla recinzione a una distanza di mezzo metro. Lo seguii, senza preoccuparmi di lasciare tracce nel fango smosso. La pioggia le avrebbe cancellate.

Avevo fatto forse dodici passi quando la gamba destra già zoppicante mi venne strappata di sotto e finimmo entrambi nel sottobosco.

Fui preso dal panico: era come se una mano invisibile mi avesse afferrato la caviglia e mi avesse gettato da una parte. Cercai di scalciare ma il piede continuava a restare impigliato. Tentai di allontanarmi strisciando senza però riuscirci. Vicino a me Sopracciglio emise un lamento di dolore.

Abbassai lo sguardo e vidi qualcosa di metallico che luccicava debolmente. Era un filo: ero finito su una tagliola; e più cercavo di liberarmi, più si serrava.

Mi voltai per vedere dov'era finito Sopracciglio. Era chiuso a riccio nel suo piccolo mondo, incurante dei tuoni e delle saette che echeggiavano nel cielo della notte.

Aprire il cappio fu abbastanza semplice. Mi alzai, raggiunsi Sopracciglio, me lo caricai di nuovo sulle spalle e ripresi il sentiero.

Mi trascinai barcollando per altri cinque minuti fino a raggiungere l'inizio del muro bianco in pietra grezza e, più o meno dieci metri dopo, l'alta cancellata in ferro. Fu piacevole sentire l'asfalto sotto i piedi. Svoltai a sinistra e mi allontanai dalla zona il più velocemente possibile. Se fosse sopraggiunto un veicolo non avrei potuto fare altro che buttarmi tra gli arbusti e sperare per il meglio.

Mentre mi trascinavo con il peso di Sopracciglio sulle spalle mi resi conto del dolore al polpaccio destro. Mi faceva così male che non riuscivo a sollevare il piede, per cui tenevo le gambe rigide muovendo il braccio libero avanti e indietro per darmi forza. La pioggia rimbalzava sull'asfalto per dodici centimetri buoni, producendo un incredibile frastuono. Continuavo a voltarmi indietro, perché mi ero reso conto che non sarei mai riuscito a sentire un veicolo avvicinarsi alle nostre spalle. I tuoni e i lampi persistevano imperterriti, ma dietro di me, come se stessi scappando da loro.

Ci misi più di un'ora, ma alla fine riuscii a raggiungere la porzione di giungla vicina all'incrocio. La pioggia era diminuita; la sofferenza di Sopracciglio no, e neppure la mia. Era così buio all'interno del tetto di foglie che non riuscivo a vedermi la mano davanti al viso; vedevo solo qualche puntino luminoso per terra, forse spore fosforescenti o forse qualche bestiola della notte che faceva una passeggiata.

Rimasi seduto per circa un'ora, durante la quale mi massaggiai la gamba, attesi Aaròn e ascoltai i lamenti di Sopracciglio e il rumore che faceva agitando le gambe in mezzo al fogliame. Poi i lamenti si affievolirono e dopo un po' cessarono del tutto. Carponi mi trascinai verso di lui, tastando il terreno alla ricerca del suo corpo. Dalle gambe risalii fino al volto, sentivo solo il respiro debole e ansante che cercava di farsi strada tra narici e bocca piene di muco. Estrassi il Leatherman e con la lama gli diedi qualche colpetto sulla lingua. Nessuna reazione, non mancava molto. Lo feci rotolare sulla schiena, mi misi sopra di lui e premetti il braccio destro contro la sua gola, la mano sinistra sul polso destro, spingendo con tutta la forza del mio peso. Fece poca resistenza. Oscillammo un poco quando le gambe scalciarono debolmente, una mano cercò a fatica di prendermi un braccio e l'altra di graffiarmi il viso. Mi limitai a spostare indietro la testa, in ascolto degli insetti e dei soffocati mugolii mentre continuavo a impedire che il sangue gli affluisse alla testa e l'ossigeno ai polmoni.

15

Mercoledì 6 settembre

È KEV, *il padre di Kelly. È riverso a terra sul pavimento del soggiorno, lo sguardo fisso e vuoto, la testa spappolata dalla mazza da baseball accanto a lui.*

C'è sangue sparso sul tavolino basso di vetro e sulla moquette spessa. Ce n'è anche sulle finestre del patio.

Metto un piede sul primo gradino. La moquette attutisce il rumore, ma nonostante questo ho l'andatura di chi cammina sul ghiaccio; con circospezione, poggiando sempre il piede nella parte interna, controllo con cura ogni gradino per evitare gli scricchiolii. Sono madido di sudore, forse qualcuno è nascosto lassù, pronto ad attaccare.

Arrivo al pianerottolo, sollevo la pistola sopra la testa e, usando il muro come appoggio, salgo le scale all'indietro, gradino dopo gradino...

La lavatrice al piano di sotto è nel pieno della fragorosa centrifuga finale. Alla radio, sempre rock morbido.

Mi avvicino alla stanza di Kev e Marsha e mi accorgo che la porta è appena socchiusa, e c'è un debole odore penetrante, quasi metallico... e puzza di merda; ho nausea ma so che devo entrare.

Marsha: è inginocchiata vicino al letto, la parte superiore del corpo è a braccia spalancate sul materasso, il copriletto è impregnato di sangue.

Mi impongo d'ignorare Marsha e procedo verso il bagno. Aida è riversa sul pavimento, la sua testa di bambina di cinque anni è praticamente staccata dalle spalle, trattenuta solo dalle vertebre che vedo spuntare.

Bang, *indietreggio, sbatto contro il muro e scivolo per terra. C'è sangue ovunque, ho sangue sulla camicia e sulle mani, sono seduto in una pozza di sangue che m'impregna i pantaloni. Sopra di me sento un forte cigolio di legno che si asse-*

sta... Lascio cadere l'arma, mi rannicchio e mi copro la testa con le mani. E Kelly? Dove cazzo è Kelly?

«Merda! Merda! Merda!»

Udii il fragore di rami spezzati seguito da un immediato schianto sordo nel sottobosco della giungla, abbastanza vicino perché sentii la terra vibrare sotto di me: esattamente quello che fa un albero da due tonnellate quando, essendo ormai morto, decide che non ha più voglia di restare in piedi.

Il rumore spaventò me, ma anche gli uccelli che oziavano sui rami. Udii uno stridio e il lento, pesante battito di ali che portava gli uccelli lontano da quell'inferno.

La caduta era stata seguita da un incredibile rovescio d'acqua trattenuta in alto dalle foglie. Mi tolsi la pioggia dal viso e mi alzai. *Merda, sta peggiorando, durante un lavoro non mi era mai successo, e mai a proposito di Kev e dei suoi. Sono troppo stanco, ecco cos'è, mi sento completamente svuotato...*

Mi scostai i capelli dalla fronte e ripresi il controllo.

Troppo stanco? E allora? Continua. Il lavoro è lavoro; falla finita con questa merda. Tu sai dov'è, è salva, non devi far altro che finire il lavoro in modo che lei resti in vita.

Nella giungla la caduta degli alberi morti è costante, e controllare se ci sono alberi o rami morti nei dintorni o sopra la testa quando si rimane all'interno per la notte è una procedura operativa standard da farsi con accuratezza. Avevo le gambe intorpidite e per muoverle un po' presi a marciare sul posto. *Per favore, non qui, non adesso.*

Secondo il Baby G erano le 2.23, mancava poco.

La pioggia era stata trattenuta per tutto il tempo in cui ero rimasto in quella posizione; di tanto in tanto, però, per qualche spostamento ne cadeva ancora una secchiata e nella discesa rimbalzava sulle foglie con un suono simile a quello di un dito che picchietta sul bordo di un tamburo, quasi a imprimere un ritmo alla mia marcia da fermo.

Erano quasi sei ore che mi trovavo in mezzo alle foglie marcite. Era come passare una notte fuori con le sole dotazioni da combattimento, cioè senza comodità: un'amaca per restare sollevato dal terreno e un poncho con cui coprirsi. Ci si deve organizzare alla meglio con quello che si porta appeso al cinturone: munizioni, cibo per ventiquattr'ore, acqua e occorrente per medicazioni. Io non avevo neppure quello. Mentre diventavo parte del sottobosco della giungla provavo una sofferenza insostenibile.

Smisi di marciare sul posto: la sensibilità era tornata. Ero riuscito ad avere la meglio sul jet lag, ma il mio corpo voleva disperatamente potersi raggomitolare e abbandonare in un sonno profondo. Ritrovai a tastoni il mio posto contro la corteccia dura e ruvida di un albero e subito venni circondato dai grilli invisibili. Allungai le gambe per far passare un crampo alla gamba buona e il dolore a quella ferita, che tastai per controllare che le bende di felpa fossero a posto; mi sembrava che avesse smesso di sanguinare, ma faceva male e immaginai che lì sotto dovesse esserci un bel casino. Sentivo il sangue pulsare contro i bordi della ferita.

Quando cambiai posizione per dare sollievo al culo intorpidito, le suole dei Timberland si scontrarono con Sopracciglio. Prima d'infilarmi tra gli alberi l'avevo perquisito, trovando un portafoglio e parecchi metri di filo di rame infilati in un sacchetto di stoffa legato alla cintura. Piazzava trappole. Molto probabilmente lo faceva per hobby: non avrei detto che gli abitanti di casa avessero bisogno di tacchini selvatici.

Ripensai alle cose che avevo fatto negli anni precedenti e in quel preciso momento mi accorsi di odiare tutti i lavori che avevo eseguito. Odiavo Sopracciglio perché mi aveva costretto a ucciderlo. Odiavo me stesso. Ero seduto in mezzo alla merda, preda di tutto quello che si muoveva, e dovevo uccidere ancora. In un modo o nell'altro era sempre andata così.

Prima della mezzanotte avevo sentito passare tre automobili: difficile dire se andavano verso la casa o ne stavano venendo via. Dopo, solo ronzio d'insetti. A un certo punto un gruppo di scimmie urlatrici ci oltrepassò, utilizzando la parte alta del tetto di foglie per orizzontarsi con la luce delle stelle. Lamenti e latrati esplosivi rimbombarono per la giungla, così forti che sembravano scuotere gli alberi. E mentre passavano da un albero all'altro, tra urla e strepiti, smuovevano l'acqua raccolta nelle gigantesche foglie e noi beccavamo un'altra doccia.

Ero seduto a massaggiarmi delicatamente la ferita alla gamba quando sentii intorno alla testa altri ronzii: s'interruppero un attimo prima che mi accorgessi che qualcosa mi stava mordendo. Mi schiaffeggiai la faccia e in quel momento udii un rumore tra le foglie seguito da un'altra doccia. Qualsiasi cosa fosse, per fortuna, sembrava se ne stesse andando. Meglio così.

Alle 2.58 percepii il rumore attutito di un'auto in avvicinamento. Stavolta il rumore non svanì. A poco a poco il motore superò il ronzio dei grilli, oltrepassando la mia postazione finché non sentii distintamente i pneumatici schizzare l'acqua da una buca piena d'acqua. Si fermò poco dopo, con un cigolio indice di freni non in ottime condizioni. Il motore ticchettava in modo irregolare. Doveva essere il Mazda.

Mi alzai appoggiandomi al machete e, mentre controllavo se i documenti erano ancora al loro posto, allungai le gambe nel tentativo di riscaldarle. Adesso che ero in piedi, la ferita mi faceva ancora più male e i vestiti sembravano più bagnati e pesanti. Mi ero arreso alla tentazione da ore e quindi mi grattai la schiena piena di protuberanze.

A tastoni trovai Sopracciglio e, afferrati un braccio e una gamba, me lo caricai sulle spalle. Il corpo era appena indurito, ma lontano dall'essere rigido. Probabilmente a causa del caldo e dell'umidità. A piccoli scatti lo sistemai in posizione e il braccio e la gamba liberi penzolarono nel vuoto.

Mi avvicinai lentamente verso il limitare degli alberi con

il machete e il cappello nella mano destra. Tenevo la testa angolata di quarantacinque gradi rispetto al terreno e gli occhi semichiusi per proteggerli dai *wait-a-while* che non potevo vedere. Per quello che servivano, potevo chiuderli del tutto.

Come uscii dalla foresta vidi la sagoma del Mazda inondata da un chiarore bianco e rosso che si rifletteva sull'asfalto bagnato. Posai Sopracciglio e il suo cappello in mezzo al fango e all'erba alta appena fuori della giungla. Dopo aver controllato che nell'auto ci fosse una sola sagoma, mi avvicinai sguazzando nel fango dal lato del passeggero, sempre con il machete in mano.

Aaron teneva entrambe le mani strette sul volante e alla fioca luce del cruscotto vidi che guardava fisso in avanti, rigido come un robot. Anche se il finestrino era abbassato sembrava non essersi accorto della mia presenza.

Dissi piano: «Hai trovato le bacche di quel barri-come si chiama?»

Fece un balzo in avanti sul sedile come se avesse visto un fantasma.

«È aperto dietro, amico?»

«Sì», rispose con voce tremante, annuendo ripetutamente.

«Bene, non ci metterò molto.»

Andai dietro, aprii la sponda ribaltabile e tornai a prendere Sopracciglio. Lo sollevai con le braccia, bilanciai il corpo all'indietro per sostenerne il peso e lo trasportai verso l'auto senza capire se Aaron potesse vedere quello che facevo. Quando rilasciai il corpo sul pianale pieno di cartacce, le sospensioni si abbassarono. Appoggiai il cappello e alla poca luce dei fanalini posteriori lo coprii alla meglio con la mantella, abbassai il portellone e lo chiusi piano fino allo scatto. Il finestrino posteriore era un ovale molto piccolo e molto sporco. Nessuno sarebbe riuscito a vederci attraverso. Feci il giro e mi issai sul sedile. L'acqua colò dai jeans e bagnò la coperta sopra il sedile. Aaron non si era mosso. «Andiamo, amico. Non troppo veloce, guida in modo normale.»

Spinse la levetta del cambio sulla D e partì. Una corrente d'aria fredda entrò dal finestrino e m'investì la faccia gonfia. Mi abbassai e posai il machete sotto il sedile mentre l'auto avanzava sobbalzando nelle buche piene d'acqua.

Dopo un po' Aaron trovò il coraggio di parlare. «Cos'hai messo dietro?»

Inutile tergiversare. «Un corpo.»

«Dio ci scampi.» Guardò avanti e si passò le mani tra i capelli e poi sulla barba. «Dio ci scampi... Cos'è successo?»

Non risposi. Un rumore di carta vetrata – la sua barba – accompagnava il movimento della mano sinistra, con cui sembrava voler scacciare i demoni dal volto.

«Adesso cosa facciamo, Nick?»

«Ti spiegherò dopo, va tutto bene, niente di cui preoccuparsi.» Cercai di mantenere un tono di voce calmo e rassicurante. «Pensiamo solo a uscire di qui e io poi risolverò il problema, ti va bene?»

Accesi la luce interna, estrassi il portafoglio di Sopracciglio e lo aprii. C'erano pochi dollari; la carta d'identità con la fotografia mi disse che si chiamava Diego Paredes e che era nato nel novembre del '76. Due mesi prima, io mi arruolavo nell'esercito. C'era anche un ritaglio di foto di lui con altre persone, genitori forse, fratelli e sorelle, vestiti eleganti, seduti a tavola con i calici sollevati per brindare alla macchina fotografica.

Aaron aveva visto. Disse: «È il figlio di qualcuno».

Ma non lo siamo tutti? Riposi tutto negli scomparti di pelle.

Doveva avere un milione di cose da dire che gli frullavano nella testa. «Non lo portiamo in ospedale? Non possiamo tenerlo lì dietro, per l'amor di Dio.»

Cercai di mostrarmi tranquillo. «Però dobbiamo, almeno per il momento.» Mi voltai a guardarlo ma lui non ricambiò lo sguardo, limitandosi a fissare i fari che illuminavano la strada. Era in un mondo tutto suo, un mondo pieno di paura.

Continuai a fissare il profilo del suo viso, ma lui non riuscì ad affrontare lo sguardo diretto. «È un uomo di Charlie. Se trovano il suo corpo, saremo *tutti* in pericolo, tutti. Perché correre questo rischio?» Attesi in modo che potesse rifletterci. Sapeva di cosa stavo parlando. Una minaccia che coinvolge moglie e figli fa invariabilmente cambiare il modo di pensare.

Avevo bisogno di infondere fiducia in quest'uomo, non ansia. «So quello che faccio e per ora deve venire con noi. Una volta usciti di qui, lo scarichiamo in un posto dove non lo troverà più nessuno.»

O per lo meno, ma questo riguardava solo me, non prima di sabato.

Durante il tragitto lungo la giungla e fino alla città fantasma di Clayton ci fu un lungo, imbarazzato silenzio. Gli abbaglianti evidenziarono le ombre delle case vuote, baracche, e strade e parchi giochi deserti. Di notte sembrava ancor più abbandonata, come se l'ultimo soldato americano, prima di andarsene per sempre, avesse spento la luce.

Svoltammo un angolo e dopo pochi chilometri scorsi i fari della chiusa che luccicava come una grande isola di luce bianca. Sulla destra, l'armamento di una portacontainer carica, mezza nascosta in attesa che l'acqua all'interno della chiusa sollevasse l'imponente fardello.

16

Ero troppo incazzato per preoccuparmi di qualcosa. Aaron era invece decisamente agitato. Con la sinistra continuava a torturarsi la barba e la pelle del viso, sbirciando attraverso il finestrino posteriore per tentare di individuare nel buio il cadavere.

Parallelo alla strada che percorrevamo c'era un profondo canale in cemento, a forma di U, per lo scarico delle acque piovane. Dissi ad Aaron di fermare e di spegnere i fari. Per la prima volta mi guardò in viso: si augurava che avremmo fatto qualcosa per Sopracciglio.

Feci un cenno in direzione delle luci. « Prima di occuparmi di tutto il resto devo darmi una ripulita. » Per affrontare l'attraversamento della città volevo riacquistare un aspetto più o meno decente, in caso ci avessero visto o fermato. Da quelle parti essere bagnato non è un fatto insolito, vista la pioggia che viene. Se gli avessi detto che era l'ora delle mie preghiere quotidiane, probabilmente mi avrebbe risposto allo stesso modo.

« Va bene. »

A fatica estrassi dal Mazda il mio corpo dolorante e osservai quello che accadeva sotto i riflettori. I tozzi locomotori elettrici si muovevano avanti e indietro lungo i binari di fianco alla nave. Da quella distanza sembravano giocattoli ed erano troppo lontani per poterne distinguere chiaramente il rumore. Fino a noi giungeva solo una versione silenziata delle informazioni di servizio diffuse dagli altoparlanti. Il bagliore dei potenti riflettori, invece, forniva la luce sufficiente per vedere quello che avevamo intorno e avvolgeva il Mazda di una debole ombra. Ci girai intorno e andai ad aprire il portellone posteriore per dare una controllata a Sopracciglio. Doveva aver navigato un bel po' sul pianale e adesso era schiacciato contro la carrozzeria laterale, naso e bocca compressi, braccia all'indietro. Il fetore di sangue e budella era così forte che fui costretto a voltare la testa. Lo stesso odore di un freezer dopo una lunga interruzione di corrente.

Lasciai il portellone sollevato e scesi per un paio di metri lungo la sponda del canale in cemento fin dove scorreva l'acqua piovana. Pezzi di alberi e di vegetazione mi passarono veloci tra le gambe, mentre estraevo il sacchetto di plastica da sotto la giacca e lo infilavo in una fessura tra due blocchi di cemento. Anche se da lì avessi dovuto fuggire nudo come un verme, lo avrei fatto armato dei miei documenti.

Mi accucciai al margine del ruscello e rimossi il fango, il sangue e la poltiglia di sottobosco che mi ricoprivano, come se facessi un bagno con i vestiti addosso. Non mi preoccupai di controllare la ferita; ci avrei pensato più tardi. Per il momento le bende della felpa potevano bastare. Rimasi seduto nell'acqua a riposare per qualche secondo.

Mi tolsi il giubbotto e mi accorsi di una cosa che fino a quel momento non avevo notato: il cielo era terso e pieno di stelle che brillavano come le fosforescenze nel sottobosco della giungla.

Sentii la portiera di Aaron aprirsi cigolando, guardai in su e vidi la sua sagoma contro il bagliore del canale. Ormai quasi nudo, sciacquai i jeans, li strizzai e li buttai sull'erba, poi ispezionai lo sfogo sulla schiena e sul viso.

Lo osservai infilare con cautela la testa nel retro del furgone. Si ritrasse di scatto e si voltò. Stava vomitando. Sentii il vomito schizzare sulla fiancata del veicolo e sull'asfalto, poi gli ultimi conati per espellere quei piccoli pezzi che restano tra la gola e il naso.

Ripresi i documenti e mi arrampicai sull'erba, indossando in fretta i vestiti bagnati. Aaron, tra colpi di tosse e sbuffi, tornò al volante, asciugandosi la barba con il fazzoletto. Schivando la pozza di vomito sulla strada, coprii di nuovo Sopracciglio, abbassai il portellone e salii a fianco di Aaron, facendo finta di non aver visto niente di quello che era appena successo, anche se l'odore del suo alito parlava chiaro. « Molto meglio, bagnato ma quasi pulito. » Sorrisi, cercando di usare un tono lieve.

Aaron non rispose. Bastava la poca luce che c'era per capire che stava malissimo. Aveva gli occhi lucidi e faceva respiri brevi e veloci, continuando a deglutire a forza, forse per evitare di riprendere a vomitare. Il pomo d'Adamo, grande e coperto di peli, si muoveva in su e in giù come un galleggiante quando un pesce abbocca. Forse non si era neppure reso conto che avevo parlato. Si strofinava la barba corta e ispida con la mano tremante, perso nei suoi pensieri.

« Andiamo a casa tua, allora... Quanto hai detto che ci vuole? »

Gli diedi qualche colpetto sulla spalla, lui annuì e girò la chiavetta di accensione con un altro colpo di tosse. « Certo », mormorò, come rassegnato. Poi aggiunse: « Circa quattro ore, forse qualcosa di più. Le piogge sono state molto forti ».

Con uno sforzo, cercai di mantenere un tono di voce allegro, anche se non avevo ancora chiaro cosa fare e cosa dire. « Allora sarebbe meglio andare, non trovi? »

Attraversammo Fort Clayton e raggiungemmo l'arteria principale; la sbarra era alzata, forse il vecchietto della sicurezza di notte non lavorava. Mi ero sbagliato, i semafori non erano in funzione neppure adesso che c'era poco traffico.

Svoltammo a sinistra, lasciando la chiusa e Clayton alle nostre spalle. Procedevamo in silenzio. Nel cielo scuro della notte un arco di luce in lontananza indicava la posizione della città, insieme con le luci rosse lampeggianti dalla vetta di una moltitudine di torri di comunicazione. Aaron si limitava a guardare fisso davanti a sé continuando a deglutire.

Dopo un po' arrivammo ai caselli per il pagamento del pedaggio illuminati da riflettori, vicino alla base aeronautica di Albrook. Ci avvolse il rumore del terminal degli autobus, dove stavano lavando i mezzi con pompe elettriche. Un numero sorprendentemente alto di lavoratori era in attesa di un mezzo di trasporto; quasi tutti reggevano un contenitore termico e fumavano.

Aaron passò quasi un minuto fermo al casello a frugarsi nelle tasche e a cercare nel cruscotto. Una donna di mezz'età parecchio annoiata guardava nel vuoto con la mano tesa, senza dubbio sognando il momento in cui, alla fine del turno di lavoro, sarebbe salita su uno di quegli autobus.

Mentre percorrevamo la strada piena di buche verso la città addormentata passando per El Chorrillo, lasciai ciondolare la testa avanti e indietro. Qua e là qualche luce era accesa nei condomini e alcuni cani bastardi e rognosi si muovevano furtivi lungo un sentiero laterale. Poi una BMW nera ci superò sgommando a una velocità folle. Cinque o sei teste con le sigarette accese in bocca si muovevano a scatti, avanti e indietro, al ritmo di musica latina mentre sfrecciavano lungo la strada. La BMW aveva fari di colore violetto e un bagliore fluorescente che proveniva da sotto la carrozzeria la faceva sembrare sospesa in aria. La seguii con gli occhi fino a quando non piegò verso destra. I pneumatici fischiarono. Sembrava di essere sul set di *NYPD Blue*.

Guardai Aaron. Molto probabilmente non avrebbe reagito nemmeno se lo avesse superato l'*Enterprise*. Fece una smorfia e alcune rughe profonde gli solcarono il viso. Procedevamo a balzelli e pensai che stesse per sentirsi di nuovo male. All'incrocio svoltammo a destra, come la BMW. Ripassammo davanti al chiosco della Pepsi, sbarrato per la notte, e quindi nella zona del mercato.

Decisi che era il caso di dire qualcosa per riempire il silenzio, solo che non sapevo cosa. Allora mi concentrai sulla spazzatura che straripava dai cartoni bagnati ai bordi della strada e sui gatti che si disputavano gli avanzi di cibo.

Alla fine fu Aaron a rompere la situazione di stallo. Prima di parlare si pulì il naso con il dorso della mano. «Nick...?»

«Cosa c'è?» Ero così stanco che facevo fatica a parlare.

«È questo che fai? Uccidi le persone? Cioè, lo so che succede, è solo che...»

Indicai il machete per terra davanti al sedile. «Questo affare per un soffio non mi amputava una gamba; se le cose fossero andate come voleva lui, a volar via poteva essere la mia testa. Mi spiace, amico, non potevo fare altro. Me ne libero non appena arriviamo dall'altra parte della città.»

Non rispose, ma annuì, fissando con attenzione il parabrezza.

Raggiungemmo nuovamente la baia. In mare aperto lampeggiavano le luci di navigazione di diverse navi. Poi mi resi conto che Aaron aveva cominciato a tremare. Aveva visto un'auto della polizia ferma più avanti sul bordo della strada, con due poliziotti dall'aria annoiata che fumavano e leggevano il giornale. Mi schiaffeggiai mentalmente, evitando che lui se ne accorgesse.

Mantenni un tono di voce calmo. «Non ti agitare, guida in modo normale, va tutto bene.»

Naturalmente non era vero: potevano fermare un vecchio Mazda solo per rompere la noia.

Passammo, quello al volante sollevò gli occhi dal giornale e si voltò a dire qualcosa al compagno. Senza distogliere lo sguardo dallo specchietto retrovisore rotto che mi mostrava quattro macchine della polizia, dissi: «Va tutto bene, amico, nessun movimento là dietro. Sono fermi. Non superare il limite di velocità e sorridi».

Non so se mi rispose. Mantenni gli occhi incollati allo specchietto finché le auto non uscirono dalla visuale. Mi vidi in faccia per la prima volta. Una piacevole sorpresa. L'occhio sinistro era mezzo chiuso ma non gonfio come pensavo.

Mi girai per vedere come stava Aaron e la risposta fu: molto male. Il giro nel mio piccolo pianeta non lo stava divertendo per niente. Mi domandai come e perché fosse stato coinvolto in questa merda. Forse non aveva avuto scelta. O forse, come Diego e come me, si trovava nel posto sbagliato al momento sbagliato.

Avanzando tra le pozzanghere attraversammo la piccola Manhattan, dove le grandi insegne al neon sui tetti degli edifici irradiavano lampi di luce sull'asfalto bagnato. Era un mondo decisamente diverso da El Chorrillo e lontano un'intera galassia da quello che era appena successo nella vecchia Zona.

Aaron diede un piccolo colpo di tosse. «Ma tu sai cosa fare del ragazzo, vero, Nick?»

«Una volta usciti dalla città, dirigendoci verso casa tua, troviamo un posto dove nasconderlo. Hai qualche suggerimento?»

Aaron scosse piano la testa da parte a parte. Non capii se era una risposta o se semplicemente la lasciasse dondolare. «Ma non possiamo lasciarlo marcire così... Dio ce ne scampi. È un essere umano, per l'amor del cielo.» C'era rassegnazione nella sua voce. «Se vuoi, lo seppellisco io. Vicino a casa nostra c'è un antico insediamento di non so quale tribù. Lì nessuno lo troverà mai. È la cosa giusta da fare. Di qualcuno è figlio, Nick. E forse è anche il padre di qualcuno. La famiglia della foto non merita tutto ciò.»

«Sicuro che non ci va nessuno?»

Fece cenno di no con la testa. «Negli ultimi cento anni, no.»

Non avevo intenzione di mettermi a discutere. Se aveva voglia di scavare una fossa, io non avevo niente in contrario.

Tornai a fissare le luci al neon augurandomi che fosse uno come lui a trovare il mio corpo, un giorno.

Arrivammo al pagamento del pedaggio sulla via dell'aeroporto, all'altro capo del quartiere degli affari, e stavolta presi un dollaro dei miei. Non volevo che sostassimo più a lungo del dovuto. Ci sarebbe voluto troppo tempo per spiegare la presenza di Diego.

Mi ringraziò per i soldi e disse: «*Gracias*» alla donna che li prendeva, con un tono di voce estremamente triste. Nessun dubbio: per lui era una notte da dimenticare.

Le luci scivolarono allc nostre spalle quando imboccammo la strada che portava fuori città. Estrassi di nuovo il portafoglio, accesi la luce interna e osservai la foto della famiglia di Diego. Pensai a Kelly e a come sarebbe stata la sua vita se fossi morto prima di risolvere tutto il casino che avevo creato. Pensai a tutte le cose che avrei voluto dirle e che non ero mai riuscito a dire.

Mi domandai se anche la mamma di Diego avrebbe voluto dire le stesse cose a suo figlio, quanto gli voleva bene, o magari chiedergli scusa per quella stupida lite che avevano avuto. Forse erano queste le cose che Diego aveva pensato in un lampo poco prima di morire, cose che, nel momento stesso in cui io lo uccidevo, avrebbe voluto dire a quella gente che alzava i calici verso la macchina fotografica.

Stavamo prendendo velocità e l'aria che entrava dal finestrino era abbastanza fresca. Lo chiusi a metà in modo da restare sveglio, e cercai di concentrarmi su ciò che avevo visto durante la ricognizione e di mettermi al lavoro. E invece mi ritrovai a desiderare di raggomitolarmi come un bambino di sette anni che avrebbe fatto qualunque cosa per tenere lontani i mostri della notte.

«Nick! La polizia! Nick, cosa facciamo? Svegliati! Ti prego!»

Cominciai a calmarlo prima ancora di aprire gli occhi. «Va tutto bene, non ti preoccupare, andrà tutto bene.» A fatica misi a fuoco il posto di controllo veicoli poco più avanti, in mezzo al nulla: due fuoristrada della polizia affiancate e con il muso rivolto verso sinistra bloccavano la strada. Vedevo delle sagome umane muoversi intorno alle due paia di fari che fendevano l'oscurità. Provai la sensazione di andare dritto nella Zona Crepuscolare, della vita naturalmente. Il piede di Aaron era bloccato sul pedale dell'acceleratore.

«Rallenta, cazzo, calmati.»

Uscì dallo stato di trance e schiacciò il freno.

Eravamo ormai così vicini al posto di blocco che riuscivo

a vedere la luce dei nostri fari riflettersi sui finestrini delle due 4x4. Con qualche colpetto al freno, Aaron fermò completamente. Ci fu un profluvio di urla in spagnolo, dopo di che fecero la loro comparsa le canne di mezza dozzina di M16. Appoggiai le mani bene in vista sul cruscotto.

Quando Aaron spense i fari e il motore, tre fasci di luce si stavano dirigendo verso di noi. Non urlavano più. Adesso sentivo solo il tonfo di stivali sull'asfalto.

17

I TRE uomini che si avvicinavano con gli M16 spianati indossavano l'uniforme verde oliva di servizio. Si separarono, due a sinistra verso Aaron e l'altro a destra verso di me. Aaron iniziò ad abbassare del tutto il finestrino. Respirava sempre più in fretta.

Un brusco comando in spagnolo e l'uomo più vicino mise a tracolla il fucile d'assalto. Aaron sollevò il sedere dal sedile e si frugò nella tasca posteriore. Oltre i fari delle 4x4, dove altre sagome si muovevano nel buio, vidi il bagliore rosso di sigarette accese.

Un cappello da baseball verde e un gran paio di baffi neri si spinsero attraverso il finestrino di Aaron e mi domandarono qualcosa. Non risposi. Non avevo idea di che cosa mi stessero chiedendo e non riuscii a scavarmi dentro per trovare l'energia necessaria a mostrare un barlume d'interesse. Il suo M16 gli rotolò dalla schiena e cozzò contro la portiera. Vidi i gradi da sergente e il distintivo POLICIA sulla manica.

«Vuole i tuoi documenti, Nick.»

Aaron mostrò i suoi. Il sergente, che aveva smesso di urlare, glieli strappò di mano e si allontanò dal finestrino per controllarli alla luce della torcia.

«Nick? I tuoi documenti. Ti prego, non irritare questa gente.»

In stato di completa apatia estrassi da sotto il giaccone la busta di plastica e presi a frugarci dentro come un bambino nel cestino della merenda. Desideravo solo che tutto finisse.

Il poliziotto dalla parte di Aaron era rimasto alle spalle del sergente con il fucile a tracolla. Sentii un rumore di stivali dietro il furgone, ma nello specchietto non riuscii a vedere niente.

Cercai di recuperare il controllo. *Si può sapere che cazzo stai facendo? Sveglia! Datti una mossa!*

Il cuore ritrovò qualche battito e mentre trafficavo nel sacchetto presi mentalmente nota di dove si trovava la maniglia della portiera e controllai che la sicura fosse sollevata. Stato letargico o no, se avessi sentito il cigolio delle cerniere arrugginite del portellone posteriore mi sarei messo a correre come un centometrista. Allungai il passaporto ad Aaron perché lo desse al sergente. Sapevo che stavo reagendo con troppa lentezza.

Che cazzo, dietro c'è un cadavere!

Il sergente farfugliò qualcosa mentre ispezionava con la torcia il mio passaporto.

Compresi solo qualche parola della risposta di Aaron: «*Britanico... amigo... vacaciones...*» che pronunciò come un alienato, come se fosse affetto da qualche malattia nervosa.

A quel punto il sergente aveva in mano i documenti di entrambi, cosa che mi avrebbe creato qualche problema se avessi deciso di darmi alla macchia. Senza passaporto mi sarebbero rimaste due sole possibilità, andare verso ovest o rifugiarmi all'ambasciata.

Aspettai a orecchie tese il cigolio del portellone che si apriva. Mi passai le mani tra i capelli, senza staccare gli occhi dalla maniglia della portiera e cercando di visualizzare la via di fuga, in verità non troppo impegnativa: solo tre passi a destra verso il buio. Da lì in avanti avrei improvvisato.

Il sergente che si piegava all'interno e borbottava qualcosa ad Aaron indicando i miei vestiti mi riportò alla realtà. Aaron rispose in tono divertito e con una risata forzata si voltò verso di me. «Tu sei un mio amico e sono venuto a prenderti all'aeroporto. Avevi tanta voglia di vedere la foresta pluviale che ti ho portato fuori città. Adesso che l'hai vista hai giurato di non tornarci mai più. È stato tutto molto divertente, ti prego, fai almeno un sorriso.»

Anche il sergente scoppiò a ridere e mentre ci rendeva i documenti raccontò all'uomo alle sue spalle cos'aveva fatto quel coglione di un *britanico*. Poi con una pacca sul tetto del Mazda si unì agli altri che tornavano alle auto di pattuglia. Per un po' continuarono a indicarmi e a urlare, poi sentii i motori salire di giri e vidi le auto spostarsi e liberare la strada.

Aaron mise in moto tremando come una foglia, ma, a beneficio dei poliziotti, dalla vita in su riuscì a sembrare rilassato e sicuro di sé. Arrivò persino a fare un cenno di saluto mentre passavamo. I nostri fari inquadrarono quattro o cinque corpi allineati con la schiena a terra lungo la strada. I vestiti erano lucidi di sangue. Uno dei ragazzi aveva la bocca aperta, le braccia spalancate e gli occhi sbarrati verso il cielo. Mi voltai e mi concentrai sulla zona scura oltre i fari.

Nei dieci minuti che seguirono Aaron non disse niente; continuavamo a sobbalzare sulla strada piena di buche, la luce dei fari ondeggiava. Poi di colpo fermò l'auto, mise il selettore in posizione di parcheggio e schizzò fuori come se stesse per scoppiare una bomba. Si appoggiò al cofano. Sentii i conati ma non gli uscì nulla. Aveva dato tutto a Clayton.

Lo lasciai in pace. Lo avevo fatto anch'io quando ero agli inizi: vieni travolto dal terrore allo stato puro e non puoi fare altro che resistere fino a quando la situazione di pericolo non termina. Poi, quando hai il tempo di pensare, non solo a quanto è appena successo, ma anche a quello che poteva succedere se qualcosa fosse andato storto, è il momento in cui ti separi dall'ultimo pasto. Il suo comportamento era assolutamente normale. E invece non era per niente normale come mi ero comportato io.

Quando richiuse la portiera asciugandosi gli occhi pieni di lacrime, le sospensioni cigolarono. Il suo imbarazzo era evidente, non riusciva a guardarmi. «Mi spiace, Nick, penserai che sono un incapace. I tipi come te riescono ad affrontare roba del genere, ma io non ne ho proprio la stoffa.»

Sapevo che non era esattamente così, ma non riuscivo a

trovare le parole per esprimermi. Non riuscivo mai a trovarle in situazioni simili.

«Qualche anno fa ho visto uccidere due uomini. E ho avuto gli incubi. Poi il cadavere di Diego e di quei ragazzi laggiù fatti a pezzi, proprio non...»

«Ti hanno spiegato quello che è successo?»

«Una rapina. Le FARC. Li hanno massacrati con uno di quelli.» E indicò il machete. «È piuttosto strano, normalmente non se la prendono con la gente di qui. Non hanno soldi.» Fece un sospiro, appoggiò entrambe le mani sul volante e si sporse un poco in avanti. «Hai visto cos'hanno fatto a quei ragazzini? Mio Dio, come ci si può comportare così?»

Volevo cambiare discorso. «Ascolta, amico, credo che sia meglio se ci liberiamo di Diego. Non appena fa luce cerchiamo un posto dove nasconderlo. Non possiamo rischiare di trovarci di nuovo in una situazione del genere.»

Abbassò la testa fin sul volante e annuì lentamente. «Sicuro, sicuro, hai ragione.»

«Andrà tutto bene, lo troveranno, prima o poi, e gli daranno degna sepoltura...»

Procedemmo. Nessuno di noi due aveva più voglia di parlare di Diego e di cadaveri.

«Su che strada siamo?»

«Sulla Pan-American Highway.»

Non ne aveva per niente l'aspetto. Avanzavamo tra buche e fossi.

«È la strada che congiunge l'Alaska al Cile, l'unica interruzione sono i centocinquanta chilometri della zona di Darién Gap. Si è parlato di congiungerla, ma, con i casini che ci sono in Colombia e la distruzione delle foreste, tutti preferiscono che resti così.»

La parte meridionale la conoscevo molto bene, avendola già percorsa più di una volta. Ma volevo continuare a parlare. Mi permetteva di non pensare. Mi piegai e massaggiai la felpa arrotolata intorno alla gamba. Adesso mi faceva molto male. «Davvero? E perché?»

«È l'estensione di foresta pluviale più ampia di tutta l'America. Se non ci sono strade vuol dire che non ci sono taglialegna né agricoltori, in un certo senso è una specie di zona cuscinetto con la Colombia. Da queste parti la chiamano la Bosnia occidentale...»

I fari sfioravano i lati della strada senza illuminare nulla. «Ed è lì che andiamo, al Gap?»

Fece cenno di no con la testa. «Anche se fosse così, la strada diventa poco più di una pista, assolutamente impraticabile con questa pioggia. Usciamo a Chepo, tra una decina di minuti o poco più.»

Dagli angoli del cielo stava spuntando l'alba. Per un po' avanzammo sobbalzando in silenzio. Il mal di testa mi stava uccidendo. I fari illuminavano solo ciuffi d'erba e buche di fango e acqua. Quel posto era arido come un paesaggio lunare. Per niente adatto a nascondere un corpo. «Non c'è troppa foresta da queste parti, giusto?»

«Che vuoi che ti dica? Se c'è una strada ci sono i taglialegna. E loro non smettono finché non hanno tagliato tutto. Non è solo questione di soldi: qui la gente pensa che sia molto virile tagliare gli alberi. Ho calcolato che meno del venti per cento della foresta di Panama sopravvivrà nei prossimi cinque anni. Zona compresa, naturalmente.»

Pensai a Charlie e alla sua nuova tenuta. Non erano solo i taglialegna a far fuori gli alberi della giungla di Aaron.

La pallida luce del giorno si aprì un varco nel cielo. Una nebbia primordiale avvolse il territorio. Uno stormo di un centinaio di grandi uccelli neri che assomigliavano in modo preoccupante a pterodattili si alzò in volo davanti a noi.

Più avanti sulla sinistra vidi la macchia scura degli alberi e la indicai. «Che ne dici?»

Aaron meditò per qualche secondo; era evidente che stava male di nuovo, come se fosse riuscito, ma solo per poco, a non pensare al contenuto del bagagliaio. «Può andare, anche se non siamo lontani da dove si potrebbero fare le cose nel modo giusto.»

«No, amico, no. Facciamolo ora.» Cercai di non alzare la voce.

Ci fermammo a lato della strada, sotto gli alberi. Non c'era tempo per troppe cerimonie. «Mi aiuti?» chiesi prendendo il machete da sotto il sedile.

Ci pensò a lungo. «Non voglio vederlo là sotto, mi resterebbe per sempre quell'immagine in mente. Riesci a capirmi?»

Sì, ci riuscivo: la mia testa era piena di una quantità di immagini che non avrei voluto conservare. La più recente era quella di un ragazzino coperto di sangue che fissava il cielo a bocca spalancata.

Gli uccelli cantavano con energia quando scesi dall'auto: l'alba era vicina. Trattenni il fiato e aprii il portellone, quindi tirai fuori Diego prendendolo sotto le ascelle e lo trascinai sotto gli alberi. Mi concentrai per non guardarlo e non sporcarmi di sangue.

Dopo dieci metri all'interno della penombra del tetto di foglie, lo feci rotolare, insieme con il machete ben ripulito, sotto un albero morto che stava marcendo. Lo ricoprii di foglie e detriti. Mi bastava che nessuno lo scoprisse prima di sabato. Dopo la mia partenza, Aaron poteva venire e fare quello che avrebbe voluto fin dall'inizio. Ritrovarlo non sarebbe stato difficile: il ronzio delle mosche avrebbe fatto da segnale radio.

Dopo aver richiuso il portellone tornai all'interno della cabina e sbattei la portiera. Mi aspettavo che mettesse in moto e invece si girò verso di me. «Sai una cosa? Penso che sarebbe meglio se Carrie non sapesse niente di tutto questo, Nick. Non lo credi anche tu? Sai...»

«Amico, mi hai tolto le parole di bocca.» Cercai di sorridergli, ma i muscoli delle guance non risposero.

Annuì e riprese la strada. Tornai a raggomitolarmi e chiusi gli occhi per cercare di far passare il mal di testa, ma non osai addormentarmi.

Dopo una quindicina di minuti incontrammo un gruppo di baracche. All'interno di una di queste c'era una lampada a olio che illuminava una stanza piena di vestiti sbiaditi di tutti i colori appesi ad asciugare. Le baracche erano blocchi di calcestruzzo con lamiera ondulata buttata sopra, le porte tavole grezze inchiodate a un telaio. Le finestre erano prive di vetri e nulla impediva di entrare al fumo dei piccoli fuochi che bruciavano senza fiamma davanti alle porte. All'avvicinarsi del Mazda alcune galline molto magre scapparono al riparo. Niente che assomigliasse alle foto della rivista sull'aereo.

Mentre passavamo Aaron agitò il pollice alle sue spalle. «Quando se ne vanno i taglialegna, arrivano questi qui: contadini poveri, a migliaia, disgraziati che cercano di coltivare qualcosa per mangiare. Ma il problema è che senza alberi lo strato superficiale del suolo viene spazzato via e dopo due anni l'unica cosa che riescono a coltivare è l'erba. E indovina chi viene dopo? Gli allevatori.»

Vidi qualche mucca denutrita che pascolava a testa bassa. Lui agitò di nuovo il pollice. «La settimana prossima saranno hamburger.»

Senza avvertire, Aaron girò il volante a destra, il che stava a significare che eravamo usciti dalla Pan-American Highway. Nessun segnale sullo svincolo sterrato. Esattamente come in città. Forse il sistema in vigore era di lasciare la popolazione nell'ignoranza.

Scorsi un ammasso di tetti di lamiera ondulata. «Chepo?»

«Esatto, la faccia brutta e triste.»

La strada di ghiaia compatta ci condusse ad altre capanne di contadini, queste poggiate su pali e più sparpagliate. Sotto le capanne, galline e gatti si aggiravano tra cumuli di metallo arrugginito e cataste di lattine. Dai comignoli di qualche baracca usciva del fumo. I comignoli erano di argilla o di latta. Uno era fatto da una pila di sei o sette grosse lattine per alimenti cui era stato tolto il fondo da entrambe le estremità. Ma, a parte questo, non c'era nessun segno di vita. La faccia triste e brutta di Chepo non aveva nessuna fretta di dare il benvenuto al nuovo giorno. Non potevo biasimarli.

Il gallo si esibì nel suo pezzo migliore. Alle baracche si sostituirono larghi edifici a un piano, anche questi con l'aria di essere stati costruiti a caso su ogni appezzamento di terreno disponibile. Al posto dei marciapiedi, passerelle in legno appoggiate su sassi mezzi sommersi dal fango. La spazzatura veniva radunata in mucchi che una volta crollati sparpagliavano ovunque il contenuto. Una puzza orribile penetrò all'interno del Mazda. Un posto del genere rendeva il dormitorio pubblico di Camden molto simile al Claridge.

Poco dopo oltrepassammo una stazione di servizio chiusa. Le pompe erano vecchie e arrugginite, annata 1970, la parte superiore ovale. Il gasolio che si era riversato per terra nel corso degli anni aveva assunto l'aspetto di uno strato di catrame scivoloso. Le pozzanghere erano piene d'acqua scura chiazzata d'olio. Appesi alla tettoia, il marchio della Pepsi e qualche bandiera sbiadita. E anche un cartellone pubblicitario della Firestone.

Incontrammo un edificio rettangolare fatto di blocchi di calcestruzzo non dipinti. La malta che usciva dai blocchi non era stata rifinita e chi l'aveva costruito non aveva nessuna fiducia nell'efficacia del filo a piombo. Un vecchio indiano muscoloso che indossava pantaloncini verdi da calciatore, canottiera a rete e sandali infradito di gomma stava accucciato per terra vicino alla porta. Dalla bocca gli penzolava una sigaretta arrotolata delle dimensioni di un cannone. Attraverso le finestre vidi scaffali di cibo in scatola.

Più in su c'era una grande baracca di legno che poggiava su pali come alcune delle capanne. In un lontano periodo della sua vita era stata dipinta di azzurro e un'insegna ci informò che era stata un ristorante. Quando fummo vicini, vidi che inchiodate al muro della veranda c'erano quattro pelli di leopardo. Sotto le pelli, incatenato dentro una gabbia, il felino più deperito che avessi mai visto. Aveva a stento lo spazio sufficiente per girare in tondo e se ne stava lì con un'aria incredibilmente depressa. Se avessi dovuto passare le giornate a fissare i miei amici appesi al muro, mi sarei sentito allo stesso modo. In tutta la mia vita non avevo mai provato tanta pena per un animale.

Aaron scosse la testa. Evidentemente conosceva la storia che ci stava dietro. «Merda, lo tengono ancora lì dentro!» Era la prima volta che nella sua voce percepivo una sfumatura di rabbia. «So per certo che commerciano anche tartarughe. È una specie protetta, non possono farlo. Non si può neanche tenere un pappagallo in gabbia, è la legge... E la polizia? Cazzo, si occupa a tempo pieno dei narcotrafficanti.»

Indicò un punto appena più in alto sulla sinistra. Ci stavamo dirigendo verso un impianto molto simile a una base dell'esercito nell'Irlanda del Nord. Pareti di lamiera ondulata recintavano gli edifici, qualsiasi cosa ospitassero. Sacchi di sabbia impilati uno sopra l'altro formavano delle protezioni e da quello posto sul doppio cancello d'ingresso spuntavano la canna e il sofisticato mirino di una mitragliatrice americana M60. Una grande insegna informava i passanti che quella era la stazione di polizia.

Quattro giganteschi camion con relativi giganteschi rimorchi erano parcheggiati dall'altra parte della stazione. Erano carichi di tronchi d'albero privi di rami e foglie. Adesso la voce di Aaron era piena di rabbia. «Guarda là... prima tagliano tutti gli alberi su cui possono mettere le mani. Poi, prima di metterli a galleggiare lungo la corrente perché se li prendano quegli altri, li impregnano di prodotti chimici che uccidono la vita acquatica. E allora, fine dell'agricoltura di sussistenza, fine della pesca, fine di tutto, solo bestiame.»

Lasciammo i quartieri depressi di Chepo alle nostre spalle e proseguimmo attraverso pascoli irregolari coperti di buche piene di acqua color ruggine. Avevo i vestiti ancora umidi in qualche punto, decisamente bagnati in altri dove il calore del corpo non aveva lavorato a sufficienza. La gamba cominciava a star meglio, ma quando provai a distenderla la crosta che si stava formando si ruppe. Se non altro la situazione di Chepo aveva provocato la reazione di Aaron e distolto i suoi pensieri da Diego.

La strada continuò a peggiorare fino a quando non l'abbandonammo per imboccare un sentiero con solchi di pneumatici che si arrampicava fino a un terrapieno a tre o quattro chilometri di distanza. A quel punto non mi meravigliava che il Mazda fosse in condizioni di merda.

Mentre le sospensioni gemevano, Aaron indicò un punto davanti a noi. « Stiamo subito dopo quella collina. »

Non vedevo l'ora di arrivare e darmi una ripulita, anche se dal modo in cui Aaron aveva chiacchierato per ore con quella voce alla Billy Graham protettore dell'ambiente mi aspettavo che abitassero in una tenda da pellerossa.

18

Il Mazda rollava da una parte all'altra, le sospensioni cigolavano come le giunture di un vecchio brigantino mentre il motore saliva e scendeva di giri. Mi sorprese scoprire che Aaron guidava con notevole abilità. Ebbi l'impressione che ne avessimo ancora per un'altra ora e mezzo, l'equivalente di « subito dopo quella collina ».

Aprendoci un varco nella foschia raggiungemmo infine la sommità della collina ripida e irregolare. Lo scenario che ci trovammo di fronte era del tutto in contrasto con le praterie appena attraversate. Ai nostri piedi si apriva una vallata di colline alte e ondulate che si estendevano a sinistra e a destra, e il paesaggio, fin dove arrivava lo sguardo, era cosparso di alberi caduti e in fase di decomposizione. I tronchi più vicini a noi erano quasi grigi per gli anni. Era come se qualcuno avesse rovesciato una gigantesca scatola di fiammiferi sopra un deserto di fanghiglia color ruggine. La bruma all'interno della valle rendeva tutto stranamente immobile. Ma in fondo alla vallata, dove il terreno si appiattiva, a cinque o sei chilometri, cominciava il verde lussureggiante della giungla. Non riuscivo a capirci più nulla.

Iniziammo a scendere e Aaron dovette percepire la confusione che avevo in testa. « È semplice, si sono stancati di questo lato della valle », urlò al di sopra dei lamenti e dei gemiti del furgone. « Non c'era abbastanza legno duro da prendere e non era abbastanza *macho* per gli *hombres* portar via questi piccoli pezzi. Ma almeno non ci sono contadini, non possono portarsi via tutto da soli. E poi non c'è abbastanza acqua quaggiù, non che avrebbero potuto berla, se anche ci fosse stata. »

Seguendo il sentiero tra le carcasse di alberi ci dirigemmo verso il fondovalle. Sembrava che un tornado avesse dilaniato la valle e l'avesse abbandonata alla sua sorte. Il sole del mattino s'impegnava al massimo per penetrare nel sottile strato di nuvole. Se almeno ci fosse riuscito sarebbe arrivato da un'unica direzione. Così invece i raggi del sole rimbalzavano contro le nuvole e si diffondevano ovunque. Nessun dubbio: era di nuovo tempo di trasformarsi in Jackie O. Aaron seguì il mio esempio e infilò a sua volta gli occhiali.

Attraversammo il cimitero degli alberi sino in fondo alla valle, dove arrivò in nostro soccorso il lussureggiante tetto di foglie. «Non manca molto», dichiarò Aaron. «Quarantacinque, cinquanta minuti.»

Avrei preferito venti. Il furgone non poteva resistere di più, e neppure la mia testa, ne ero convinto. Erano tutti e due sul punto di esplodere.

Ci trovavamo di nuovo in una foresta secondaria. Gli alberi erano avviluppati da rampicanti e tra un albero e l'altro, ma anche sopra il sentiero, cresceva di tutto. Sembrava di procedere attraverso un lungo tunnel grigio. Tolsi i Jackie O e tutto divenne di un verde accecante.

Il Baby G m'informò che erano le 7.37, il che voleva dire che stavamo viaggiando da più di quattro ore. Gli occhi mi lacrimavano e la testa continuava a pulsare, ma non era ancora il momento di pensare al riposo. Forse sabato, o quando fossi arrivato sano e salvo nel Maryland. Per prima cosa dovevo concentrarmi su come realizzare il lavoro. Dovevo farmi forza e portarlo a termine. Ma, per quanto tentassi di fare del mio meglio per ricordare i particolari raccolti durante la ricognizione, non riuscivo a concentrarmi.

Le previsioni di Aaron si rivelarono esatte al minuto. Quarantacinque minuti dopo arrivammo a una larga spianata, gran parte della quale si stendeva alle spalle di una costruzione lievemente spostata di lato rispetto al nostro punto di vista e che si trovava a duecento metri. Sembrava la casetta delle favole.

Le nuvole erano evaporate, sostituite dal sole e dall'azzurro del cielo. «Quella è casa nostra.» Aaron non sembrava troppo contento. Inforcò gli occhiali da sole, mentre io per niente al mondo mi sarei rimesso i Jackie O, per lo meno non in presenza della legittima proprietaria.

Alla mia sinistra, e dirimpetto alla facciata principale, c'era una collina con una pendenza molto ripida coperta da altri alberi caduti, ceppi marciti e folti ciuffi d'erba. Il resto della radura era irregolare ma abbastanza in piano.

Seguimmo il sentiero fino alla casa che si trovava pressappoco sullo stesso livello. Il corpo principale era costituito da una villetta a un piano con il tetto in cotto e le pareti color verde sporco. Sul davanti si apriva una veranda coperta rivolta verso la collina. Sul retro, adiacente ai muri della villetta, un'area grande forse il doppio della casa stessa racchiusa all'interno di una parete di lamiera ondulata più alta del tetto dell'edificio principale.

Allineate alla mia destra c'erano file su file di tinozze di plastica da cinque galloni. Ce n'erano a centinaia, alte mezzo metro e larghe più o meno lo stesso. I coperchi erano chiusi e, da un buco praticato al centro, spuntavano germogli di piante di diversi colori, diverse forme e diverse altezze. Aaron e Carrie gestivano quello che sembrava il miglior vivaio della zona.

Intorno a noi altre baracche di lamiera ondulata, con cataste di barili, casse di legno e una carriola di legno marcito. Alla mia destra, oltre le tinozze, sotto una tettoia di lamiera priva di pareti laterali, c'erano un generatore e per lo meno una decina di barili di gasolio da quarantacinque galloni.

Avvicinandomi vidi dei tubi di scolo che correvano lungo il perimetro della casa su cui s'innestavano le grondaie e che andavano a tuffarsi in verdi recipienti per l'acqua. Sul tetto, sorretto da una robusta impalcatura, si ergeva una grande cisterna di plastica blu sotto cui stava un'altra cisterna, più vecchia e metallica, da dove partivano tubi di tutti i tipi. Accanto alle cisterne due antenne satellitari, una rivolta verso ovest e l'altra verso est. Forse gli piaceva guardare sia la televisione colombiana sia quella panamense. Ma, nonostante la tecnologia, quello era il Pianeta degli abbraccia-alberi. Per completare il quadretto mancavano solo due mucche da latte di nome Yin e Yang.

Adesso che eravamo vicini alla casa vidi l'altro pick-up, parcheggiato davanti alla parte più lontana della veranda. Aaron suonò il clacson del Mazda un paio di volte e fece una smorfia preoccupata quando Carrie uscì sulla veranda infilando gli occhiali avvolgenti. Era vestita come quando ci eravamo incontrati, ma aveva messo del gel sui capelli.

« Ti prego, Nick, neanche una parola. »

Il furgone si arrestò e lui saltò a terra mentre lei usciva dalla veranda. « Ciao. »

Uscii, pronto ai saluti, strizzando gli occhi per difendermi dal sole e dal mal di testa.

Feci un paio di passi, poi mi fermai per non intromettermi. Ma tra loro non ci furono saluti né baci o abbracci. Solo un cenno piuttosto formale.

Senza farci molto caso – ero troppo accaldato e preoccupato – mi avvicinai.

E con la voce di quello carino-e-gentile-verso-la-padrona-di-casa, dissi: « Ciao ».

Non era gel quello che teneva indietro i capelli, era appena uscita dalla doccia.

Notò che zoppicavo e che i jeans erano strappati. « Cos'è successo? Stai bene? »

Non guardai Aaron. Gli sguardi lasciano trasparire troppo. « Sono finito in mezzo a una trappola per animali o qualcosa di simile. Io... »

« Faresti meglio a entrare e darti una pulita. Ho preparato del porridge. »

« Che meraviglia! » Schifezza sarebbe stato più appropriato.

Si voltò e si avviò verso casa, ma Aaron aveva altro in mente. « Sai cosa faccio? Vado a dare una pulita al furgone, c'è stata una perdita di carburante sul pianale e, sai, be', è meglio se lo tolgo subito. »

Carrie si voltò. « D'accordo. »

La seguii e Aaron, con gli occhi protetti dagli occhiali da

sole, mi scoccò un'ultima occhiata e un cenno d'intesa prima di dirigersi verso il furgone.

Eravamo quasi arrivati alla veranda quando lei si fermò e si girò di nuovo. Aaron spostò il Mazda verso le tinozze. Gli occhiali da sole di Carrie, leggermente a specchio, riflettevano la mia faccia coperta di punture e protuberanze e i capelli ritti da far paura. Non riuscivo a vederle gli occhi perché le lenti erano troppo scure.

«Luce, nostra figlia, pensa che tu faccia parte di un gruppo di studiosi inglesi e che sia qui per qualche giorno per vedere come lavoriamo. Okay?»

«D'accordo, nessun problema.» Avrei dovuto fare del mio meglio per trasformarmi in un accademico abbraccia-alberi. Avrei tanto voluto poterla guardare negli occhi. Odio conversare con degli occhiali a specchio.

«Non sa niente del vero motivo per cui sei qui. Come noi, del resto. Ora dorme, la vedrai tra poco.»

Picchiettò sulla lente di sinistra, poi indicò il mio occhio gonfio.

«Non preoccuparti, nel giro di pochi giorni andrà a posto», commentai.

19

NEL tragitto, sopra piastrelle di cotto sbiadite e incrinate tra due sedie a dondolo di legno scuro in stile vittoriano e una vecchia amaca di corda sepolta sotto un muro di cuscini macchiati di caffè e sbrodolamenti vari, mi sentivo così stanco da non riuscire quasi a tenere gli occhi aperti. La porta di casa era socchiusa e Carrie tirò a sé la zanzariera che si aprì con adeguato cigolio di cardini. A sinistra, sopra una finestra anch'essa protetta da una rete, c'era una lampada da muro la cui boccia era piena di insetti secchi fatalmente attratti dalla luce. Afferrai la zanzariera prima che si richiudesse e seguii Carrie all'interno.

In contrasto con la luce accecante di fuori ci ritrovammo quasi al buio. Per il forte odore di legno sembrava di essere in un capanno da giardino. Soffocai uno sbadiglio e lottai per tenere aperti gli occhi che avevano una gran voglia di chiudersi. Ero in un territorio che non conoscevo e dovevo memorizzare ogni elemento.

La stanza era ampia e con il soffitto alto. I possenti tronchi d'albero che sostenevano l'edificio erano inseriti nelle pareti coperte d'intonaco che un tempo dovevano essere color crema ma che adesso erano piene di chiazze e scolorite. L'arredamento era quello di una casa che si affitta per le vacanze, mobilio base, scarso e piuttosto grossolano.

Carrie andava diretta verso un'altra porta, dipinta di un giallino sbiadito che si trovava a una decina di metri. Le andai dietro. Si tolse gli occhiali da sole e li abbandonò alla cordicella che le cingeva il collo. A sinistra c'erano quattro poltrone di tronchi di legno con cuscini a fiori diversi uno dall'altro, disposte in modo regolare intorno a un tavolino basso ricavato da un ciocco di legno scuro, di oltre un metro di diametro. Due ventilatori elettrici a piantana, in puro stile anni '50, erano diretti verso tavolino e poltrone. La rete di protezione in metallo cromato aveva visto tempi migliori e malauguratamente mancavano i nastrini pendenti dalle maglie che avrebbero conferito un tocco di ulteriore autenticità.

Sulla parete a sinistra si aprivano altre due porte, anch'esse dipinte di giallo e inserite in cornici marroni e screpolate. La più lontana era socchiusa e portava in quella che doveva essere la loro camera da letto. L'ampia testata del letto in legno naturale sosteneva un lato di una zanzariera che doveva essere stata bianca, mentre l'altro capo era appeso al soffitto. Il letto era sfatto e notai che le lenzuola erano color porpora. Ammucchiati su una sedia, indumenti da uomo e da donna. Appeso alla parete a destra del letto s'intravedeva il calcio in legno di un fucile. Fossi stato in loro, in un posto così, lo avrei tenuto più a portata di mano.

Più avanti, nell'angolo, c'era la zona cucina, con un piccolo tavolo e delle sedie. Appese a ganci nel muro, parecchie tazze, una diversa dall'altra. La parete alla mia destra, fino alla porta verso la quale ci stavamo dirigendo, era interamente coperta di scaffali per libri. L'unica interruzione era dovuta a un'altra finestra, anch'essa coperta da una reticella di protezione, che sembrava essere l'unica fonte di luce esterna.

Sentii odore di porridge. Da una pentola posata su un fornello laterale della cucina economica usciva del vapore. Vicino, un casco di banane e una ciotola con delle arance.

Carrie sparì dietro la porta e io la seguii nell'ampia zona perimetrata dalla lamiera ondulata. Internamente le pareti erano rivestite di compensato e il pavimento era di cemento grezzo. Sopra le nostre teste pendevano dall'alto soffitto due ventilatori dei tempi della bisnonna, molto vecchi e molto sporchi, appesi a sostegni metallici. Ovviamente fermi. In questa stanza faceva più caldo che nell'altra, ma c'era più luce. Grandi pannelli di plastica che arrivavano molto in alto fungevano da finestre.

La dépendance in sé era dozzinale e poco tecnologica,

ma quello che conteneva non lo era per niente. Tavoli a cavalletto correvano lungo tutta la parete che avevo di fronte e continuavano, dopo un angolo retto, sul lato di sinistra. Su questo lato, rivolti verso di me, c'erano due PC con webcam montate sopra i monitor; ognuno aveva davanti una sedia da regista in stoffa con i braccioli verdi molto consumati dall'uso. Lo schermo del PC alla mia destra mostrava un'immagine delle chiuse di Miraflores, la webcam doveva essere collegata perché lo schermo era sul punto di rimettersi in moto e mostrare una nave da carico quasi completamente all'esterno di una chiusa. A giudicare dai brillanti riflessi nelle pozzanghere tra l'erba, non eravamo l'unica zona di Panama ad avere il sole.

Il PC di sinistra era spento e dalla webcam pendevano un paio di cuffie e un microfono. I due computer erano circondati da una quantità di carte e strumenti da ufficio, e sotto era la stessa cosa, fili elettrici che andavano in tutte le direzioni e confezioni di forniture per ufficio. La scrivania sulla parete di sinistra, quella di fronte a me, conteneva un terzo PC, anch'esso con webcam e cuffie, circondato da testi scolastici. Doveva essere il Territorio di Luce.

Carrie svoltò a destra varcando l'unica altra porta che c'era. La seguii. Entrammo in quella che assomigliava in tutto e per tutto a un magazzino di fureria. La stanza era molto più piccola delle altre due e decisamente più calda. L'odore quello di una drogheria. File di scaffali di metallo grigio correvano lungo le pareti di destra e sinistra lasciando libero un corridoio centrale. Intorno a noi era ammucchiato di tutto, cartoni di cibo in scatola, lanterne antivento, torce, pacchi di batterie. Sul pavimento, posati su bancali, c'erano sacchi, tipo quelli per il carbone, di riso, avena per il porridge e latte in polvere. Scorte in quantità tale da poter vivere tranquillamente per un anno o più. Nel corridoio centrale c'erano un lettino da campo dell'esercito americano e una coperta di medio peso ancora nel sacchetto di plastica trasparente. «Questo è per te.»

Fece un cenno in direzione di una porta in lamiera di

fronte a noi mentre richiudeva in fretta la porta che dava sulla stanza dei computer, sprofondandoci nella quasi completa oscurità. «Quella dà sull'esterno. Porto fuori la cassetta del pronto soccorso, così ci si vede meglio.»

La oltrepassai e lasciai cadere la giacca sulla branda, poi mi voltai e la osservai arrampicarsi sugli scaffali. «Posso vedere la documentazione, per favore?»

Non mi guardò. «Certo.»

Uscii. Da quella parte il lato dell'edificio era in ombra, per mia fortuna perché la testa pulsava e trovarmi in piena luce non sarebbe certo stato di aiuto. I grilli continuavano a fare i grilli; e neanche loro sono il massimo per il mal di testa.

Davanti a me, a duecento metri, c'erano le file delle tinozze bianche porta-piante; il sole si rifletteva sulle pozzanghere che le circondavano e il generatore sbuffava ritmicamente. Aaron era più in là, dove le tinozze incontravano il sentiero, e con una manichetta in mano sciacquava il retro del furgone. Uno stormo di grandi uccelli, bianchi e neri, si alzò in volo dagli alberi dietro i contenitori e passò sibilando sopra il tetto.

Mi lasciai scivolare sullo scolo di cemento che correva lungo il perimetro della casa e mi appoggiai contro la grondaia verde. Chiusi gli occhi per un attimo per vedere se riuscivo a tenere il dolore sotto controllo. Non funzionò. Aprii il buco nei jeans per dare un'occhiata alla ferita. Le strisce di felpa erano ancora bagnate e le pieghe e i nodi ancora impregnati di fango. Lavarmi nel canale di scolo non era stato sufficiente. Ero riuscito a fermare l'emorragia ma non potevo escludere un'infezione. Avevo fatto il richiamo per il tetano, ma probabilmente solo Aaron conosceva la miriade di microbi strani e meravigliosi che si nascondeva nella giungla di Panama.

Controllai la coagulazione tra il tessuto e la carne: asciugandosi erano diventati tutt'uno e la parte intorno alla ferita era gonfia e priva di sensibilità. Sapevo per esperienza che questo tipo di ferita può diventare letale se si rimane bloccati a lungo nella giungla, perché con il passare dei giorni si trasforma in una montagnola farcita di pus. Se non altro qui potevo prendermene cura.

Carrie uscì dal magazzino con una vecchia valigia a scacchi marroni e un foglio di carta A4. Posò entrambi sul cemento e sollevò il coperchio della valigia. Sembrava un'attrezzatura da pronto soccorso piuttosto fornita. Mi venne vicino per osservare la bendatura intorno alla gamba e per la prima volta riuscii a intravederle gli occhi. Erano molto grandi e molto verdi. I capelli bagnati non le stavano più dietro le orecchie ed era così vicina che avvertii il profumo di shampoo alla mela.

Senza sollevare la testa per guardarmi si mise a cercare nella valigia. Parlò con voce asciutta e chiara. «Allora, cosa sei venuto a fare?»

Iniziò a tirare fuori delle cose; non avrei saputo dire se aveva intenzione di medicarmi lei stessa o se voleva solo mostrarmi quello che avrei potuto usare.

Continuò senza guardarmi. «Mi è stato detto solo che saresti arrivato e che dovevamo aiutarti.» Continuò a frugare, anche se ormai per terra c'erano diversi rotoli di garza chiusi nel cellofan, scatole di pastiglie e boccette iniziate di medicinali.

«Abbiamo bisogno che Charlie faccia una certa cosa. Io sono qui per ricordargliela.»

Non mi guardò e non fece cenno di aver sentito la mia risposta. Mentre si chinava e tirava fuori tubi colorati di creme, le osservai le mani. Erano le mani di una persona che lavora, non di una signora la cui unica occupazione è preparare il tè. Qua e là piccole cicatrici, ma le unghie non erano incrostate di sporco come quelle di Aaron. Erano corte e senza traccia di smalto, ma avevano un aspetto curato.

«Non sai cosa devi ricordargli? Voglio dire, non v'informano quando vi mandano in missione, sempre che sia la parola giusta?»

Mi strinsi nelle spalle. «Pensavo che lo sapessi tu.»

«No. Io non so niente.» Lo disse con un tono quasi triste.

Altra pausa. Non sapevo cos'altro dire, così indicai i medicinali sparpagliati per terra. «Prima di medicare la ferita devo lavarmi. Il problema è che non ho vestiti di ricambio.»

Lentamente si alzò, guardando in direzione del furgone. «Puoi metterti qualcosa di Aaron. La doccia è all'aperto, sul retro.» Fece un gesto alle sue spalle. «Ti prendo un asciugamano.»

Prima di raggiungere la porta si voltò di tre quarti. «Qui vige la regola dei due minuti. Primo minuto per bagnarsi, poi si chiude il rubinetto e ci s'insapona. Il secondo minuto serve per sciacquarsi. Anche se piove molto abbiamo qualche problema a raccogliere l'acqua.» Afferrò la maniglia. «Ah, se per caso ti viene la tentazione, non bere l'acqua della doccia. Bevi solo dai rubinetti segnati con una P, indica l'acqua trattata.» Se ne andò sorridendo. «Altrimenti credo che non ti dimenticherai più perché era meglio non farlo.»

Guardai la stampa delle immagini satellitari. La riproduzione copriva l'intera pagina e la zona del bersaglio era perfettamente centrata. Mi forniva una planimetria della casa, il rettangolo irregolare degli alberi e i quadrati di broccoli tutt'intorno. Cercai di concentrarmi sul lavoro, ma senza riuscirci: per quanto fossi consapevole dell'importanza che quel lavoro aveva per me, la testa non voleva saperne.

Individuai tra le medicine un flacone di pillole marroni. L'etichetta diceva che si trattava di deidrocodeina, ottimo analgesico, soprattutto se abbinato all'aspirina che ne moltiplica l'effetto. Ne tirai fuori una e la inghiottii senz'acqua frugando nella valigetta alla ricerca dell'aspirina. Quando la trovai la feci uscire dal blister e mandai giù anche quella.

Posai un rotolo di garza sopra il foglio per tenerlo fermo, poi mi alzai e zoppicando mi diressi verso le docce. Forse era colpa della luce, o semplicemente ero troppo stanco, ma mi sentivo come stordito.

Mentre arrancavo davanti alla porta del magazzino gettai un occhio all'interno e vidi che la porta della stanza dei computer era ancora chiusa. Mi fermai a guardare la branda. Era del tipo vecchio, di stoffa e non di nylon, struttura pieghevole in lega. Ne avevo un buon ricordo: facile da montare, comoda e sollevata da terra di buoni sessanta centimetri, del tutto diversa da quelle inglesi che per montarle ci vuole una laurea in ingegneria e alla fine ti ritrovi a non più di quindici centimetri da terra. E se te ne capita una un po' affossata, rischi di passare la notte sdraiato sul cemento freddo o con il culo a mollo nel fango.

Qualche tipo di uccello gorgheggiò e cinguettò in lontananza, l'aria umida era piena di aromi intensi. Sedetti sulla branda ed estrassi a fatica dai jeans il portafoglio di Diego. Riguardai la foto. Un altro incubo prenotato per il futuro. Non doveva fare altro che mettersi in coda.

Aaron aveva finito e stava riportando il Mazda dietro casa. Mi alzai e chiusi all'esterno la luce del giorno, poi tornai incespicando verso il letto e con i vestiti bagnati ancora indosso mi sdraiai sulla schiena. Il cuore prese a battere forte, mentre la testa si affollava di immagini: Kelly, cadaveri, Diego, altri cadaveri, Signorsì, Josh. E poi, ma perché cazzo avevo detto a Carrie che ero qui per lasciare un promemoria a Charlie? Che bisogno c'era di parlarle del lavoro?

Merda, merda, merda...

Tornò il formicolio, non potevo controllarlo, saliva lungo le gambe e la pelle prudeva. Mi voltai e mi raggomitolai con le braccia intorno alle gambe. Non volevo pensare più a niente, non volevo vedere più niente.

20

Giovedì 7 settembre

ENTRO *nella camera da letto, alle pareti manifesti di Buffy e Britney, letti a castello e odore di sonno. Il letto di sopra è vuoto, lo vedo mentre al buio mi avvicino inciampando in paia di scarpe e riviste da adolescente. Lei dorme, mezza fuori, mezza sotto il piumino, sdraiata sulla schiena a braccia larghe, aperta come una stella marina, e i capelli scomposti coprono il cuscino. Metto piano sotto il piumino la gamba che dondola e il braccio.*

Qualcosa non va... ho le mani bagnate... lei è inerte... non si succhia il labbro superiore come al solito e non sta sognando di essere una pop star. La luce si accende e vedo che dalle dita mi gocciola del sangue sul suo viso ferito. Ha la bocca spalancata e gli occhi fissi al soffitto.

Sundance è sul letto di sopra e tiene in mano la mazza da baseball bagnata di sangue, ha gli occhi neri e il naso rotto, mi guarda dall'alto e sorride. «Non mi dispiacerebbe fare una gita nel Maryland... potremmo andare prima a Washington e visitare i dintorni... Non mi dispiacerebbe fare una gita nel Maryland... potremmo andare prima a Washington e visitare i dintorni...»

Piango, cado in ginocchio, formicolio.

La sollevo dal letto e cerco di portarla con me.

«Va tutto bene, Nick, tutto bene. È solo un sogno...»

Aprii gli occhi. Ero inginocchiato per terra e tiravo Carrie verso di me.

«Va tutto bene», ripeté. «Rilassati, sei a casa mia, calmati.»

Mi resi conto di quanto stava accadendo, mollai di colpo la presa e mi ributtai sulla branda.

Lei rimase sul pavimento. La penombra che veniva dal soggiorno illuminava un viso preoccupato.

«Tieni, bevi un po'.»

Presi la bottiglia d'acqua mezza vuota che mi stava porgendo e iniziai a svitare il tappo. Mi sentivo a disagio, le gambe mi prudevano e mi formicolavano.

Mi schiarii la gola. «Grazie, grazie.»

«Forse hai la febbre, forse ti sei preso qualcosa ieri nella foresta. Vediamo come ti senti di mattina e, se è il caso, andiamo a Chepo alla clinica.»

Bevendo feci cenno di sì. E prima ancora di fermarmi per prendere fiato tirai indietro i capelli sudati.

«Se ti occorrono, ci sono le medicine del pronto soccorso.»

«No, sto bene, grazie. Da quanto tempo sei qui?»

«Ci hai svegliato, ci siamo preoccupati.» Allungò un braccio e mi posò il dorso della mano sulla fronte. «Ci sono febbri da queste parti che possono fare uscire di testa.»

«Ma ho avuto un incubo? Non ricordo niente.»

Si alzò mentre mi staccavo la maglietta dalla pelle. «Succede. Ma adesso stai bene?»

Agitai la testa per dimostrarglielo. «Sto bene, grazie.»

«Allora ci vediamo domattina. Buona notte.»

«Sì, e... grazie per l'acqua.»

Tornò nella stanza buia dei computer e richiuse la porta alle sue spalle. «Prego.»

Guardai l'orologio: le 0.46. Ero rimasto fuori gioco per quattordici ore. Lentamente mi alzai, feci qualche piegamento per far tornare la sensibilità nelle gambe e continuai a bere. Poi tolsi la coperta dalla plastica, mi sdraiai e mi coprii, maledicendo il cocktail di droga che mi dava sonnolenza. La deidrocodeina ha questo effetto. Mi girai e rigirai nel letto, provai a farmi un cuscino arrotolando il giubbotto, ma non funzionò. Il corpo mi diceva che avevo ancora bisogno di dormire, ma non avevo nessuna voglia di chiudere di nuovo gli occhi.

Mezz'ora più tardi guardai il Baby G ed erano le 3.18. Niente male per uno che non vuole chiudere gli occhi. Rimasi sdraiato massaggiandomi le gambe. Il dolore era passato e mi sentivo un po' meno stordito di prima. Tastai sotto la branda in cerca della bottiglia d'acqua. Sbattendo gli occhi per tenerli aperti diedi qualche sorsata, con il concerto di grilli in sottofondo.

Non volevo restare a pensare troppo a lungo e decisi di fare un giro per tenere occupata la mente. E poi ero curioso.

Mi sollevai a fatica e per un po' rimasi seduto sul bordo della branda strofinandomi il viso per riportarlo in vita. Poi mi alzai, cercai inutilmente l'interruttore della luce e decisi di passare alla maniglia della porta. A passi malfermi avanzai nella stanza dei computer, sempre con l'acqua in mano. Qui l'interruttore era più facile da trovare. Il neon lampeggiò e vidi che la porta del soggiorno era chiusa. Verificai che dall'altra parte fosse buio.

Il pannello di compensato dietro i due monitor privi di immagini più vicini a me era ricoperto di pagine a stampa in spagnolo, messaggi scritti a mano su carta intestata dell'università e post-it con annotazioni casalinghe del genere «la colla sta finendo». Tipico stile di vita degli abbraccia-alberi moderni: fuori tutto il giorno a spalare merda e poi a casa al PC a calcolare il peso in tonnellate delle foglie.

A sinistra c'era un altro pannello in sughero con una serie di fotografie. Quasi tutte ritraevano la dépendance e lo spiazzo retrostante. In alcune c'era Aaron in cima a una scala che piantava chiodi in pannelli di lamiera ondulata, in altre lui con uno del posto, o almeno così sembrava, in piedi vicino a un cratere nel terreno circondati da alberi mezzo sradicati. Con un altro sorso d'acqua mi avvicinai a quello che doveva essere il PC di Luce. I libri di scuola erano americani, con titoli tipo *La matematica è bella*, e a fianco una torre di Pisa di CD in attesa di essere ascoltati. Il compensato dietro il computer era coperto da cartine geografiche di tutto il mondo, dai disegni più riusciti, e dalle fotografie di Ricky Martin ritagliate da qualche rivista, accanto a quelle di un complesso latinoamericano tutto riccioli di permanente e camicie con frange. Abbassai lo sguardo sulla scrivania e notai il suo nome scarabocchiato su un quaderno, come fanno i ragazzini quando si annoiano. I miei quaderni ne erano pieni. Il suo nome si scriveva Luz. Ricordai dal periodo in Colombia che la Z la pronunciano S. Quindi il suo nome in spagnolo significava «luce» e non era per niente il diminutivo di Lucy.

Dirigendomi verso il soggiorno percepii la pellicola di sudore che mi ricopriva la pelle. Prima di premere l'interruttore in ottone vicino alla porta controllai ancora una volta la loro camera da letto. La stanza era illuminata da tre semplici lampadine appese a un cordoncino e fissate al portalampada con nastro isolante. La cucina economica era di smalto bianco e sbreccato, con un grill ad altezza occhi e una piastra circolare a gas. Sul fornello c'era una vecchia macchinetta in acciaio per il caffè. Sulla porta del frigo, fermata da piccole calamite, una serie di foto di famiglia. Accanto, un tavolino da pranzo in truciolato e formica bianca, con quattro sedie, uscito pari pari da un arredamento anni '60. In un universo di grezzo legno scuro sembrava del tutto fuori luogo.

Staccai due o tre banane dal casco vicino alle arance e mi misi a osservare distrattamente le fotografie, mentre la schiena mi ricordava di aver ricevuto una serie infinita di morsicature. Le foto ritraevano la serena famigliola all'esterno della casa, e alcune un uomo più anziano con una polo bianca che teneva per mano Luz sulla veranda.

Sbucciai la seconda banana e l'occhio mi cadde su una vecchia foto in bianco e nero che ritraeva cinque uomini. Uno era senza dubbio l'anziano che era con Luz. Erano sulla spiaggia e tutti e cinque indossavano calzoncini corti e sollevavano in favore della macchina fotografica dei bambini con pannolini cascanti e cappellucci parasole. L'uomo all'estrema sinistra aveva una brutta cicatrice sullo stomaco.

Mi piegai in avanti per guardare meglio. Aveva i capelli più scuri ma senza ombra di dubbio era Pizzaiolo.

Cercando di non fare rumore presi un altro paio di banane dal casco, mi avvicinai al tavolino basso e mi sedetti resistendo a fatica alla tentazione di darmi un'energica grattata alla schiena. Posai l'acqua e continuai a masticare. L'asse di legno scuro era spessa una quindicina di centimetri, il piano superiore era stato levigato ma sul bordo la corteccia era intatta. Sul tavolo erano sparpagliate alcune vecchie copie della rivista *Time* e del *Miami Herald*, mescolate con altre dai nomi spagnoli che non conoscevo. C'era anche una rivista per ragazzine con una band di ragazzi in copertina.

Restando seduto a finire le banane, guardai la libreria. Ampia scelta di libri rilegati ed economici, libri illustrati e cartine accuratamente ripiegate. I dorsi consunti coprivano tutto, dalla storia naturale a Mark Twain, parecchi sulla storia politica americana e qualche Harry Potter. Ma la maggior parte erano austeri libri accademici su foreste pluviali, innalzamento delle temperature, flora e fauna. Guardai con più attenzione. Due erano stati scritti da Aaron.

Uno dei ripiani ospitava quattro lampade di emergenza, con lo stoppino già annerito, e altrettante scatole di fiammiferi, allineate come soldatini in attesa della prossima interruzione di corrente. Sotto, due candelieri e un calice d'argento, accanto a un gruppetto di libri con copertina in pelle e titoli in ebraico.

Finii l'acqua, gettai le bucce di banana nel sacchetto di plastica sotto il lavandino e tornai verso la branda. Avevo dormito parecchio, ma sentivo che avevo ancora bisogno di riposo.

Aprii gli occhi al suono del generatore e del motore di un'automobile. Inciampando nella valigia dei medicinali raggiunsi la porta che dava all'esterno.

Un sole accecante mi colpì, lasciandomi appena il tempo di scorgere il Mazda che si dirigeva verso gli alberi. Sollevai una mano per schermare gli occhi dal sole e vidi Carrie davanti alla casa. Si voltò verso di me, non avrei saputo dire se sorrideva, se era a disagio o che altro.

« 'Giorno. »

Feci un cenno di risposta continuando a guardare l'auto che si allontanava.

« Aaron va a Chepo. C'è un giaguaro in gabbia da mesi. Ti porto i vestiti e un asciugamano. Come stai? »

« Bene, grazie. Non penso che sia necessario andare a Chepo. Non ho più febbre, credo. »

« Sto preparando la colazione. Hai fame? »

« Grazie, preferirei fare la doccia prima, se per te va bene. »

« Certo. » E si diresse verso la veranda.

L'area alle spalle della dépendance era coperta da una tettoia. La zona lavaggio, senza ombra di dubbio. Davanti a me c'era la doccia, tre lati di lamiera ondulata e una vecchia tenda di plastica per chiudere. Un tubo di gomma nero sbucava da un foro sul tetto. Oltre alla doccia c'era un vecchio lavandino in acciaio a due vasche sorretto da una struttura in ferro e alimentato da altri due tubi che s'infilavano nel terreno. Ancora più in là c'era il casotto per il water.

Sopra i lavandini c'erano tre spazzolini da denti, ognuno nel suo bicchiere, dentifricio e spazzole per capelli vicino a una gigantesca scatola di sapone in polvere. Sotto la tettoia correva un filo per stendere, vuoto, le mollette pinzate al filo in tutta la sua lunghezza. In un angolo erano sistemate alcune tinozze bianche, una delle quali conteneva vestiti a mollo.

Il terreno era in pendenza e in lontananza, trecento metri più avanti, si vedevano le cime degli alberi. Sopra gli alberi un volo di uccelli e alcune nuvole bianche e gonfie contro il cielo azzurro e terso.

Spostai la tenda di plastica, mi spogliai completamente lasciando cadere i vestiti per terra e senza togliere la fasciatura intorno alla gamba. Entrai nella cabina, una ruvida piattaforma di cemento con un buco di scarico al centro; sopra una mensola, lo shampoo, una saponetta impastata di capelli e un rasoio azzurro usa e getta che di certo non apparteneva ad Aaron. Lungo le pareti di lamiera la scia delle colate d'acqua insaponata.

Mi girai su me stesso per ispezionare lo sfogo in fondo alla schiena. Vidi che era molto irritato. Era viola e coperto di protuberanze, grande più o meno come la mia mano aperta. Molto probabilmente ero stato attaccato da una colonia di pulci penetranti mentre ero sdraiato tra le foglie marce. I minuscoli acari dovevano essersi infilati sotto pelle mentre osservavo la casa e non c'era altro da fare se non dar loro ospitalità per qualche giorno finché non si fossero stancati a morte di me. Grattai piano i bordi della parte irritata, pienamente consapevole che non avrei dovuto farlo, ma del tutto incapace di smettere.

I lividi sulla parte sinistra del corpo erano venuti a galla già domenica pomeriggio e le costole mi dolevano ancora, mentre mi allungavo per aprire l'acqua.

Con l'acqua tiepida bagnai bene la stoffa della felpa cercando di ammorbidire la crosta, poi, contando i sessanta secondi che mi spettavano, tenni la manichetta sopra la testa.

Chiusi il getto e mi lavai con la saponetta che profumava di fiori, poi mi strofinai i capelli con lo shampoo. Decisi che l'acqua aveva avuto il tempo per ammorbidire la crosta, mi piegai, slegai la fasciatura e cercai di staccarla senza strappare.

Mi si annebbiò la vista. E di nuovo provai un senso di vertigine. Cosa cazzo mi stava succedendo? Sedetti sul cemento e appoggiai la schiena contro la parete metallica. La giustificazione per cui queste stronzate erano dovute a stanchezza era un'invenzione bella e buona. Avevo passato tutta la vita in condizioni simili. No, era solo un problema di testa. Ero stato così occupato a compatirmi che non avevo ancora pensato seriamente a come fare il lavoro e mi ero lasciato scappare un giorno intero che poteva essere dedicato ai preparativi. A quell'ora potevo trovarmi già sul posto.

Mi feci un bel discorsetto. *Svegliati... la missione, la missione, nient'altro ha importanza se non la missione, devi pensare alla missione, nient'altro ha importanza.*

21

La carne si rifiutò categoricamente di staccarsi dal tessuto. Erano stati insieme tante ore e adesso non volevano saperne di separarsi. Strappai come fosse un cerotto e mi pentii subito di averlo fatto: il dolore fu intollerabile, prima ancora che la schiuma del sapone colasse dentro la ferita aperta e irritata.

«Cazzo, cazzo, cazzo!» Non riuscii a trattenermi.

Strinsi i denti e strofinai il sapone sul taglio per dargli una vigorosa pulita. Fu a quel punto che sentii un rumore vicino al lavandino. Misi fuori la testa che ormai aveva ripreso a funzionare, per ringraziare Carrie dei vestiti e dell'asciugamano, ma non era lei, era Luz, o per lo meno decisi che era lei. Indossava una maglietta azzurra lunga, dall'aria un po' consunta, come camicia da notte e aveva i capelli neri e ricci più arruffati che avessi mai visto, come se Scary Spice avesse preso la scossa.

Vicino a lei, sul pianale del lavandino, una pila di vestiti color kaki e un asciugamano azzurro a strisce. Era immobile e mi fissava con due grandi occhi neri che svettavano sopra altrettanti zigomi latinoamericani alti e pronunciati, del tutto privi di brufoli adolescenziali. Un giorno sarebbe diventata una bellissima donna, ma per adesso proprio non lo era. Dalla maglietta sbucavano due gambette magre, sottili come matite appuntite, gli stinchi coperti di lividi da maschiaccio.

Mi guardò, né spaventata né a disagio, solo curiosa della versione insaponata di Darth Maul che spuntava dalla tenda della doccia.

«*Hola.*»

Era tutto lo spagnolo che conoscevo. «*Hola.* Tu sei Luz?»

Fece cenno di sì con la testa, continuando a studiarmi, o forse più semplicemente le sembrava strana l'intonazione. «La mamma mi ha detto di portarti questa roba.» Parlava americano con una lieve sfumatura di spagnolo.

«Grazie mille. Io sono Nick... lieto di conoscerti, Luz.»

Annuì – «A dopo» – e se ne andò facendo il giro largo per non passare davanti alla doccia.

Tornai a occuparmi di me. La ferita era lunga una decina di centimetri e profonda circa un paio, ma se non altro il taglio era netto.

Il sapone e lo shampoo cominciavano a indurirsi sopra la pelle mentre me ne stavo lì a concentrarmi sul lavoro e su me stesso. Aprii l'acqua e mi sciacquai per i sessanta secondi che mi toccavano. Già che c'ero feci anche pipì, l'odore era pessimo. L'urina era di un orribile giallo scuro, il che stava a significare che ero molto disidratato. Forse i giramenti di testa erano dovuti a questo.

Mi asciugai all'aria aperta e indossai i vestiti di Aaron, pantaloni di cotone color kaki con tasche applicate su entrambi i lati e una vecchia maglietta a maniche lunghe di un grigino sbiadito con la scritta JUST DO IT. I pantaloni erano larghi ma un paio di giri alla cintura li strinsero un po'. Le tasche dei pantaloni si chiudevano bene con il velcro, perciò infilai nella tasca destra il passaporto, il portafoglio e il biglietto aereo ancora nella busta di plastica.

Prima di lisciarmi i capelli all'indietro mi attaccai alla manichetta dell'acqua potabile e succhiai l'acqua dal leggero gusto amarognolo. Mi fermai per prendere respiro e sentii lo stomaco gonfiarsi con l'acqua tiepida di cui avevo estremo bisogno.

Il gesto successivo fu togliere il Leatherman dalla custodia, pulirlo dal sangue di Diego e infilarlo in tasca. Dopo un'altra poderosa succhiata d'acqua, appesi l'asciugamano bagnato al filo come un bambino educato. Con i vestiti arrotolati sotto il braccio sinistro e i Timberland nella destra, tornai al magazzino, presi il kit delle medicine e la foto satellitare, poi, dopo aver frugato sotto la branda, il portafoglio di Diego e mi sedetti all'esterno sul muretto.

Osservando la foto dal satellite riconobbi con precisione la strada che dalla casa di Charlie andava fino al cancello, le macchine posteggiate, il fumo di gasolio che usciva da un JCB intento a sradicare dal terreno le radici di un albero e le persone che riposavano vicino alla piscina. Era di ottima qualità, ma non mi disse niente che non sapessi già. Avevo sperato di trovare la possibilità di un approccio nascosto dal retro della casa o qualsiasi altra cosa che mi facesse venire un'idea qualunque.

Trovai della polvere antibiotica in una boccetta panciuta e ne misi un bel po' sulla ferita, poi misi una garza sterile e la fissai con la benda. Quando vidi il flacone della deidrocodeina mi resi conto che il mal di testa era scomparso.

Carrie non aveva pensato a calze e mutande, per cui non ebbi altra scelta che lasciare i ragazzi penduli e liberi e infilarmi le mie vecchie calze. Avevano la consistenza del cartone ma per lo meno erano asciutte. Infilai gli stivali, strofinai la crema antistaminica sopra le reni e i rigonfiamenti sul viso, poi riposi tutto nella valigia. Trovai due spille di sicurezza per sigillare le tasche applicate e riportai la valigia nel magazzino. Abbandonai tutte le mie vecchie cose sotto la branda e frugai in giro alla ricerca di fiammiferi, poi con il tacco dello stivale feci un buco per terra e ci lasciai cadere tutto il contenuto del portafoglio di Diego a eccezione dei 38 dollari. Osservai la carta d'identità e la foto di famiglia accartocciarsi e annerirsi, pensando a cosa dovevo fare con Michael.

Non che avessi molte altre possibilità. Dovevo spararGli. Nient'altro avrebbe potuto funzionare, avendo zero tempo, zero informazioni e zero attrezzature. A trecento metri, anche con un fucile appena decente non avrei mancato il bersaglio. Di centrare il lobo dell'orecchio neanche a parlarne, avrei mirato direttamente alla cassa toracica. E quando fosse stato a terra, fermo, avrei sparato altri colpi per sicurezza. Se l'unica possibilità mi si fosse presentata mentre saliva o scendeva dall'auto di ritorno dall'università, la mira doveva essere più precisa.

Dopo di che mi sarei nascosto nella giungla fino a domenica. Ne sarei sbucato fuori per andare dritto all'aeroporto. E se non mi si fosse presentata l'occasione fino all'ultima luce dell'indomani, sarei comunque riuscito a essere da Josh per martedì. L'ultima possibilità, quella di non vedere affatto il bersaglio, non la presi neppure in considerazione.

Spostai un po' di fango sopra il mucchietto di cenere e mi diressi alla volta della cucina, portando con me la crema antistaminica. Mentre attraversavo il magazzino gettai il portafoglio dietro uno degli scaffali.

Nel soggiorno le pale dei ventilatori giravano rumorosamente, producendo un minimo di spostamento d'aria. Carrie era vicino ai fornelli girata di schiena; Luz era seduta al tavolo, mangiava il porridge e sbucciava un'arancia. Era vestita come la mamma, adesso, pantaloni verdi e maglietta.

Con tono di voce cordiale distribuii i miei «ciao, ciao».

Carrie si voltò e sorrise. «Oh, ciao.» Non sembrava affatto a disagio per la notte precedente, mentre mi indicava a Luz con un mestolo sporco di porridge dicendo: «Questo è Nick».

«Ciao, Nick», rispose Luz in modo educato e sicura di sé.

«Grazie ancora per avermi portato i vestiti.» La risposta fu un prevedibile: «Prego».

Con il mestolo Carrie versò del porridge in una ciotola bianca e mi augurai che fosse per me. «Siediti. Caffè?»

Obbedii. «Grazie, sì.» Mentre avvicinavo la sedia, il porridge e un cucchiaio si materializzarono sul tavolo davanti a me. Vicino c'era un casco di banane e lei picchiettò sul bordo di una caraffa verde posta al centro della tavola. «Latte. In polvere, ma ci farai l'abitudine.»

Carrie si voltò per preparare il caffè. Luz e io mangiavamo, seduti uno di fronte all'altra.

«Luz, perché non spieghi a Nick come siamo organizzati? Dopo tutto è qui per questo. Parlagli del nuovo sistema per l'alimentazione elettrica. »

Un sorriso le illuminò il volto scoprendo una fila di denti bianchi e sbilenchi ricoperti da un apparecchio. « Come ovvio, abbiamo un generatore », disse seria, guardandomi nell'occhio e mezzo che riusciva a vedere. « Alimenta la casa e inoltre carica le due nuove linee di accumulatori che sono collegate in parallelo. Servono per l'emergenza e per tenere basso il rumore del generatore durante la notte. » Rise. « La mamma va fuori di testa se il generatore resta acceso fino a tardi di notte. »

Scoppiai a ridere, non quanto Luz che cercava anche di bere il latte. Carrie si unì a noi portando due tazze di caffè fumante. « Non c'è niente da ridere. »

« Allora perché mi è andato il latte su per il naso? »

« Luz, abbiamo ospiti! » Si versò il latte nel caffè e mi passò la caraffa continuando a guardare Luz con un tale affetto e una tale tenerezza da mettermi a disagio.

Feci un cenno verso i fornelli. « Allora avete anche il gas? »

« Certo. » Luz continuò la sua conferenza. « È in bombola, arriva in elicottero insieme con le altre cose ogni cinque giovedì. » Guardò la mamma per avere conferma. Carrie annuì. « L'università noleggia un elicottero per le consegne alle sei postazioni di ricerca nel Paese. »

Cercai di sembrare il più possibile interessato, se si considera che avrei voluto parlare solo di come fare a mettere le mani sopra il fucile che avevo visto appeso al muro, e scoprire se poteva essere utile per quello che avevo in mente. Sbucciai una banana pensando a come sarebbe stato bello avere un rifornimento ogni cinque settimane tutte le volte che ero stato nella giungla, nel corso degli anni.

Luz aveva appena finito di mangiare quando Carrie guardò l'orologio vicino al lavandino. « Metti via il piatto ed entra in rete. Non fare aspettare il nonno. » Luz annuì felice; si alzò con il piatto in mano, lo appoggiò vicino al lavandino e sparì nella stanza dei computer.

Carrie prese un altro sorso di caffè, poi urlò: «Di' al nonno che tra poco vengo a salutarlo».

Una voce giunse dalla stanza dei computer. «Va bene.»

Carrie indicò le fotografie sopra il frigorifero e in particolare quella dell'uomo con la polo e i capelli grigi con la riga da una parte che teneva per mano Luz sulla veranda. «Mio padre, George, le insegna matematica.»

«Chi sono quelli con i bambini in braccio?»

Si voltò di nuovo e guardò la foto sbiadita. «Anche quello è mio padre, quella in braccio sono io, siamo all'estrema destra. È la mia preferita.»

«E chi sono quelli con voi?»

Luz mise fuori la testa da dietro l'angolo, con sguardo e voce preoccupati. «Mamma, l'immagine della chiusa si è spenta.»

«Va bene, cara, lo so.»

«Ma, mamma, hai detto che doveva essere sempre...»

Carrie rispose secca. «Lo so, tesoro, ho cambiato idea, va bene?»

«Va bene.» Luz fece marcia indietro con aria confusa.

«Tutto il resto glielo insegniamo noi. Serve a mantenere un rapporto con il nonno. Sono molto legati.»

Mi strinsi nelle spalle. «Mi sembra una bella cosa.» Non ero molto preoccupato che non avesse risposto alla mia domanda. Avevo cose più importanti cui pensare. Decisi che era giunto il momento di passare all'ultima pagina. «Funziona il fucile appeso in camera da letto?»

«Non ti sfugge niente, vero, uomo della febbre? Naturalmente... perché?»

«Per precauzione. Nessun problema a chiederne uno a quello che ti ha ingaggiato, solo che non ho molto tempo e vorrei mettermi in marcia prima possibile.»

Posò le braccia sul tavolo. «La gente come te non si sente al sicuro senza un'arma, vero?»

I suoi intensi occhi verdi mi scrutarono dentro in attesa di una risposta. Il problema era che secondo me la domanda non era così semplice come sembrava.

«Sempre meglio essere previdenti che dispiaciuti, non è per questo che lo tieni? E poi Charlie non è Mister Bontà.»

Si alzò e si diresse verso la camera. «Questo è sicuro come la morte... ma se lui ti becca a fare quello che sei venuto a fare, qualunque cosa sia, avrai bisogno di qualcosa di più di un vecchio fucile.»

Sparì dietro la porta. Dalla mia posizione potevo vedere i piedi del letto e il muro di fronte. Era coperto di fotografie, vecchie e recenti, adulti sorridenti e bambini vestiti a festa.

Sentii le porte scorrevoli andare avanti e indietro e il tintinnio dei proiettili di ottone che cadevano uno sopra l'altro. Immaginai che lo tenesse carico e pronto a sparare, altrimenti che senso avrebbe avuto tenerlo appeso in camera da letto?

Ricomparve con il fucile a canna rigata e chiusura a otturatore manuale e un contenitore di latta con la maniglia di stoffa, senza coperchio, nella quale vidi le scatole di cartone delle munizioni.

Non riuscivo a staccare gli occhi dal fucile. Era un pezzo d'altri tempi, con il fusto in legno che partiva dal calcio e si estendeva per tutta la lunghezza della canna, fin quasi alla bocca.

Lo posò sul tavolo. «È un Mosin Nagant. Mio padre l'ha preso dal cadavere di un cecchino nel Vietnam del Nord, durante la guerra.»

Conoscevo quell'arma, un vero e proprio classico.

Prima di passarmelo, lo girò presentandomi l'otturatore aperto per mostrarmi che non c'era niente né nella camera di sparo né nel serbatoio delle cartucce. Ero impressionato e immagino che si vedesse. «Mio padre diceva: che senso ha possederne uno se non sai come si usa?»

Controllai la camera di sparo – vuota – e presi l'arma dalle sue mani. «Dove prestava servizio?»

Sedette e sollevò la tazza del caffè. «Nell'esercito. È andato in pensione con il grado di generale.» Fece un cenno alle foto sul frigo. « La spiaggia? Quelli sono i suoi commilitoni. »

« Che ruolo aveva? »

« Servizi tecnici, intelligence. Se c'è una cosa di buono che si può dire di George, è che è un uomo intelligente. Al momento fa parte della Defense Intelligence Agency. » Si concesse un sorriso di orgoglio mentre fissava la fotografia. « Qui c'è un consulente senior della Casa Bianca e altri due generali, uno dei quali ancora in servizio. »

« Da un lato ce n'è uno con una brutta cicatrice. È uno dei due generali? »

« No, ha lasciato il Servizio negli anni '80, prima che venisse fuori la faccenda Iran-Contra. In un modo o nell'altro erano tutti coinvolti, anche se la colpa è stata data a Ollie North. Non ho mai saputo con certezza cosa gli sia capitato. »

Se aveva fatto parte dell'affare Iran-Contra, George sapeva benissimo come funzionavano operazioni come questa. Lavori di operatori in nero di cui nessuno voleva sapere niente e di cui persone del suo stampo non avrebbero comunque parlato.

Il rapporto tra quei due, George e Pizzaiolo, iniziava a provocarmi un certo malessere. Ma io ero una piccola pedina e non avevo nessuna intenzione di farmi coinvolgere in qualsiasi cosa stesse accadendo da quelle parti. Dovevo solo stare attento e non finirci nel mezzo. La settimana successiva dovevo assolutamente essere nel Maryland.

Luz chiamò dall'altra stanza. « Mamma, il nonno ha bisogno di parlarti. »

Carrie si alzò con un educato: « Non ci vorrà molto », e sparì nella stanza vicina.

Ne approfittai per guardare una seconda volta George, l'uomo alto, muscoloso e dalla mascella squadrata che sorrideva vicino a Luz nella veranda. Fu facile capire da dove venivano i grandi occhi verdi di Carrie. Controllai la scritta digitale nell'angolo in basso a destra. Era stata scattata nell'aprile del '99, appena diciassette mesi prima. Aveva mantenuto l'aspetto dell'americano tipo, con i capelli corti e la riga da una parte e, particolare curioso, sembrava più giovane di Aaron. Al contrario, Pizzaiolo, a paragone con la sua vita precedente in bianco e nero, sembrava un cadavere ambulante. Molto più magro, più grigio e probabilmente, a giudicare dal modo in cui l'avevo visto fumare, con i polmoni pieni di petrolio puro.

22

RIENTRAI nel mondo reale ed esaminai il fucile che, paragonato ai nuovi modelli, sembrava elementare e poco sofisticato. Non che il meccanismo base fosse cambiato di molto nei secoli: grilletto, sicura, organi di mira e canna. Non ero un fanatico di armi, ma conoscevo abbastanza bene la storia delle armi russe per sapere che, al di là del loro aspetto, quegli oggetti avevano spedito migliaia di tedeschi nelle tombe sul fronte orientale negli anni '40. Il punzone dell'arsenale impresso nell'acciaio della canna diceva che era stato costruito nel 1938. Forse era uno di quelli. Molto probabilmente avrebbe avuto una lunga storia da raccontare, bersagli americani in Vietnam compresi.

Quello che avevo in mano era stato tenuto davvero bene. La parte in legno era verniciata e gli organi meccanici erano leggermente lubrificati e non presentavano nessuna traccia di ruggine. Lo imbracciai e guardai attraverso il cannocchiale di puntamento dalla forma così poco convenzionale che ebbi il dubbio che non fosse l'originale. Era un tubo dritto, nero e consumato, montato sopra l'arma, lungo una ventina di centimetri e con il diametro di due o tre centimetri.

Doveva essere a fuoco fisso perché mancava la regolazione dell'ingrandimento: c'erano solo due piccole manopole a metà del tubo, quella superiore per regolare l'elevazione (alto e basso) e quella sulla destra per la deriva laterale (sinistra e destra). I quadranti non avevano più i gradi segnati – mancavano i riferimenti numerici – e c'erano solo dei graffi che indicavano dov'era stato tarato.

Lo puntai contro la costola spelacchiata di un libro, guardai dentro il cannocchiale e questo mi bastò per capire che aveva un reticolo a telaio. Una spessa linea nera saliva dal basso dell'inquadratura e terminava in un punto al centro di questa. Appena sotto questo punto si trovava una linea orizzontale che attraversava l'intera larghezza dell'inquadratura.

Non mi sono mai piaciuti i reticoli di questo tipo perché la linea nera non lascia vedere la parte inferiore del bersaglio che è al centro del campo visuale. Più lontano è il bersaglio, più piccolo diventa e più la linea nera lo nasconde. Ma i mendicanti prendono quello che passa il convento e sarei stato già quasi contento se una volta premuto il grilletto avesse sparato. Sull'arma c'erano anche gli organi di mira convenzionali in ferro, quello posteriore posizionato appena avanti rispetto all'otturatore, più o meno dove la mia mano sinistra si sarebbe trovata impugnando il fucile. La tacca di mira poteva essere tarata tra 400 e 1200 metri. Era posizionato su 400, ovvero il «campo di battaglia» standard. Il mirino sull'estremità della canna era protetto da un tunnel metallico.

Posai il fucile sul tavolo e mi versai dell'altro caffè. Pensare alla possibile storia di quel fucile mi fece ricordare che tempo addietro, agli inizi degli anni '80, quando ero una recluta del BAOR (*British Army of the Rhine*), ero diventato il proprietario di una baionetta della seconda guerra mondiale che mi aveva regalato un tedesco. Mi aveva detto di avere ucciso con quell'arma più di trenta russi sul fronte orientale e io mi ero domandato se mi stava prendendo per il culo, dato che quasi tutti i tedeschi raccontavano di aver combattuto solo contro i russi e mai contro gli Alleati. L'avevo messa dentro un armadio nella casa del Norfolk e me n'ero dimenticato; in seguito era stata venduta, insieme con tutto il resto, per pagare le cure di Kelly. Uno skinhead che aveva una bancarella a Camden Market me l'aveva pagata venti zucche.

Carrie tornò mentre finivo di servirmi. «Sai come si regola il cannocchiale di puntamento?»

«No.» Avrei risparmiato parecchio tempo se non avessi dovuto procedere a tentativi.

«Ha un PBZ, cioè un *Point Blank Zero*, a trecentoventi metri», disse avvicinandosi al tavolo. «Sai cos'è?» Annuii mentre lei, dopo aver sollevato il fucile, ruotava le manopole. «Che stupida, ovvio che lo sai.»

Sentii i *clic* sopra il rumore dei ventilatori, quindi me lo passò. «Ecco, così è tarato.» Mi mostrò i riferimenti sul tubo del cannocchiale che indicavano la posizione corretta delle manopole per ottenere l'azzeramento voluto.

Posai il caffè, lo presi e controllai gli opachi segni di riferimento. «Dove posso andare a fare delle prove?»

Agitò le braccia. «Dove vuoi. Qui non manca certo lo spazio.»

Presi la scatola delle munizioni. «Puoi darmi qualche foglio della stampante e un pennarello?»

Sapeva perfettamente cosa ne avrei fatto. «E ci aggiungo gratis anche qualche puntina da disegno. Ci vediamo fuori.»

Andò nella stanza dei computer e io uscii sulla veranda attraverso la zanzariera cigolante. Il cielo continuava a essere di un azzurro brillante. I grilli ci davano dentro come se fosse l'ultimo giorno della loro vita e una scimmia, o qualcosa del genere, produceva un simpatico fracasso da qualche parte tra il tetto di foglie. Ma non m'importava. Nessun problema: dopo la doccia e la crema sulla schiena ero di nuovo innamorato della giungla.

Anche se la veranda era in ombra, fuori faceva molto più caldo che dentro. Ero contento di stare meglio, perché il caldo era opprimente.

Il mio intontimento non era sparito del tutto, ma era giunto il momento di smetterla di compatirsi: era l'ora di concentrarsi sul motivo che mi aveva portato là. Il cigolio della zanzariera interruppe il corso dei miei pensieri e Carrie ne uscì con un sacchetto di carta stropicciato che mi porse. «Ho detto a Luz che forse più tardi saresti andato a caccia e che adesso vuoi fare qualche prova con il fucile.»

«Vado da quella parte.» Indicai gli alberi a duecento metri, a destra della casa. Era al lato opposto rispetto alla strada sterrata, così, se Aaron fosse tornato in anticipo dal salvataggio dei giaguari, non si sarebbe beccato un 7,62 in un orecchio. «Ci vediamo tra un po'.»

Non appena abbandonai il riparo della veranda, l'intensa luce del sole mi accecò. Strizzai gli occhi e guardai verso il basso. Quasi tutta la pioggia era evaporata dall'erba, ma l'alto tasso di umidità aveva lasciato intatte le pozzanghere, eccettuato il fango indurito sui bordi più esterni.

La nuca e le spalle mi bruciavano mentre continuavo a fissare l'erba folta e incolta. Sapevo che le cose sarebbero migliorate quando fossi arrivato agli alberi. Sarebbe stato altrettanto caldo e appiccicoso, ma per lo meno il *rabiblanco* non si sarebbe incendiato come una torcia.

Lanciai un'occhiata al Baby G. Da non credersi, erano solo le 10.56. Il sole non poteva fare altro che diventare sempre più forte.

Dalla veranda Carrie mi urlò indicando il fucile. «Trattamelo bene, è molto importante per me.» Dovetti socchiudere gli occhi per riuscire a vederla, ma mi parve d'intuire che stava sorridendo.

«A proposito, metti solo quattro cartucce. Nel serbatoio ce ne stanno cinque, ma poi non riesci a chiuderlo senza forzare. Hai capito?»

Sollevai il fucile continuando a camminare. Avrei mantenuto quella taratura, se non si era mossa. Perché incasinare le cose se così com'erano potevano funzionare? Cercando di migliorare avrei corso il rischio di fare peggio.

Abbassai la mano che teneva il fucile e continuai ad avanzare verso gli alberi, pensando a come avrebbero reagito i tre cecchini di Londra all'idea di usare il metodo di taratura PBZ per far fuori un bersaglio, e come se non bastasse con munizioni che poteva aver fatto il fabbro del quartiere. Per accertarsi dell'affidabilità, quei cecchini avrebbero aperto ogni colpo che gli avevo fornito per controllare che ciascuna cartuccia contenesse la medesima quantità di propellente.

Il PBZ è una regolazione media in grado di fornire la garanzia che il colpo centri il bersaglio in una zona vitale. Lo usano i cacciatori: per loro la zona vitale è un cerchio di diciassette centimetri che ha il cuore dell'animale come centro. Funziona in un modo piuttosto semplice. Il proiettile esce dalla canna con una traiettoria parabolica, sale, poi inizia a scendere vinto dalla forza di gravità. Un proiettile calibro 7,62 mm ha una traiettoria piuttosto tesa, a una distanza di trecentocinquanta metri non si abbassa per più di diciassette centimetri. Se il cacciatore non si trova a una distanza superiore ai trecentocinquanta metri, deve solo mirare al centro della zona bersaglio, e ucciderà l'orso, o qualunque cosa lo stia attaccando. Io avrei sparato a una distanza massima di trecento metri, così, se avessi mirato al centro dello sterno del bersaglio, probabilmente lo avrei colpito da qualche parte nella cassa toracica, che il gergo dei cecchini definisce contesto vitale: cuore, reni, arterie e altro che gli avrebbe procurato un'immediata emorragia letale. Di certo non era un sofisticato colpo al cervello come quello che avrebbero tirato i cecchini di Londra, primo perché non avevo un'arma all'avanguardia e secondo perché non ero particolarmente dotato.

Con ogni probabilità un colpo al cuore avrebbe reso incosciente il bersaglio e l'avrebbe ucciso in dieci o quindici secondi. La stessa cosa sarebbe avvenuta se avessi colpito il fegato, perché i tessuti sono molto morbidi; anche un colpo di striscio a volte ha lo stesso effetto. La pallottola attraversa il corpo, frantumando, comprimendo e lacerando la carne, accompagnata da un'onda d'urto che causa una temporanea tumefazione dei tessuti circostanti che li incasina un bel po'.

Un colpo ai polmoni lo avrebbe reso infermo ma poteva non ucciderlo, soprattutto se fosse stato soccorso in tempo. L'ideale era che il proiettile colpisse la parte alta della spina dorsale, esattamente sopra le scapole, in entrata o in uscita, se avessi dovuto colpirlo alle spalle.

Ciò avrebbe avuto un effetto simile a quello cercato dai

tre cecchini: morte istantanea e afflosciamento del bersaglio come se si trattasse di un liquido.

Tutto molto bello in teoria, ma dovevo fare i conti con una montagna di altri fattori. Forse avrei dovuto colpire il bersaglio in movimento, poteva esserci vento. Forse avrei avuto solo una parte del corpo in vista, o la mia posizione poteva obbligarmi a un angolo di tiro particolarmente scomodo.

Cercando di non pensare al ragazzo che sorrideva all'interno della Lexus, percorsi i duecento metri che mi separavano dagli alberi, posai la scatola delle munizioni e rimasi per un po' nell'ombra a guardare verso la collina, la zona bersaglio. Poi iniziai a salire.

Trovai un albero adatto e con una puntina attaccai un foglio di carta sul tronco a un terzo dal fondo. Con il pennarello disegnai un cerchio grande quanto una moneta da due sterline e ne colorai l'interno. Era un cerchio un po' storto dai contorni irregolari perché stavo appoggiato sulla corteccia, ma andava bene lo stesso.

Appuntai un altro foglio sopra e un altro sotto il primo, poi, sfruttando al massimo l'ombra, tornai indietro con il fucile e i proiettili, contando cento passi da un metro. Da quella distanza, anche se la taratura fosse stata totalmente imprecisa, con un po' di fortuna avrei colpito almeno la carta e così avrei potuto valutare di quanto era da correggere. Se il punto di mira fosse stato fuori, diciamo, di cinque centimetri a cento metri, allora a duecento i centimetri sarebbero stati dieci e così via. Se fossi partito da trecento, potevo essere fuori di quindici centimetri, in alto, in basso, a sinistra o a destra, o addirittura fuori del tutto dal foglio. Sparare e vedere i colpi mancati sarebbe stata un'inutile perdita di tempo e io di tempo non ne avevo abbastanza.

Fatti i cento passi all'ombra degli alberi controllai che non ci fossero bestiole e mi misi seduto contro un tronco. Poi chiusi l'otturatore. Il meccanismo era perfetto: il movimento dolce, quasi burroso, le superfici oleate si muovevano una sopra l'altra senza opporre resistenza. Spinsi il manubrio dell'otturatore in basso verso il fusto di legno e quando andò in posizione ci fu un dolce *clic*.

Prima di far fuoco avevo bisogno di conoscere il peso dello scatto del grilletto. Un buon grilletto deve rilasciare il percussore senza far muovere l'arma. Ogni grilletto ha il suo peso di scatto e i congegni di sparo di quasi tutti i fucili usati da cecchini possono essere regolati in base alle esigenze dell'utente. Non lo avrei fatto, anche perché non avrei saputo come farlo su un Mosin Nagant, e non ero particolarmente sofisticato al proposito, riuscivo sempre a adeguarmi a quello che trovavo.

Piazzai con delicatezza il centro del polpastrello dell'indice destro sopra il grilletto. C'erano pochi millimetri di gioco prima di incontrare resistenza. Questa era la prima pressione. La resistenza era la seconda pressione; lentamente premetti ancora e subito sentii il *clic* del percussore che veniva spinto fuori della testa dell'otturatore. Mi andava bene così: alcuni tiratori preferivano che la prima corsa fosse del tutto assente, ma a me piaceva avere un minimo di gioco prima di fare fuoco.

Tirai di nuovo indietro l'otturatore, presi dalla scatola delle munizioni una confezione da venti di cartucce calibro 7,62, ne infilai quattro, una alla volta, da sopra, dentro quello che doveva essere un serbatoio da cinque colpi. Quindi feci scorrere l'otturatore in chiusura, osservando la prima cartuccia che entrava nella camera di sparo. L'unica resistenza che avvertii fu quando chiusi l'otturatore abbassando il manubrio. La sicura sporgeva dietro l'otturatore: si trattava di un disco piatto grande quanto una moneta da cinquanta pence. Girandolo verso sinistra misi l'arma in sicura. Non era un'operazione facile, ma quando quest'affare era stato costruito non doveva essere un accessorio troppo richiesto.

Cercai una piccola montagnola nel terreno che facesse la funzione di un sacco di sabbia e, dopo aver controllato che non ci fossero bestie, mi ci sdraiai dietro in posizione prona. Avevo il calciolo metallico dell'arma contro la parte morbida della spalla e il dito del grilletto raggiunse il suo posto. L'avambraccio sinistro era poggiato sul monticello e lasciai che la mano sinistra trovasse la sua naturale posizione lungo la sottocanna dell'arma. Per agevolarc la presa da entrambe le parti c'erano delle scanalature intagliate nel legno.

Se le ossa sono le fondamenta per tenere un fucile, i muscoli sono gli ammortizzatori che lo mantengono in posizione stabile. Dovevo riuscire a formare un treppiede tra i gomiti e la parte sinistra della cassa toracica. Un vantaggio mi veniva dal fatto di poter poggiare l'avambraccio contro la montagnola. Due erano le cose di cui avevo bisogno: che la posizione e l'impugnatura fossero salde abbastanza da reggere il fucile e che il mio corpo fosse comodo.

Guardai dentro il cannocchiale per essere sicuro che niente gli facesse ombra sui bordi. Nessun problema a chiudere l'occhio sinistro: metà del lavoro me lo avevano fatto il giorno precedente. L'errore più grosso che commette un principiante, quando usa un reticolo a telaio, è credere che il punto da prendere di mira sia quello determinato dall'incrocio delle due linee. E invece no, è appena sopra la linea verticale. La linea orizzontale serve solo per controllare l'inclinazione dell'arma.

Presi di mira il centro del cerchio nero dai bordi irregolari, poi chiusi gli occhi e smisi di respirare, quindi espirai allentando lentamente la tensione dei muscoli. Tre secondi dopo, aprii gli occhi, iniziai a respirare in modo normale e tornai a guardare dentro il cannocchiale. Scoprii che la linea di mira si era spostata verso sinistra sul foglio di carta, allora ruotai appena il corpo verso destra, poi ripetei la sequenza un paio di volte finché il mio corpo non si trovò in naturale allineamento con il bersaglio. Non aveva senso obbligare il corpo in una posizione forzata: avrebbe avuto conseguenze sul colpo al momento dello sparo. Adesso ero pronto per eseguire il primo sparo.

Feci tre sospiri profondi per ossigenare il corpo. Se non hai ossigeno sufficiente non vedi bene; anche se non stai per fare fuoco con un fucile, se semplicemente ti trovi a guardare qualcosa molto lontano e smetti di respirare, ti accorgi che l'immagine si fa confusa molto rapidamente.

Il cannocchiale del fucile si mosse in su e in giù insieme con il corpo mentre inspiravo con forza, poi quando presi a respirare normalmente si stabilizzò. Fu solo a quel punto che tolsi la sicura tirandola in fuori e girandola verso destra. Recuperata l'inquadratura corretta, presi la mira e premetti il grilletto per il primo tratto. Contemporaneamente smisi di respirare, per stabilizzare l'arma.

Un secondo, due secondi... dolcemente tirai fino al punto di scatto.

Non sentii neppure il *crac*, occupato com'ero a mantenere la concentrazione e l'immobilità mentre il fucile scattava in alto e indietro contro la mia spalla. Per tutto il tempo avevo mantenuto l'occhio destro aperto e avevo seguito il colpo, mantenendo il controllo finché la linea di mira non si trovò di nuovo al centro del bersaglio. Era buono: voleva dire che il mio corpo era perfettamente allineato. Se così non fosse stato, la linea di mira si sarebbe spostata dove il corpo puntava in modo naturale.

Bisogna seguire il colpo sino alla fine perché, pur essendoci meno di un secondo tra il punto di scatto – che spinge la punta del percussore in avanti a colpire il fondello del bossolo – e l'avanzare del proiettile all'interno della canna spinto dai gas prodotti dall'esplosione verso il bersaglio, il più piccolo movimento potrebbe determinare uno scostamento della traiettoria del proiettile tra il momento in cui si fa fuoco e quello in cui esce dalla canna. Cosa non proprio piacevole se per caso stai cercando di uccidere qualcuno con un solo colpo.

Quest'ultimo gesto terminò la sequenza dell'azione dello sparo. A quel punto mi resi conto dei diversi colori e delle diverse dimensioni degli stormi di uccelli che si sollevavano dagli alberi. Il tetto di foglie frusciò mentre sbattevano le ali per scappare.

Nella vita vera succede che molte di queste astuzie non

possono essere usate. Ma se si conoscono e vengono usate quando si tara un'arma, c'è una buona possibilità di centrare il bersaglio stabilito e farlo fuori.

Guardando nel cannocchiale controllai dove era finito il colpo. Avevo colpito la parte superiore del foglio centrale: una dozzina di centimetri troppo in alto. Era giusto, doveva essere alto da questa distanza ravvicinata: il dispositivo era tarato su 350. La cosa importante era che non fosse più alto di diciassette centimetri.

Il problema era che, sebbene il colpo fosse all'altezza prevista per la distanza, era andato a sinistra della linea centrale di circa sette centimetri. Che a trecento metri sarebbero diventati ventuno. Avrei mancato il torace; forse, se ero fortunato e se lui era fermo, lo avrei colpito a un braccio. Questo non era sufficientemente buono.

Mi sdraiai di schiena e osservai gli uccelli che tornavano ai nidi. Attesi circa tre minuti prima di ricaricare perché avevo bisogno che la canna si raffreddasse: prima di sparare il secondo colpo la canna doveva essere fredda come per il primo. Le variazioni della temperatura della canna possono curvare il metallo. Considerata anche la scarsa qualità delle munizioni, sarebbe stato da stupidi tararlo a canna calda, o anche solo tiepida, perché quando avessi sparato sarebbe stata senz'altro fredda.

Tutto ciò risvegliò il piccolo cecchino che è in me. Mi ricordò che l'aria pesante e umida è più spessa di quella secca e fa scendere più velocemente il proiettile. L'aria calda ha un effetto opposto, è più sottile, offre minore resistenza e lo fa salire più in alto. Cos'avrei dovuto fare in una giornata molto calda dentro la giungla molto umida? 'Fanculo, non potevo pensare anche a questo. Mi ero appena liberato del mal di testa e non volevo che ritornasse. Dodici centimetri andavano più che bene. A ogni buon conto li avrei confermati quando fossi stato a trecento.

Sparai una seconda volta e seguii il colpo: la linea di mira rimase nel cerchio. Il colpo aveva tagliato la carta ancora a sinistra, a meno di mezzo centimetro dal primo. I fori erano ben raggruppati, così ebbi la conferma che il primo non era un tiro pazzo; il cannocchiale aveva effettivamente bisogno di essere regolato.

Gli uccelli erano piuttosto incazzati per essere stati disturbati una seconda volta, così mi misi a sedere in attesa che la canna si raffreddasse. In quel momento vidi Carrie che, dal retro della casa, avanzava verso di me.

23

ERA a centocinquanta metri e con la mano destra faceva dondolare una bottiglia d'acqua da due litri. Feci un cenno di saluto. Rispose e mentre mi guardava mi colpì un raggio di sole riflesso dai suoi occhiali avvolgenti. Mi appoggiai bene all'albero e la osservai mentre si avvicinava. Sembrava galleggiare sopra la foschia prodotta dal calore.

Quando arrivò più vicina vidi che, a ogni passo, i capelli andavano avanti e indietro. « Come va la taratura? »

« Bene, ha una piccola deviazione verso sinistra. »

Con un sorriso mi porse la bottiglia. La condensa luccicava sulla plastica: era appena uscita dal frigorifero. Ringraziai con un cenno e mi alzai, di nuovo cogliendo la mia immagine riflessa negli occhiali che portava.

Tornai a sedermi contro l'albero e aprii il tappo.

Lei abbassò lo sguardo e con le dita sistemò i capelli dietro le orecchie. « Fa un caldo boia, oggi. »

« Vero. » Chiacchiere di routine, il tipo di scemenze che la gente si scambia quando non si conosce. E a questo occorre aggiungere che facevo di tutto perché evitasse di parlare della notte precedente. Portai la bottiglia alla bocca e presi alcune lunghe sorsate piene. La plastica mi si sgonfiò nella mano, perché non lasciavo passare aria tra le labbra chiuse a sigillo.

Era sopra di me, con le mani sui fianchi, nella stessa posizione che pochi giorni prima aveva tenuto Signorsì, ma non con lo stesso atteggiamento.

« Forse il cannocchiale si è spostato, negli ultimi mesi. Io uso il mirino di ferro, non sbaglia: chiunque qui fuori all'aperto è alla sua portata. »

Smisi di bere. L'aria si precipitò a riempire il vuoto e con un *pop* e un gorgoglio la bottiglia riacquistò la forma originaria. « Ti è mai capitato? »

Gli occhiali nascondevano ogni indizio che gli occhi potevano lasciar trapelare. « Una volta, qualche anno fa. Cose del genere capitano da queste parte, lo sai. » Tese la mano per prendere l'acqua.

La osservai mandare la testa all'indietro e inghiottire cinque o sei sorsi. Era sempre sopra di me, la gola si muoveva ogni volta che deglutiva. Sentivo il liquido scendere e vedevo i muscoli del braccio destro tendersi mentre sollevava la bottiglia. La sua pelle riluceva di umidità; addosso a me avrebbe avuto solo l'aspetto di sudore.

Con il dorso della mano si asciugò la bocca. « Domanda. Ma se è solo per tua protezione, perché controlli il cannocchiale? » Indicò la giungla. « Lì dentro è dura, vero? »

La gratificai del mio sorriso più disarmante. « Come ho già detto, mi piace essere preparato, niente di più. »

« E questo dipende dall'addestramento ricevuto o dal tuo carattere? » Esitò. Avrei voluto poterle vedere gli occhi. « Come sei finito a fare questo tipo di cose? »

Non ero sicuro di riuscire a spiegarlo. « Hai voglia di aiutarmi? »

Colse la variazione nel mio tono di voce e si adeguò. « Volentieri. »

Facemmo qualche passo verso la montagnola erbosa.

« Usi il silenzio, vero, Nick? Voglio dire, è con il silenzio che proteggi te stesso dalle cose che devi fare per il lavoro? »

Cercai di guardarla negli occhi, ma vidi solo il mio riflesso: stava sorridendo, sembrava quasi che si prendesse gioco di me. « Ti chiedo solo di mirare esattamente al centro del cerchio nero. Voglio tarare bene il cannocchiale. »

« Con un solo colpo, giusto? »

« Giusto. »

« Allora ascolta, tu che sei più forte prendi la mira, io regolo. »

Andando verso la montagnola aprii l'otturatore, il bossolo vuoto uscì, ricaricai e misi il selettore in posizione di sicura. « Devo stare alla stessa altezza. »

Sollevò un sopracciglio. « Ovvio. » Le stavo insegnando come si succhia un uovo.

Invece di tenerlo con la mano sinistra, iniziai a spingere il calcio dentro il fango. Avevo i suoi sandali a pochi centimetri dal viso. « Dimmi quando sei pronto. »

Guardai in su. Gli occhiali adesso erano sulla nuca, con le stanghette rivolte in avanti e la cordicella di nylon che le penzolava sulla camicetta. I suoi immensi occhi verdi erano socchiusi per abituarsi alla luce.

Ammassai del fango intorno al fusto: l'arma doveva essere bloccata perché potesse funzionare. Fatto questo, controllai che i riferimenti delle manopole fossero sempre allineati, e puntai dritto al centro del cerchio nero. « Ora. »

Dall'alto mi arrivò un: « Affermativo », e lei cominciò a premere il terreno con il sandalo, compattando la terra intorno al fusto mentre io lo tenevo saldamente in posizione. Con le braccia in tensione cercai di mantenere l'arma bloccata, come se fosse stata dentro una morsa, in modo che il centro del reticolo restasse sul bersaglio. Avrei potuto farlo da solo ma ci avrei messo molto più tempo.

Aveva finito di compattare la terra sopra l'arma e la linea di tiro era in asse; le dissi: « Vai », spostando la testa a sinistra in modo che chinandosi potesse vedere il bersaglio attraverso il cannocchiale. Le nostre teste si trovarono a contatto quando portò la mano destra alla manopola posta sul lato sinistro del tubo, e iniziò a ruotarla. Ci furono dei *clic* quando spostò il reticolo verso sinistra finché il punto di mira non si trovò sotto i due colpi che avevo sparato, restando però sempre in linea con il centro del cerchio nero.

Impiegò solo quindici secondi e a me non ne occorsero di più per sentire il profumo di sapone sulla sua pelle e il delicato movimento dell'aria prodotto dal suo respiro controllato.

Non mi lavavo i denti da domenica e il mio alito puzzava, per cui girai le labbra in modo da deviare il fiato mentre lei faceva il lavoro. Prima di quanto io desiderassi spostò indietro la testa e si accucciò sulle ginocchia. « Okay. Finito. » Sentivo il calore delle sue gambe contro di me.

Fui costretto a spostare il braccio per estrarre il Leatherman dalla tasca e glielo passai, felice di averlo pulito. « Ti spiace farci un segno? »

Tirò fuori la lama del coltello e si sporse in avanti per incidere una tacca tra la manopola e il tubo del cannocchiale, in modo che sarebbe stato facile verificare se si fosse inavvertitamente modificata la taratura.

Mentre lavorava, la sua maglietta mi si aprì davanti e non fui capace di distogliere lo sguardo. Doveva avermi visto: non ero stato abbastanza veloce a spostarlo. Lei tornò nella posizione di prima, in ginocchio.

« Ti hanno spruzzato con la polverina del sesso? » La domanda era accompagnata da un sorriso e gli occhi verdi non si staccavano dai miei, ma l'espressione mi comunicò un gigantesco no. « Fai un tiro di conferma? »

Estraendo l'arma dal fango, mi schiarii la voce. « Sì, credo proprio che scoccerò ancora una volta gli uccelli. »

Si alzò e si spostò. « Va bene... »

Riarmai il fucile e ripetei la sequenza di tiro, puntai al centro del cerchio e con assoluta certezza feci di nuovo incazzare gli uccelli.

La regolazione era buona; il colpo penetrò direttamente sopra il punto di mira, più o meno in linea con gli altri colpi a sinistra. A trecento metri il proiettile avrebbe colpito la carta appena sopra il cerchio, ma lo avrei scoperto presto.

Stavo ancora guardando attraverso il cannocchiale quando sentii le ginocchia di Carrie di nuovo contro il mio braccio. « Va bene? » Continuai a guardare il colpo per finire la valutazione. « Sì, va bene. Perfetto. »

Feci uscire il bossolo e spostai la testa dal cannocchiale, lei si chinò e raccolse i bossoli esplosi.

Ci alzammo insieme e lei tornò all'ombra mentre io pulivo il fango dal legno del fucile.

«Poco fa ho provato la sensazione di leggerti dentro la mente.»

Dopo tutto avrei fatto meglio a mettermi i Jackie O.

«I tuoi occhi parlano più delle tue labbra, lo sai?»

Sentii il tintinnio dei bossoli che lei lasciò cadere nella scatola delle munizioni. Sedette a gambe incrociate sotto un albero.

Mentre mi avvicinavo cercai disperatamente di trovare qualcosa da dire. «Come mai state da queste parti? Non è un po' troppo isolato?»

Sollevò la bottiglia dell'acqua e prese un sorso mentre io mi sistemavo a una certa distanza. Eravamo seduti di fronte e quando lei mi passò la bottiglia la presi. «È stata costruita da un hippy molto ricco negli anni '60. Venne quaggiù per evitare il servizio militare.» Gli occhiali si girarono verso di me e lei, continuando a sorridere, pescò dalla tasca dei pantaloni uno Zippo e una scatola per il tabacco. «Ha barattato le foreste del Vietnam con le foreste di Panama. A quanto sembra era un tipo parecchio strano. Per oltre vent'anni ha finanziato commercianti e gestori di bar di Chepo. È morto otto o nove anni fa.»

Uno scatto e la scatoletta si aprì; c'erano tre o quattro spinelli già pronti. Ne prese uno. Sorrise, mostrando denti bianchi e smaglianti, mentre controllava che la canna fosse integra. Le lenti si voltarono verso di me e il mio riflesso iniziò a muoversi in su e in giù mentre lei scoppiava a ridere. «È stato ucciso da un camion che trasportava tronchi, dopo una notte passata a fare il giro dei bar. Si piazzò barcollando in mezzo alla strada, cercando di fermare il camion che stava andando via, sostenendo che il legno appartiene alla foresta e che il legno non è solo materia ma ha un suo spirito. Sorprendentemente, sembra che il camion non lo abbia sentito, tutto lì. Segatura.»

Risi con lei, immaginando la scena dell'improbabile gara uomo contro camion. Con gesto abile aprì lo Zippo e accese. La parte arrotolata della canna brillò mentre lei aspirò profondamente, trattenne il fumo e lo fece uscire piano. Un inequivocabile odore riempì l'aria intorno a noi. Continuò a ridacchiare prima di finire la storia. «Era lui quello che aveva spirito, ma per sua sfortuna quella notte lo aveva tutto nel sangue.»

Presi ancora dell'acqua, lei si voltò a guardare l'edificio, togliendosi pezzetti di tabacco dalle labbra. «Ha lasciato la casa e la terra all'università, per la ricerca. Sono ormai sei anni che abitiamo qui. Abbiamo liberato il terreno sul retro per l'atterraggio dell'elicottero. E ci siamo costruiti la dépendance.»

Si voltò e mi offrì da fumare.

Feci cenno di no. Non giudicavo quelli che lo facevano, ma per quanto mi riguardava l'idea di provare non mi aveva mai sfiorato.

Si strinse nelle spalle e prese un'altra tirata. «Lo facciamo solo fuori casa, per non farci beccare da Luz. Se sapesse che cosa sta facendo la mamma in questo momento non capirebbe più niente. Parlo dell'inversione dei ruoli.» Aspirò con forza e fece una smorfia mentre il fumo le usciva dalla bocca. «Uno come te non lo fa, vero? Forse ti preoccupa il fatto di abbassare la guardia che tieni ben alta. Che cosa pensi?»

«Aaron mi ha detto che vi siete incontrati all'università...»

Annuì e iniziò a riempire il serbatoio con altri proiettili. «Nel 1986. Senza di lui non sarei mai riuscita a laurearmi. Ero una sua studentessa.»

Mi guardò e sorrise in attesa, evidentemente abituata alle reazioni a quella dichiarazione. Dovetti comportarmi come si aspettava.

In tono di sfida disse: «Andiamo, Nick, non hai mai provato attrazione per una donna più vecchia di te?»

«Sì. Wonder Woman, ma avevo più o meno l'età di Luz.»

Ero riuscito a farla ridere, ma forse anche la marijuana dava il suo contributo.

«Metà dello staff universitario ha finito con lo sposare

una studentessa. È anche capitato che abbiano dovuto divorziare da una studentessa per sposarne un'altra. Ma perché mai il vero amore dovrebbe essere più facile dentro l'università rispetto a qualsiasi altro posto?»

Ebbi l'impressione di ascoltare l'ennesima replica della spiegazione del loro rapporto. «Era bello restare qui a studiare mentre gli altri andavano al Nord a divorziare», continuò. «Sai di cosa parlo, famiglie rigorosamente cattoliche che si sfasciavano... gli anni della ribellione giovanile, incomprensioni con il padre... roba di questo genere.» Gli occhiali si girarono verso di me e lei sorrise, aspirò un altro tiro persa nel ricordo dei bei tempi andati. «Andare a letto con un insegnante era quasi una regola. Non la definirei un'iniziazione, ma più un visto, la prova che si era stati qui. Credo che uno come te possa capire, o sbaglio?»

Mi strinsi nelle spalle, non avevo mai saputo molto di quanto succedeva in posti come quello, cosa che adesso mi dispiaceva.

Sollevò il fucile completamente carico che si trovava in mezzo a noi. L'otturatore era arretrato e lei controllò la camera di sparo prima di poggiarselo sulle ginocchia, poi lentamente spinse l'otturatore in avanti per sfilare la prima cartuccia dal serbatoio, e sospingerla nella camera di sparo. Ma invece di abbassare il manubrio, come si fa prima di sparare, fece scorrere indietro l'otturatore proiettando la cartuccia fuori della camera, verso l'esterno e nell'erba. Poi spinse di nuovo avanti l'otturatore per ripetere la sequenza.

«E cosa c'entra Luz con tutto questo?» Non appena aprii bocca mi resi conto che mi ero infilato in un casino, ma era troppo tardi per non finire la frase. «Non è vostra figlia, vero?»

Forse poteva esserlo: magari l'aveva avuta con un altro. Di male in peggio. Cercai di recuperare. «No, ho sbagliato, non volevo dire questo, solo che lei non è...»

Scoppiò a ridere e venne in mio soccorso. «No, hai ragione, non lo è. L'abbiamo in custodia, in un certo senso.»

Persa nei suoi pensieri prese un'altra lunga boccata, tutta concentrata nell'espellere lentamente un altro proiettile che dalla camera volava nell'erba. Non riuscii a non pensare a Kelly e a quanto negli ultimi tre o quattro anni mi era costata la mia personale forma di custodia.

«Lulu era la mia migliore amica, in realtà l'unica... Luz è sua figlia... Giusta Causa.» Bruscamente sollevò la testa. «Sai cos'è?»

Annuii. Non che potesse vedermi: aveva già riabbassato lo sguardo. «L'invasione. Dicembre '89. Eravate qui tutti e due?»

Fece scorrere l'otturatore all'indietro per il terzo proiettile e mosse piano la testa da parte a parte. «Nessuno può capire cosa sia una guerra se non ci si è trovato in mezzo. Ma non devo spiegarlo a *te.*»

«La maggior parte si svolge in posti di cui non riesco neppure a pronunciare il nome, ma non fa differenza dove, comunque sono sempre un insieme di schifezze e casini. Un incubo.»

Il quarto colpo cadde dall'arma. «Sì. Su questo hai ragione. Schifezze e casini...» Ne raccolse uno e iniziò a giocherellarci, poi prese un altro tiro di spinello, che s'illuminò un poco.

Aveva sollevato la testa, ma non riuscii a capire se mi guardava mentre espirava lentamente il fumo. «Alcuni mesi prima dell'invasione, la tensione era tangibile. Ci furono sommosse, venne istituito il coprifuoco e alcune persone vennero uccise. La situazione era molto molto difficile, si sapeva che l'America sarebbe intervenuta ma non si sapeva quando.

«Mio padre insisteva perché ci spostassimo al Nord, ma Aaron non volle saperne: questa è casa sua. E poi la Zona è a pochi chilometri e, qualsiasi cosa fosse accaduta, qui saremmo stati al sicuro. E così non ci siamo mossi.»

Lasciò cadere il proiettile, afferrò l'acqua e prese un lungo sorso, come se avesse voglia di togliersi un cattivo gusto dalla bocca. «La mattina del 19 mio padre telefonò dicendoci di andare nella Zona perché sarebbe stato per quella notte. Era ancora nell'esercito in quel periodo, lavorava direttamente per Washington.»

Per un attimo restò in silenzio, assorta, con un lieve sorriso sulle labbra. «Conoscendo George, credo che facesse parte del gruppo organizzativo. Dio solo sa quello che fa. Comunque sia, aveva predisposto un alloggio per noi a Clayton.» Bevve un altro sorso mentre io ero in attesa della fine della storia.

Posò la bottiglia e aspirò l'ultimo tiro dalla canna che poi spense per terra. Raccolse un altro proiettile e si mise a giocarci. «Allora ci siamo spostati nella Zona, dove ti assicuro che vedemmo truppe, carri armati, elicotteri e aggiungici tu quello che vuoi, in numero sufficiente per invadere lo Stato di Washington.» Scosse lentamente il capo. «Quella notte andammo a letto, ma non riuscimmo a dormire, immagino che tu sappia bene com'è. Poi, non appena passata la mezzanotte, le prime bombe cominciarono a colpire la città. Ci precipitammo nella veranda e vedemmo lastre di luce che riempivano il cielo, seguite pochi secondi dopo dal rombo delle esplosioni. Stavano attaccando il quartier generale di Noriega, a pochi chilometri da dove eravamo noi. È stato terribile, stavano bombardando El Chorrillo, dove vivevano Lulu e Luz.»

24

PARLAVA con voce priva di emozione, il corpo improvvisamente immobile. «Rientrammo e accendemmo la radio per ascoltare i notiziari. Pan National trasmetteva musica, circa un minuto dopo venne dato l'annuncio che Panama era stato invaso e venne dato l'allarme ai Dingbat.»

«Dingbat?»

«I Dignity Battalions, l'esercito privato di Noriega. L'emittente dava l'allarme e li esortava a scendere per le strade a difendere il Paese dagli invasori e scemenze del genere. Era una burla, perché quasi tutti non aspettavano altro che Noriega venisse destituito.

«Senza spegnere la radio accendemmo il televisore sul canale del Southern Command. Da non crederci, non avevano neppure interrotto il film che stavano trasmettendo! Aaron era completamente disorientato. Fuori continuavano a bombardare.»

Ascoltavo con attenzione, bevendo ogni tanto un po' d'acqua.

«Dopo poco il simbolo del dipartimento della Difesa riempì lo schermo dei canali Pan e una voce in spagnolo iniziò a parlare dicendo a tutti di chiudersi dentro casa e di restare sintonizzati. Noi seguimmo il consiglio alla lettera. Non che dicessero molto più di: 'Va tutto bene, non perdete la calma'. Così dopo un po' uscimmo di nuovo sulla terrazza e vedemmo altre esplosioni. Adesso provenivano da ogni parte della città. I jet rombavano nel buio, a volte così vicini che potevamo vederne i postbruciatori.

«Fino alle quattro, più o meno, continuò così e poi scese la calma, tranne che per i jet e gli elicotteri. Non sapevamo cosa pensare, io ero preoccupata per Lulu e Luz.

«All'alba il cielo sembrava pieno solo di elicotteri e di

fumo che saliva dalla città. E poi c'era questo immenso aereo che continuava a sorvolare in tondo. A dire il vero ci rimase per settimane.»

Dal modo in cui lo descrisse, molto probabilmente era una cannoniera volante AC-130 Spectre: aggeggi di quel tipo non hanno problemi a operare di giorno come di notte; per loro è sempre pieno giorno. Erano lassù come supporto alle truppe di terra, l'artiglieria aerea. Hanno camere termiche che possono individuare un uomo che corre o un centimetro quadrato di nastro riflettente a centinaia di metri. A bordo hanno computer controllati da operatori protetti dentro una cabina al titanio che li aiutano a decidere se è il caso di usare cannoni automatici da 40 mm o da 20 mm, mitragliatrici o, in casi gravissimi, un obice da 105 mm.

Carrie continuò a parlare, mi raccontò di come i Dingbat saccheggiarono, violentarono e distrussero ogni cosa che incontravano sulla via di fuga dagli americani. Lei e Aaron erano rientrati nella casa vicino all'università solo il giorno prima di Natale. «Era in ordine...» Accennò un sorriso. «Non era stata neppure saccheggiata, anche se in altri posti molti abitanti locali avevano approfittato della situazione. Qualcuno aveva rubato una gran quantità di Stetson da un negozio e di colpo vedemmo in giro una trentina di ragazzi che camminavano come John Wayne.»

Immaginai la scena e sorrisi, ma lei tornò seria.

«Tutta l'area era occupata, posti di blocco, esercito ovunque. Noi eravamo preoccupati per Lulu e Luz, così andammo a El Chorrillo per vedere come stavano. Sembrava il filmato di un notiziario sulla Bosnia. Edifici distrutti dalle bombe, squadre armate di mitra che facevano la ronda su mezzi con altoparlanti.» Imitò le loro voci: «'Buon Natale, siamo soldati degli Stati Uniti d'America. Verremo presto a ispezionare le vostre case, siete pregati di lasciare le porte aperte e di restare seduti davanti alle case. Vi vogliamo trovare disarmati.' Era tutto così surreale, come se fosse un film».

Il suo volto si contrasse. «Camminammo per la stradina

che portava alla casa di Lulu e trovammo solo un mucchio di macerie. I vicini ci dissero che era dentro la casa. Luz invece era a dormire dalla sorella di Lulu, nell'edificio accanto. Anche quello era stato bombardato e la sorella era morta, ma non c'era traccia di Luz. È stato terribile cercare Luz dopo tutto questo. Avevo quell'ansia, sai, quell'ansia incontenibile che ti prende quando perdi un bambino tra la folla. Pensare che stesse vagabondando per le strade senza nessuno a proteggerla, che si prendesse cura di lei. Hai mai provato un'ansia così? »

Ripensai al sogno della notte precedente. Sapevo bene cosa si provava.

« Alla fine la trovammo in un campo di accoglienza, una specie di asilo, insieme con tutti gli altri bambini senza genitori. E il resto è storia. Da quel giorno fino a oggi ci siamo presi cura di lei. » Sospirò. « Le vogliamo tanto bene. »

Io avevo iniziato ad annuire lentamente fin da quando aveva fatto la domanda, ascoltando, ma perso nei miei pensieri. « Ho perso molti amici », dissi. « Anzi li ho persi tutti. E mi mancano. »

« Ti senti solo senza di loro, vero? » Sollevò quello che restava dell'acqua e mi offrì di dividercela, in attesa che io continuassi. Feci cenno di no e lasciai che la finisse lei. No, non avrei lasciato che accadèsse.

« Pensi che l'America abbia fatto la cosa giusta? » domandai.

Portò di nuovo la bottiglia alla bocca e prese ancora un paio di sorsi. « Sarebbero dovuti arrivare prima. Come abbiamo potuto restare fermi a guardare Noriega? Morti, torture, corruzione. Avremmo dovuto fare qualcosa prima. Quando si sparse la voce che Noriega si era consegnato alle autorità americane, in città tutti hanno suonato i clacson. Quella notte tutti fecero festa. » C'era una scheggia di tristezza nella sua voce. « Non che abbia avuto risvolti positivi. Quando ci siamo ritirati dalla Zona, abbiamo dato via tutto. » Per un paio di secondi o poco più si perse nei suoi pensieri e io restai a guardare il suo viso che diventava sempre più triste. Dopo un po' sollevò lo sguardo. «Sai una cosa, Nick? Tornando a quel periodo, è successa una cosa che non dimenticherò mai. Mi ha cambiato la vita.»

Continuai a guardarla mentre finiva l'acqua.

«Eravamo tornati a casa ed era la sera di Capodanno, quasi due settimane dopo l'invasione. Stavo guardando la TV con Luz in braccio. Barbara Bush era tra il pubblico di un qualche show e un gruppo sul palco iniziò a cantare *God Bless America*. Tutto il pubblico si alzò e cominciò a cantare. Proprio in quel momento un elicottero prese a volare basso sopra di noi, proprio sopra casa, sentii di nuovo il rombo del gigantesco aeromobile che volteggiava in alto... e iniziai a piangere. Mi sentii, per la prima volta, orgogliosa di essere americana.»

Da sotto gli occhiali le scese una lacrima lungo la guancia. Non fece neppure il gesto di asciugarla, mentre un'altra seguiva la prima.

«Ma sai cosa? Adesso mi sento così triste per noi, per come siamo riusciti a dare via tutto, tutto quello che era stato riconquistato al prezzo di vite umane. Riesci a capirmi, Nick?»

Sì, la capivo, ma non avrei mai proseguito quel discorso. Se lo avessi fatto non credo che sarei stato in grado di riprendere la mia vita. «Nel '93 ho conosciuto un capitano della Delta Force, un tal Johnny Acquavite, o per lo meno noi lo chiamavamo così...» Le raccontai di come durante la prima notte, entrando con la sua pattuglia in un ufficio del governo di Panama, avesse trovato tre milioni di dollari in contanti. I sei componenti della squadra oggi non si trovavano al volante di rombanti Porsche per un unico motivo, che Johnny, senza pensare a quello che faceva, comunicò via radio il ritrovamento. «Fu solo quando era ormai già in collegamento che si rese conto di aver detto addio al fondo pensione della pattuglia. Non so come stia adesso, ma nel '93 sembrava uno che aveva azzeccato i numeri della lotteria l'unica volta che non li aveva giocati.»

Lei sorrise.

Non so cos'avrei dato per riempire il silenzio che seguì, mentre lei si passava l'indice sotto gli occhiali per asciugare le lacrime. Ero riuscito a fare quello che volevo, avevo spezzato il momento magico.

Mi alzai e indicai il fucile che teneva ancora poggiato sulle gambe. « Fai con me anche i trecento? »

« Perché no? »

Attesi che si alzasse. Le lenti scure mi misero perfettamente a fuoco. « Le altre cose ti coinvolgono troppo, vero, Nick? »

Mi voltai e mentalmente iniziai a contare altri duecento passi. Lei camminava al mio fianco. *Ventisei, ventisette, ventotto.*

Riempii il silenzio parlando di lavoro. « Ho riflettuto. Voglio essere da Charlie domani mattina alle quattro, quindi devo partire stasera alle dieci. Dobbiamo stabilire come faccio a restituirti questo. » Sollevai il fucile. « Lo vuoi indietro, vero? »

Trentanove, quaranta, quarantuno.

« Certo, è l'unico regalo utile che mi ha fatto mio padre. Troveremo il modo. »

Mi resi conto che avevo perso il conto. Ricominciai da quarantacinque mentre gli occhiali da sole di Carrie si voltavano verso di me. « Sai già come fare a dargli quel promemoria? »

Cinquantadue, cinquantatré, cinquantaquattro.

« Ho un paio di idee... »

Cinquantasei, cinquantasette, cinquantotto.

Guardai lo spiazzo e me ne venne un'altra. « Vi è avanzato dell'esplosivo? Ho visto le foto appese sul pannello di sughero. »

Settantatré, settantaquattro, settantacinque.

« Sei proprio un ficcanaso, lo sai, vero? » Indicò il punto dietro la casa dove iniziavano gli alberi. « È laggiù, nella baracca. »

Ero stupito. « Davvero l'avete lasciato lì, dentro un capanno? »

«Avanti, non vedi dove siamo? Ci sono cose molto più gravi qui intorno di cui preoccuparsi che qualche latta di esplosivo. E comunque cosa pensi di farne?»

«Ne ho bisogno per fare un po' di rumore, così si ricorda meglio.»

Non riuscivo a vedere nessuna costruzione, solo verde: a causa della discesa un terzo degli alberi rimaneva completamente nascosto.

«Sai come si usa? Naturale, che stupida.»

«Di che tipo è?»

Fece una smorfia. «Del tipo che esplode e fa saltare gli alberi. George e alcuni ragazzi del posto l'hanno usato.» Di nuovo avevo perso il conto. Tirai a indovinare ottantanove, novanta, novantuno, finché Carrie non si fermò e annunciò: «Cento». Indicò un punto nella zona buia. «Ti ci porto dopo che abbiamo...»

«Mamma! Mamma! Il nonno vuole parlarti!» Luz la stava chiamando da dietro casa.

Carrie si portò le mani alla bocca. «Va bene, arrivo.» Sembrava preoccupata, posò a terra la bottiglia e le munizioni. «Devo andare.»

Tolse la scatola del tabacco e lo Zippo dalla tasca e li gettò dentro la scatola delle munizioni. Si voltò verso di me e sorrise. «Se no mi mette in castigo.»

Si avviò di corsa sotto il sole per coprire i duecento metri per arrivare alla casa, indicò ancora una volta il capanno invisibile tra gli alberi. «Non puoi sbagliarti. A dopo.»

Mollai tutto dov'era e mi avviai verso gli alberi in fondo alla piazzola, senza abbandonare l'ombra in cui mi trovavo. Per un po' non vidi il capanno e anche quando lo vidi non me la sentii di uscire in pieno sole per tagliare l'angolo. La foschia da caldo che saliva dal terreno non si poteva definire invitante: ero già in un bagno di sudore.

Grattandomi la schiena proseguii sotto gli alberi per i due lati del quadrato, giungendo alla fine a quello che aveva tutto l'aspetto di una latrina in legno. La porta era appesa in modo precario al cardine inferiore e davanti alla porta l'erba cresceva alta. C'erano ragnatele ovunque che formavano una specie di schermo protettivo. Guardai attraverso le fessure della porta rotta, ma non vidi un water. Vidi invece due scatole quadrate di metallo opaco con delle scritte rosse e nere.

Era un dono del cielo: quattro latte di metallo da otto chili l'una. Anche se non conoscevo lo spagnolo riuscii a capire la cosa più importante: conteneva il cinquantacinque per cento di nitroglicerina, una concentrazione molto alta. Più alta è la percentuale di nitro, più è sensibile; un proiettile che l'avesse attraversata ad alta velocità l'avrebbe fatta esplodere con facilità, cosa che non sarebbe mai accaduta con il normale esplosivo ad alto potenziale dell'esercito che è a prova d'urto.

A fatica aprii la porta ed entrai. Strappai dalla latta più in alto la chiavetta per aprire e vidi la data stampata sull'etichetta: 01/99, probabilmente la data di scadenza consigliata. Questa roba doveva essere così vecchia da essere stata utilizzata quando Noriega portava ancora i pannolini.

Mi misi al lavoro, togliendo la striscia di sigillo che si trovava sotto il coperchio come se aprissi una grande scatola di manzo affumicato.

Nella mia mente si stava formando il piano di piazzare l'esplosivo vicino ai cancelli della casa di Charlie. Se non fossi riuscito a uccidere il bersaglio mentre usciva di casa, lo avrei potuto fare mentre la macchina su cui si trovava aspettava che i cancelli si aprissero, sparando contro quella merda invece che direttamente contro di lui. La mia postazione di tiro sarebbe stata più o meno quella in cui mi trovavo il giorno precedente. Così avrei avuto una buona visuale della piscina, della zona davanti alla casa e della strada che andava verso il cancello. Avrei dovuto sistemare l'esplosivo in modo che si trovasse bene in vista dalla postazione di tiro, ma questo non era un problema.

Del sudore si stava raccogliendo sopra le sopracciglia.

Lo asciugai prima che mi entrasse negli occhi. Sollevai il coperchio del contenitore di metallo e scoprii che all'interno c'era uno scheletro di legno come ulteriore protezione. Con il Leatherman tagliai le fascette che chiudevano il coperchio e sollevai anche quello. Trovai cinque barre di dinamite commerciale incartate in carta oleata giallo scuro, macchiata in alcuni punti dalla nitro trasudata negli anni per il gran caldo. Un forte odore di marzapane riempì l'aria e fui contento di manipolare quella roba all'aria aperta. La nitroglicerina è nociva alla salute, non solo quando scoppia. Non ti uccide mentre la maneggi, ma, se ti trovi in uno spazio angusto, se s'infila in un taglio o se viene assorbita in qualche altro modo dalla circolazione sanguigna, ti assalirà con assoluta certezza il mal di testa più forte che tu riesca a immaginare.

Le barre erano lunghe venti centimetri; ne presi tre e mi avviai, sempre all'ombra degli alberi, verso la postazione di tiro. Camminando tolsi la carta oleata e scoprii le stecche verde chiaro del materiale che aveva la consistenza della plastilina. La superficie era coperta dai minuscoli cristalli grigio chiaro della nitro seccata. Oltrepassai il fucile e la scatola delle munizioni e continuai per i duecento passi che mi separavano dalla zona del bersaglio. Le piazzai una di fianco all'altra alla base del tronco dell'albero più grosso che riuscii a trovare vicino a quello dov'erano appesi i fogli di carta. Fatto questo, tornai alla postazione da duecento metri, mi misi in posizione di tiro e con calma sparai al centro del cerchio nero.

La regolazione era buona: come previsto, entrò direttamente sopra quello sparato dai cento metri.

Sia per la taratura sia per l'esplosivo mancava solo la prova del nove. Con il fucile, le munizioni e la bottiglia feci altri cento passi e raggiunsi grosso modo la distanza dei trecento metri, assunsi la posizione prona, controllai che né Luz né Carrie avessero deciso di fare una passeggiata dalla casa in direzione della zona bersaglio e inquadrai il bersaglio di dinamite verde grande quanto uno sterno.

Quando fui ben sicuro della mia postazione e dell'impugnatura, controllai un'ultima volta la zona circostante. «Fuoco, fuoco!» L'urlo di avvertimento non era necessario, dato che non c'era nessun altro in giro, ma era un'abitudine che anni passati a giocare con questa attrezzatura avevano radicato in me in profondità.

Puntai al centro dello sterno e lentamente lasciai partire il colpo.

Il *crac* del proiettile e il boato dell'esplosione furono tutt'uno. Il terreno circostante venne istantaneamente disseccato dall'incredibile calore della rapida combustione, trasformato in polvere dall'onda d'urto e scagliato in alto come un pennacchio di dieci metri. Schegge di legno cadevano ovunque come pioggia. Data la sua dimensione, com'era prevedibile, l'albero era rimasto in piedi, anche se in pessime condizioni. Sotto la corteccia il legno chiaro sembrava carne viva.

«*Niick! Niiick!*»

Balzai in piedi e feci un cenno a Carrie che si precipitava fuori della casa. «Va tutto bene, va tutto bene! Era solo una prova.»

Quando mi vide si bloccò e urlò con tutta la voce che aveva, la quale superò facilmente la distanza che ci separava. «Stupido! Ho creduto... Ho creduto...»

Di colpo smise di urlare e volò dentro.

Per fortuna non c'era altro da fare: la taratura era a posto per tutte le distanze e la dinamite funzionava. Mi restava solo da preparare una carica in grado di far saltare un'auto.

Scaricai il fucile, raccolsi tutte le cose lasciate in giro e mi diressi verso la casa.

25

IL telaio della zanzariera si chiuse sbattendo alle mie spalle e sentii che il sudore mi si raffreddava sulla pelle alla brezza provocata dai ventilatori vicino al tavolino basso.

Puntai diretto verso il frigorifero, mollando il fucile e la scatola delle munizioni lungo il percorso. Quando aprii la porta la luce non si accese, forse era un sistema degli abbraccia-alberi per risparmiare energia, ma riuscii comunque a trovare quello che stavo cercando, un altro paio di bottiglie di plastica da due litri d'acqua come quella che avevamo svuotato. Le lunghe sorsate di acqua gelida che scendevano comprimendo la gola mi procurarono un immediato mal di testa, ma ne valeva la pena. Usando il rubinetto del giardino con la P riempii la bottiglia che avevo riportato.

Avevo pantaloni e maglietta appiccicati al corpo e lo sfogo sulla schiena mi prudeva da pazzi. Dalla tasca dei pantaloni estrassi la crema e mi diedi una bella spalmata su tutta la parte. Non mi asciugai, farlo sarebbe stato un'inutile perdita di tempo, data l'umidità.

Dopo aver lavato le mani appiccicose e la faccia, e dopo aver trangugiato un paio di banane, decisi di dedicarmi al congegno che dovevo costruire con l'esplosivo. Tenendo in mano la bottiglia di plastica mezza vuota, e in tasca lo Zippo e la scatoletta con la marijuana di Carrie, bussai ed entrai nella stanza dei computer.

Carrie era seduta nella sedia da regista a sinistra e mi dava le spalle, curva su alcuni fogli. Il rumore dei due ventilatori a soffitto che giravano con un *tud tud tud* forte e ritmato riempiva la stanza, molto più fresca del salotto.

Il PC con la webcam era spento; quello che Carrie aveva

di fronte presentava una schermata di numeri e lei stava confrontando i dati sui fogli con quelli del video.

Luz, seduta alla scrivania in fondo alla stanza, mi vide per prima. Ruotò la sedia e disse: «*Bum!*» Aveva una mela in mano e un'espressione allegra. Almeno lei lo aveva trovato divertente. Mi strinsi nelle spalle, imbarazzato come migliaia di volte davanti a Kelly quando avevo combinato qualche casino. «Già, mi dispiace.»

Anche Carrie si voltò per guardarmi. Pure a lei rivolsi un'espressione contrita. Fece un cenno di comprensione e sollevò un sopracciglio verso Luz che continuava a ridere. Indicai il magazzino. «Penso di aver bisogno di una mano.»

«Solo un minuto.»

Prese un tono da maestrina e agitò un dito. «E tu, signorina, torna ai tuoi compiti.»

Luz obbedì e tenendo la matita tra pollice e indice iniziò a batterla sul tavolo al ritmo di quattro tempi. Lo faceva anche Kelly.

Carrie terminò di pestare sulla tastiera e usando ancora il tono da maestra diede le ultime istruzioni a Luz. «Voglio che quell'esercizio di matematica sia finito per l'ora di pranzo, signorina, o salterai il pranzo ancora una volta!»

Luz rispose con un sorriso e un rassegnato «mamma, per favore...» Poi, mentre ci dirigevamo verso il magazzino, staccò un morso di mela.

Carrie richiuse la porta alle nostre spalle. Quella che dava sull'esterno era aperta. Vidi la luce affievolirsi sopra la fila di tinozze di plastica. Il cielo non era più di un azzurro spietato, adesso si vedevano delle nuvole che passando davanti al sole creavano zone d'ombra.

Le allungai la scatola di latta e lo Zippo, gesto ricambiato da un sorriso e da un «grazie» mentre, posato un piede su un ripiano, si arrampicava per nasconderli sotto dei pacchi di pile.

Avevo già individuato alcune cose che mi servivano e avevo preso un cartone da ventiquattro lattine di zuppa di pomodoro Campbell che in realtà ne conteneva solo due. Siccome avevo bisogno solo del cartone, estrassi le lattine e le riposi nello scaffale.

In quegli scaffali tutto era americano. Dalle coperte alle pale, dal detersivo per piatti eco-solidale ai pacchi da mensa di Oreo e al caffè decaffeinato.

«Sembra di essere da WalMart», commentai. «Mi aspettavo di trovare tende da pellerossa e bastoncini d'incenso.»

Saltò giù ridendo e si diresse verso la porta esterna.

La osservai. Ferma sulla soglia controllava la sequenza di tinozze bianche. La raggiunsi con il cartone della zuppa di pomodoro in scatola e una bottiglia. Per alcuni istanti restammo vicini sulla soglia, in silenzio, a parte il ronzio del generatore in sottofondo.

«Ma, esattamente, cosa fate qui?»

Allungò una mano verso le tinozze e la fece scorrere lungo le file ben allineate. «Ricerchiamo nuove specie endemiche di piante, felci e alberi da fiore, soprattutto. Le cataloghiamo e le riproduciamo prima che scompaiano per sempre.» Non guardava verso nessun punto in particolare, più o meno in direzione degli alberi, come se si aspettasse di scorgerne di nuovi.

«Molto interessante.»

Si girò per guardarmi e sorrise, poi con voce piena di sarcasmo disse: «Già, come no».

E invece ero davvero molto interessato. Insomma, abbastanza interessato.

«Non ti credo, ma sei molto gentile a fingere. In tutta sincerità è interessante sul serio...» Agitò le braccia verso le tinozze e il cielo che le nuvole avevano reso scuro. «Che tu ci creda o no, sei davanti alla linea del fronte della battaglia in difesa della biodiversità.»

Feci una smorfia. «Soli contro tutti, eh?»

«Crederci non costa niente.»

Ci guardammo per meno di un secondo, ma per quanto mi riguardava era mezzo secondo più del dovuto. Difficile stabilire, a causa dei suoi occhiali, se i nostri occhi avevano stabilito un contatto.

«Fra cent'anni, metà della flora e della fauna mondiale sarà estinta. E questo, mio caro, interesserà tutto: pesci, uccelli, insetti, piante, mammiferi, ogni cosa ti venga in mente, e accadrà semplicemente perché la catena alimentare verrà spezzata. Non si tratta solo dei grandi affascinanti mammiferi sui quali ci stiamo fissando...» Roteò gli occhi, e con una ridicola smorfia di terrore e le mani ben alte proseguì: «'Salvate le balene, salvate la tigre...' Non sono gli unici, tutto è coinvolto». L'espressione seria si distese e il viso s'illuminò. «Anche il pappatacio con cui il tuo occhio ha già fatto conoscenza.» Il sorriso non durò a lungo. «Sai, senza l'habitat perderemo tutto questo per sempre.»

Uscii e sedetti per terra con il cartone vicino. Tolsi il tappo alla bottiglia e bevvi qualche sorso mentre lei veniva a sedersi vicino a me, sistemandosi gli occhiali. Fissavamo entrambi le file di tinozze e, quando riprese a parlare, con il suo ginocchio sfiorò il mio. «Una velocità di estinzione analoga si è verificata solo cinque volte dall'inizio della vita complessa. E sempre a causa di un disastro naturale.» Allungò una mano per prendere l'acqua. «I dinosauri, per esempio, si estinsero a causa di un meteorite che si è schiantato sulla superficie terrestre circa sessantacinque milioni di anni fa, giusto?»

Annuii come se lo sapessi. In realtà il Museo di Storia Naturale non era esattamente il luogo in cui trascorrevo le giornate da bambino.

«Giusto, ma questa sesta estinzione non avrà luogo a causa di un agente esterno, accadrà per colpa nostra, noi, la specie sterminatrice. Non ci sarà un Jurassic Park; una volta che se ne saranno andati, non riusciremo a riportarli indietro con la bacchetta magica. Dobbiamo riuscire a salvarli adesso.»

Non dissi niente, mi limitai a guardare lontano mentre lei beveva e un milione di grilli si esibiva nel suo miglior repertorio.

«So che pensi che siamo dei pazzi fanatici che si sono messi in testa di salvare il mondo, ma...»

La guardai. «Non penso niente del genere...»

«D'accordo», m'interruppe, con la mano libera alzata e un sorriso sul viso mentre mi passava la bottiglia. «Comunque adesso t'informo: il mondo vegetale non è ancora stato catalogato del tutto, dico bene?»

«Se lo dici tu.»

Ci scambiammo un sorriso. «Certo che lo dico. E lo stiamo perdendo prima ancora di riuscire a catalogarlo, giusto?»

«Lo dici sempre tu.»

«Esatto. E noi siamo qui per trovare le specie che ancora non conosciamo. Andiamo nella foresta, troviamo nuovi esemplari, li coltiviamo e mandiamo i campioni all'università. Le medicine che derivano dalle piante nelle tinozze sono moltissime. Ogni volta che perdiamo una specie, perdiamo una possibilità per il futuro, perdiamo una potenziale cura per HIV, Alzheimer e altro. E adesso viene la parte più entusiasmante. Pronto?»

Aggiustai la benda sul polpaccio, consapevole che avrebbe continuato comunque.

«Le case farmaceutiche finanziano l'università perché faccia ricerca ed effettui test sulle nuove specie per loro conto. Così, roba da non credere, si ottiene una forma di conservazione che ha anche un risvolto finanziario.» Annuì in segno di autoapprovazione e iniziò a pulirsi le unghie. «Ma, nonostante tutto, l'anno prossimo ci faranno chiudere. Stiamo facendo un lavoro straordinario, te lo garantisco, ma loro pretendono ritorni veloci per i loro investimenti. E allora i pazzi chi sono?»

Ancora una volta si voltò a guardare le tinozze: la sua espressione non era più né seria né allegra, era semplicemente triste. Mi piaceva restare in silenzio vicino a lei.

Non mi ero mai sentito così vicino a quello che fanno gli abbraccia-alberi. Forse perché veniva da lei, forse perché lei non indossava una giacca a vento con cappuccio e non tentava d'impormi le sue idee con la forza.

«Come riesci a conciliare quello che fai qui con quello che stai facendo per me? Le due cose non vanno nella stessa direzione, mi pare.»

Non si voltò a guardarmi, si limitò a fissare le tinozze. «Non la metterei così. E comunque, a parte tutto il resto, mi serve per Luz.»

«Cioè?»

«Aaron è troppo vecchio per l'adozione e qui è molto complicato riuscire a fare le cose.» Per un attimo temetti di vederla arrossire. «E allora mio padre mi ha offerto il passaporto americano per lei se ti aiutavamo. L'accordo è questo. A volte si fanno azioni sbagliate per una giusta causa, non sei d'accordo, Nick, o qualunque sia il tuo nome?» Si voltò verso di me e fece un profondo respiro.

Stava per aggiungere qualcosa ma cambiò idea, e si mise a fissare uno stormo di uccelli grandi come passeri che si alzavano in volo dagli alberi cinguettando all'unisono.

«Aaron disapprova quello che stiamo facendo. Abbiamo discusso molto. Lui voleva continuare a battersi per l'adozione. Ma non c'è tempo, dobbiamo andare a Boston. Mia madre è tornata a stare lì dopo il divorzio. George è rimasto a Washington a fare quello che ha sempre fatto.» Fece una pausa prima di partire per la tangente. «Sai, ho scoperto solo dopo il suo divorzio quanto era potente mio padre. Anche Clinton lo chiama George. Peccato che non abbia usato un po' del suo potere per salvaguardare la sua vita privata. Ironia della vita. E Aaron è come lui per molti aspetti...»

«Ma perché andarsene dopo tutto questo tempo? Perché vi bloccano l'attività?»

«No, non solo per questo. Le cose qui stanno andando di male in peggio. E noi dobbiamo pensare a Luz. Presto dovrà andare al liceo, poi all'università. Deve iniziare ad avere una vita normale. Ragazzi che escono con te e anche con altre, amiche che ti sparlano dietro la schiena, questo tipo di normalità...» Sorrise. «Fosse per lei sarebbe partita ieri.»

Il sorriso si spense quasi subito, ma il tono di voce non era triste, solo concreto. «Ma Aaron... Aaron odia i cambiamenti, esattamente come mio padre. Vive nella speranza che tutti i problemi si risolvano da soli.» Piegò la testa all'indietro per seguire lo stormo che stridendo passava a pochi centimetri dal tetto di casa. Guardai anch'io. Lei sospirò. «Questo posto mi mancherà.»

Sapevo che dovevo dire qualcosa, ma non sapevo cosa. Avevo la sensazione che il casino che ero riuscito a fare della mia vita non mi qualificasse nel ruolo di esperto.

«Lo amo molto. È solo che mi sono resa conto a poco a poco di non essere più innamorata dell'uomo, credo... storia vecchia, da manuale, me ne rendo conto. Ma è difficile da spiegare. E con lui non posso parlarne. È... non so, è arrivato il momento di andare via...» Si fermò per un attimo. Il sangue mi pulsava nella testa. «Mi sento così sola a volte.»

Con entrambe le mani si spinse i capelli dietro le orecchie, poi si voltò verso di me. Restammo in silenzio; il sangue mi pulsava nel collo e facevo fatica a respirare. «E di te cosa mi dici, Nick? Ti senti mai solo?»

Conosceva già la risposta, ma non riuscii a trattenermi...

Le raccontai che vivevo in un centro di accoglienza, che non avevo un soldo, che facevo la fila per mangiare gratis dagli Hare Krishna che distribuivano minestra con un furgone. Le dissi che tutti i miei amici erano morti, tranne uno che mi disprezzava. Che, oltre ai vestiti che avevo indosso quando ero arrivato a casa loro, le uniche cose che possedevo stavano in una sacca al deposito bagagli alla stazione ferroviaria di Londra.

Le dissi tutto e dopo mi sentii meglio. Le raccontai anche che mi trovavo a Panama per un'unica ragione: impedire che il mio capo uccidesse una bambina. E avrei voluto dire di più, ma mi obbligai a chiudere il coperchio prima che traboccasse tutto.

Quando finii di parlare rimasi lì seduto a braccia incrociate, un po' spiazzato; non volevo incontrare il suo sguardo, così mi concentrai ancora una volta sulle tinozze.

Si schiarì la voce. «La bambina... si chiama Marsha o Kelly?»

Girai la testa di scatto e lei interpretò la mia reazione come un gesto di paura.

«Mi dispiace, scusa... non avrei dovuto farti questa domanda, lo so. È che ero là, sono rimasta con te tutta la notte, non ero appena arrivata... avrei voluto dirtelo stamattina, ma ci saremmo trovati a disagio, credo...»

Cosa cazzo avevo detto?

Lei cercò di ammorbidire il colpo. «Dovevo restare, altrimenti a quest'ora saresti a Chepo. Non ricordi niente? Continuavi a svegliarti urlando, tentavi di uscire per andare alla ricerca di Kelly. E continuavi a chiamare Marsha. Qualcuno doveva starti vicino. Aaron non poteva, era stato sveglio tutta la notte. Ero molto preoccupata per te.»

Adesso i battiti erano accelerati e il caldo era diventato insopportabile. «Cos'altro ho detto?»

«Be'... Kev. Fino a poco fa ho creduto che fosse il tuo vero nome e...»

«Nick Stone.»

Lo sparai come se fossi a un quiz televisivo dove vince chi risponde più veloce. Mi fissò per un momento, e si aprì in un sorriso. «È questo il tuo vero nome?»

Annuii.

«Perché me lo hai detto?»

Mi strinsi nelle spalle, non lo sapevo, semplicemente mi sembrava giusto farlo.

Quando ripresi a parlare lo feci quasi in trance. Come se a parlare fosse qualcun altro e io fossi uno spettatore che ascoltava da lontano. «La ragazzina si chiama Kelly. Marsha era sua mamma, la moglie del mio amico Kev. Aida era la sorellina piccola. Sono stati uccisi tutti, in casa loro. Kelly è l'unica superstite. Se fossi arrivato pochi minuti prima, forse sarei riuscito a salvarli. È per lei che sono qui, lei è tutto quello che ho.»

Annuì lentamente, aveva capito. Avevo la vaga sensazione che il sudore mi stesse colando a rivoli lungo la faccia. Cercai di asciugarlo.

« Perché non mi racconti di lei? » chiese calma. « Mi piacerebbe sapere qualcosa di lei. »

Tornò il formicolio alle gambe, sentii che il coperchio stava per saltare e non avevo più modo di tenerlo sotto controllo.

« Va tutto bene... tutto bene, Nick. Lasciati andare. » La sua voce era calma e rassicurante.

Allora compresi che non potevo fermarmi. Il coperchio si sollevò e le parole mi uscirono a fiumi dalla bocca, lasciandomi appena il tempo di respirare. Le dissi che ero il tutore di Kelly, che come tutore ero un vero fallimento, che andavo nel Maryland per parlare con Josh, che Josh era l'unico amico che mi era rimasto, che le persone che mi piacevano mi fregavano sempre, che andavo a firmare il trasferimento definitivo della custodia a Josh. Le dissi della terapia di Kelly, della solitudine. Le dissi tutto. Alla fine rimasi lì, con le mani sulla faccia.

Sentii una mano che mi toccava affettuosamente sulla spalla. « Non ne hai mai parlato con nessuno, vero? »

Lasciai ricadere le mani, cercai di sorridere e feci cenno di no. « Non mi sono mai fermato abbastanza a lungo. Ho dovuto dare dei dettagli alla terapeuta sulla morte di Kev e Marsha, ma ho fatto del mio meglio per tenere nascosto tutto il resto. »

Riusciva a leggermi dentro. O per lo meno era così che sentivo. « Forse lei avrebbe potuto aiutarti. »

« La Hughes? Mi faceva sentire come... come un... come un nano a proposito dei sentimenti. » Irrigidii la mascella. « Sai, il mio mondo può sembrare solo una montagna di merda, ma per lo meno qualche volta riesco a starci seduto sopra. »

Sorrise triste. « E cosa si vede dall'alto del tuo mucchio di merda? »

«Niente a che vedere con un panorama simile, ma a me piace la giungla.»

«Uhm.» Il sorriso si allargò. «Ottima per nascondersi.»

Feci cenno di sì e stavolta sorrisi sul serio.

«Continuerai a nasconderti per tutta la vita, Nick Stone?»

Gran bella domanda. Ma non avevo idea della risposta.

Fissai a lungo le tinozze mentre il formicolio diminuiva, e alla fine Carrie fece un sospiro da grande attrice. «Cosa ne faremo di te?»

Ci guardammo, poi lei si alzò. La imitai, mi sentivo strano, cercavo disperatamente qualcosa da dire, qualunque cosa per poter prolungare quel momento.

Sorrise di nuovo, poi mi prese scherzosamente per un orecchio. «Bene, la ricreazione è finita, si torna al lavoro. Ho dei compiti di matematica da correggere.»

«Giusto. Io ho bisogno di una delle tinozze, mi pare di averne viste alcune vuote vicino ai lavandini.»

«Certo, ce n'è in abbondanza e per il momento non ne abbiamo bisogno.»

Sorrideva ancora ma in modo più malinconico.

Sollevai il cartone. «Vado giù alla baracca a giocare un po' con l'esplosivo, ma, lo prometto, basta boati.»

Annuì. «È un sollievo saperlo. Mi sembra che per oggi le emozioni possano bastare, ne abbiamo avute a sufficienza, tutti e due.» Si avviò verso il magazzino e si fermò subito. «Stai tranquillo, Nick Stone, resterà tra noi, nessuno saprà.»

Ringraziai con un cenno, e non solo per la promessa di silenzio. «Carrie?» dissi mentre si allontanava. Si fermò e si voltò appena. «Ho bisogno di cibo e attrezzatura per stanotte. Posso prendere qualcosa dal magazzino?»

«Serviti pure, ma poi dimmi quello che hai preso, così che possa reintegrare le scorte. E, naturalmente, togli tutto quello che possa far risalire a noi, tipo quella.» Indicò l'etichetta sul cartone delle zuppe in scatola su cui era scritto

YANKLEWITZ 14/08/00, probabilmente la data di consegna dell'elicottero.

«Non preoccuparti.»

Ancora il sorriso mesto. «Fosse tutto lì, Nick Stone.»

Attesi che sparisse all'interno prima di girare l'angolo in direzione dei lavandini e cominciare a lavorare. A fatica staccai l'etichetta in tre strisce che finirono dentro un bicchiere. Poi, dopo aver bevuto abbondantemente dal rubinetto con la P e aver riempito la bottiglia, mi avventurai nello spazio aperto in direzione della baracca, dondolando con una mano la tinozza che avevo appena preso e con l'altra la bottiglia e il cartone. Cercai di non pensare a niente se non al lavoro. Aveva ragione lei, c'erano molte cose di cui essere preoccupati, ma per lo meno non mi ero lasciato scappare il nome del vero bersaglio.

Le nuvole si stavano addensando. Avevo avuto ragione a non farmi illudere dal sole della mattina. Quando arrivai sul limitare della lieve discesa e in vista del tetto del capanno, sentii il suono di brevi colpetti di clacson. Mi voltai e vidi il Mazda che avanzava ballonzolando sul sentiero e Luz che sfrecciava fuori della casa per andare incontro al padre. Rimasi a guardarli per qualche istante. Vidi Aaron saltare giù dall'auto per ricevere coccole e chiacchiere e poi avviarsi verso la veranda con la ragazzina.

Seduto nell'ombra ancora umida del capanno, strappai i lembi superiori e inferiori del cartone di Campbell, li accartocciai sul fondo della tinozza e mi ritrovai con la struttura principale, i quattro lati del cubo, che aprii da un lato, ottenendo una lunga striscia piatta. La adattai alla tinozza facendola scorrere lungo i bordi e poi l'arrotolai in modo da ottenere un cono con il vertice a circa un terzo del contenitore e sotto i pezzi accartocciati di cartone. Se a questo punto avessi lasciato la presa si sarebbe aperto di colpo, quindi iniziai a sistemare l'esplosivo ancora incartato intorno alla base per tenerlo fermo. Quando il cono risultò bloccato, aprii le altre scatole, tolsi dalla carta l'altro esplosivo e lavorai la sostanza tipo stucco infilandola dentro la tinozza e tutt'intorno al cono.

Il mio intento era realizzare una copia di una mina fuoritracciato alla francese. Ha la stessa forma della tinozza, poco più piccola, ed è progettata in modo che, al contrario delle mine di tipo convenzionale, per distruggere il bersaglio al momento della detonazione non deve essere piazzata esattamente sotto il bersaglio stesso. Può essere nascosta sul lato di una strada o di un sentiero, oppure tra i cespugli o, come pensavo di fare io, su un albero. È un congegno estremamente utile se si deve minare una strada sterrata, per esempio, senza doverlo mettere sotto gli occhi di tutti. Una versione di bomba di questo tipo viene innescata da un cavo sottile come un filo di seta fatto correre lungo il selciato e quindi strappato. Io l'avrei fatta esplodere con un colpo di Mosin Nagant.

Quella di produzione industriale, una volta innescata, trasforma istantaneamente il cono di rame che ricopre la carica in una massa rovente sospinta a una velocità e a una potenza tali da sfondare la blindatura del bersaglio e ridurla a pezzi. Non avevo il rame; ma al suo posto avevo il cono di cartone che più o meno ne riprendeva la forma. E in ogni caso l'esplosivo era talmente potente che da solo avrebbe ottenuto l'effetto desiderato.

Continuai a comprimere l'esplosivo cercando di trasformarlo in una massa compatta intorno al cono. La glicerina mi faceva bruciare i tagli sulle mani. Il mal di testa si era ripresentato con un'intensità a dir poco insopportabile.

L'idea di usare l'esplosivo in quel modo mi era venuta ripensando al tedesco che mi aveva regalato la baionetta. Era stato lui a raccontarmi un episodio successo durante la seconda guerra mondiale. I parà tedeschi erano riusciti a prendere un ponte prima che gli inglesi in ritirata lo facessero saltare. Per far passare le colonne dei propri carri armati, i tedeschi avevano disinnescato i detonatori per liberarsi della merda organizzata dagli inglesi, ma avevano lasciato le cariche in posizione. Un giovane militare inglese sparò un colpo con il suo fucile, un Lee Enfield .303, contro le cariche. L'esplosivo, che era di vecchio tipo, esattamente come quello che avrei usato io, detonò, facendo brillare tutte le cariche collegate dalla miccia. Il ponte si disintegrò e i carri armati non riuscirono a passare.

Mentre finivo di pressare l'esplosivo rimasto, mi augurai che il militare avesse avuto, come ricompensa, almeno un paio di settimane di licenza. Figuriamoci. Al massimo un colpetto di frustino sull'elmetto accompagnato da un « bravo, ben fatto! » prima di essere ucciso qualche settimana dopo.

Quando ebbi terminato, sigillai il coperchio della tinozza e la lasciai nel capanno. Poi, pensando alle altre cose di cui avrei avuto bisogno per essere pronto a passare quattro notti sul campo, tornai verso casa.

Il cielo si era fatto plumbeo, le nuvole di tutte le gradazioni del grigio. L'unico vantaggio era che si era alzata una leggera brezza.

Arrivai all'inizio del pendio e sentii il rombo di un tuono in lontananza. Aaron e Carrie erano vicino ai lavandini e mi resi conto che stavano di nuovo discutendo. Carrie agitava le braccia, Aaron era in piedi e muoveva la testa avanti e indietro come un galletto.

Non avevo modo di fermarmi e tornare indietro: dalla posizione in cui ero non potevo fare nulla. E poi avevo un assoluto bisogno di lavarmi le mani che mi bruciavano per la nitro e di mandar giù qualche aspirina. La deidrocodeina poteva avere un effetto migliore, ma quella notte avevo bisogno di rimanere sveglio.

Rallentai e abbassai la testa augurandomi che mi vedessero subito. E infatti mi videro perché smisero di gesticolare. Carrie se ne andò verso la porta del magazzino e Aaron rimase ad asciugarsi.

Arrivai mentre lui, in evidente imbarazzo, si stava dando una sistemata ai capelli.

« Mi spiace che tu abbia dovuto assistere. »

«Non sono affari miei. E comunque vado via stanotte.»

«Carrie mi ha detto che hai bisogno di un passaggio. Alle dieci, vero?»

Annuii. Aprii il rubinetto e mi bagnai le mani, poi lo chiusi e m'insaponai bene per togliere ogni residuo di nitro. «Hai detto che hai una cartina? La trovo nella libreria?»

«Prendila pure, io ti trovo una bussola come si deve.»

Mi passò davanti per appendere l'asciugamano verde accanto al mio. «Ti senti meglio, oggi? Ci hai fatto preoccupare.»

Cominciai a sciacquarmi. «Bene, bene, devo essermi beccato qualcosa ieri. Come sta il giaguaro?»

«Mi hanno promesso che stavolta faranno qualcosa, forse lo zoo, ma ci crederò solo quando lo vedrò con i miei occhi.» Per alcuni istanti rimase come sospeso, a disagio, poi disse: «Bene, Nick, vado a smaltire un po' di lavoro arretrato. Se n'è accumulato parecchio».

«Ci vediamo dopo.»

Mentre andava verso il magazzino presi il mio asciugamano dalla corda per stendere.

26

ADESSO che il cielo si era fatto completamente grigio il magazzino era quasi al buio. Dopo un po' trovai l'interruttore e un unico tubo al neon si accese lampeggiando, dondolando pericolosamente dai fili elettrici ai quali era appeso, a un paio di metri dal soffitto.

Notai subito il fucile e le munizioni appoggiati su uno scaffale insieme con una bussola Silva e una cartina.

Dovevo preparare dei «colpi pronti». Strappai una quindicina di centimetri di nastro adesivo alto due centimetri e mezzo, posai un proiettile sulla parte adesiva e arrotolai. Quando tutto il proiettile fu coperto ne piazzai un altro, arrotolai un poco, poi un altro, finché tutti e quattro i proiettili non furono riuniti in un unico fagotto che non avrebbe fatto rumore e che potevo tenere in tasca senza problemi. Ripiegai un paio di centimetri di nastro in modo da poterlo aprire facilmente e cominciai a prepararne un altro. Nello zaino avrei messo comunque una scatola da venti per precauzione.

Frugai nella valigetta dei medicinali alla ricerca dell'aspirina e ne ingoiai un paio. Mi aiutai con l'acqua di una bottiglia di Evian che presi da un cartone nuovo da dodici e ne buttai tre sulla branda per dopo.

La gamba riprese a farmi male ma non potevo permettermi di cambiare la medicazione. Più tardi, quella notte, sarei stato inzuppato e coperto di fango e l'aspirina avrebbe fatto il suo dovere.

Mi dovevo preparare al massimo per quattro notti sul campo, di cui due sul bersaglio e due nella giungla in attesa che le acque si calmassero prima di sbucare fuori e dirigermi all'aeroporto. Comunque fosse andata, dovevo essere da Josh entro martedì.

Nel magazzino trovai un vecchio zaino di tessuto verde a chiazze più chiare dovute all'esposizione agli agenti atmosferici. Allo zaino e all'acqua si unirono nove scatolette di tonno e un assortimento di barrette di sesamo e miele che potevano essermi utili a far passare le ore del giorno.

Con assoluta certezza, a giudicare da quello che si trovava sui ripiani, erano riusciti a mettere le mani sul materiale che gli americani avevano svenduto. Presi un poncho e alcune zanzariere verde scuro. Con il poncho, legando il cappuccio e passando due metri di filo negli anelli alle due estremità, avrei potuto costruire un riparo. Le zanzariere potevano servire non solo come riparo dagli insetti ma anche per mimetizzarmi. Ne presi tre, una per protezione e le altre due per nascondere me e la tinozza una volta sul posto. Un grande cilindro bianco che penzolava da un albero sulla strada di fianco al cancello avrebbe potuto destare qualche sospetto.

Cosa più importante di tutte, trovai un machete, assolutamente necessario per la giungla perché può garantire protezione, cibo e rifugio. Nessuno con un po' di sale in zucca si avventura nella giungla senza averne uno incollato al corpo. Rispetto a quello con cui Diego aveva cercato di affettarmi, questo era molto più solido, di fabbricazione americana. Era più corto di una quindicina di centimetri, aveva un solido manico di legno, un fodero in stoffa e una lama affilata in lega leggera.

Mi arrampicai sui ferri dello scaffale e aggrappandomi a un montante controllai la mercanzia più in alto. Improvvisamente Luz, nella stanza a fianco, parve molto soddisfatta di se stessa. « E vai! » Il Baby G mi disse che erano le 15.46. Probabilmente a quell'ora finiva il tempo da dedicare allo studio. Mi domandai se fosse al corrente della discussione che Aaron e Carrie avevano appena avuto e che di sicuro la riguardava. Cosa sapeva di quanto stava accadendo? Se erano convinti che non si fosse accorta di niente, si stavano prendendo in giro da soli. E se lei assomigliava almeno un po' a Kelly, non le era sfuggito il minimo dettaglio.

Per un paio di secondi i pensieri mi portarono nel Maryland: il fuso orario era lo stesso e con ogni probabilità in quel momento Kelly stava facendo esattamente gli stessi gesti, anche lei metteva via i libri. Prendeva lezioni private, individuali e molto costose, ma non c'era altro modo per andare avanti, almeno fino a quando non avesse trovato un equilibrio tra l'attenzione esclusiva che riceveva alla clinica e la scuola tradizionale che frequentavano i figli di Josh, fatta di botte e spintoni. Per un attimo pensai con terrore a cosa sarebbe successo senza la seconda parte dei soldi che non ero riuscito a guadagnare, poi mi resi conto che era l'ultima cosa di cui essere preoccupato.

Presi coscienza di quello che stavo per fare e ci diedi un taglio. Dovevo costringermi a pensare solo al lavoro; sbagliato, alla missione.

Sapevo quello di cui avevo bisogno, a dire il vero non molte cose. Me lo aveva insegnato l'esperienza, come capita a quei turisti che si portano dietro cinque valigie e alla fine scoprono di aver usato il contenuto di una sola. Cibo, acqua, i miei vestiti ancora umidi, un cambio, zanzariere, coperta leggera e amaca. Avrei messo il tutto in un sacchetto di plastica perché ogni cosa restasse all'asciutto dentro lo zaino e sotto il poncho di notte. Avevo già adocchiato l'amaca sulla veranda: se non avessi trovato altro avrei preso quella.

Nessuno di quegli oggetti era di vitale importanza, ma scegliere di farne a meno è pura follia. Avevo passato troppo tempo nella giungla, a lavorare sodo in posti come la Colombia, così vicino ai DMP da non poter montare né l'amaca né il poncho, seduto tutta la notte in mezzo alla merda, schiena a schiena con gli altri della squadra, mangiato vivo da ogni animale volante o strisciante tra le foglie marcite. Senza mangiare o bere qualcosa di caldo per paura che la fiamma o l'odore potessero compromettere l'operazione, in attesa del giorno giusto per attaccare. Non aiuta passare così una notte dopo l'altra, in balia dei tuoi amici insetti, riuscendo a strappare solo qualche minuto di sonno alla volta. Poi arriva l'alba e, sebbene la pattuglia sia stremata e ricoperta di punture, deve continuare a fare il suo lavoro, osservare e aspettare.

Alcuni pattugliamenti erano durati settimane in quelle condizioni. Poi erano arrivati i camion o gli elicotteri a prelevare la cocaina e noi finalmente eravamo entrati in azione. È un dato di fatto che più tempo si passa in quello stato più l'efficienza della squadra diminuisce. Non è segno di debolezza dormire sotto un riparo a qualche centimetro dalla merda, piuttosto che rotolarcisi dentro. È solo buon senso. Volevo essere sveglio e in grado di tirare quell'unico colpo con facilità, il secondo giorno come se fosse il primo, e non con gli occhi ancora più gonfi perché la notte precedente avevo cercato di strofinarli dentro la merda. A volte non si può fare altro, ma non stavolta.

Continuai a rovistare, arrampicandomi su e giù per gli scaffali come una scimmia urlatrice, e fui davvero un ragazzo felice quando trovai quello che non speravo di trovare. Il liquido chiaro era contenuto in file di bottiglie di plastica tipo olio per bambini. Mi sentii come si sente un assetato ubriacone di Arlington Road quando trova nella spazzatura una bottiglia mezza piena, soprattutto perché l'etichetta diceva che era al novantacinque per cento. Il dietil-m-toluammide – che io conoscevo come Deet – era una pozione magica che avrebbe tenuto lontane zanzare e bestioline varie. Alcuni prodotti commerciali ne contengono solo il quindici per cento e sono vere schifezze. Più alta è la percentuale di Deet e meglio è. Il problema è che può sciogliere alcuni tipi di plastica; da qui lo spessore delle bottiglie. Fa parecchio male se ti finisce negli occhi; ho conosciuto persone cui si sono sciolte le lenti a contatto quando il liquido è entrato negli occhi sciolto nel sudore. Buttai tre bottiglie sulla branda.

Passai altri dieci minuti a frugare tra cartoni e sacchi e poi iniziai a preparare lo zaino. Tolsi l'involucro frusciante a tutte le barrette al sesamo e le infilai in un sacchetto di plastica che trovò posto nella tasca esterna di sinistra, facile da raggiungere durante il giorno. Per la stessa ragione la bottiglia di Evian finì in quella di destra. Misi il tonno e le altre bottiglie in fondo al bagaglio, avvolte in strofinacci da cucina per attutire qualsiasi rumore. Avrei tirato fuori quel cibo solo di notte e lontano dalla postazione di tiro.

Infilai un grande sacchetto di plastica da lavanderia dentro la tasca centrale. Serviva a raccogliere gli escrementi che avrei prodotto durante la permanenza nella giungla. Avrei preferito piccole buste monouso, ma non ero riuscito a trovarne e così una grande sarebbe servita per tutti. Era molto importante non avere fonti di puzza o rifiuti vicini per non attirare animali che avrebbero potuto compromettere la posizione; e inoltre non volevo lasciare niente su cui si potesse effettuare un'analisi del DNA.

In un altro sacchetto di plastica trasparente simile al precedente misi la zanzariera che avrei usato per coprirmi di notte e la coperta senza la plastica di protezione nella quale avrei infilato l'amaca della veranda. Gli oggetti contenuti in quel sacchetto dovevano restare asciutti a tutti i costi. Ci avrei aggiunto anche i vestiti asciutti per dormire, gli stessi che avrei indossato per andare all'aeroporto una volta uscito dalla giungla. Me li sarei fatti dare da Aaron insieme con l'amaca.

Sul letto, vicino allo zaino, posai le altre due zanzariere e delle cinghie di nylon da portapacchi, larghe dieci centimetri e tutte a colori vivaci. Nero, marrone, praticamente qualsiasi altro colore sarebbe stato meglio di quelli per nascondersi in un universo completamente verde. Le misi nella tasca superiore, pronte a diventare il sedile del cecchino. Il modello proveniva dall'India d'altri tempi, quando i vecchi *sahib* riuscivano a rimanerci seduti sopra per giorni, in attesa delle tigri. Era un sistema semplice ma efficace. Le cinghie venivano fissate a due rami in modo da formare un sedile il cui schienale era il tronco dell'albero. Una postazione elevata rivolta al terreno di caccia è più efficace di un ampio campo visivo perché si riesce a controllare dall'alto ogni ostacolo e perché è meno individuabile, sempre che fossi riuscito a piazzarci sotto la reticella verde in modo da nascondere l'arcobaleno che mi reggeva il culo.

Sedetti sulla branda e mi concentrai su altre possibili necessità.

La prima cosa che mi venne in mente fu una copertura da mettere sul cannocchiale, in modo che il sole non si riflettesse sulle lenti dell'obiettivo rivelando la mia postazione.

Trovai una scatola di polvere fungicida, altro articolo dell'esercito americano, contenuta in piccoli cilindri di plastica verde oliva. Ne presi uno, vuotai il contenuto, tagliai la parte superiore e quella inferiore e lo aprii nella lunghezza. Tolsi con cura tutta la polvere dall'interno e lo sistemai sopra il mirino. Si aggrappò facilmente al cilindro di metallo. Lo spostai avanti e indietro finché la parte che sporgeva davanti alle lenti non fu appena più lunga del diametro della lente. Solo se il sole fosse entrato nel mio campo visivo avrebbe provocato un riflesso sulle lenti.

L'operazione successiva consisteva nel proteggere dalla pioggia la canna e le parti mobili: nessuna difficoltà. Infilai un sacchetto di plastica sopra la canna e lo fissai al calcio in legno con il nastro adesivo, poi inserii i colpi nel serbatoio e spinsi in avanti l'otturatore. L'arma era pronta a sparare, e misi la sicura.

Presi un altro sacchetto di plastica trasparente delle coperte e ne tagliai il fondo in modo che risultasse chiuso solo su due lati. Lo feci scorrere sopra il fucile come un manicotto fino a coprire cannocchiale e parti mobili e lo fermai su entrambi i lati al fusto di legno con il nastro adesivo. Poi praticai un piccolo taglio per il cannocchiale in modo che fosse libero, ripiegai i bordi e sigillai la plastica con l'adesivo. A quel punto tutta l'arma, cannocchiale escluso, era rivestita di plastica. Il fucile aveva assunto un'aria un po' stupida, ma non era così importante, in fondo mi assomigliava. La sicura era raggiungibile, e al momento opportuno avrei lacerato la plastica per infilare il dito nel grilletto. Se avessi dovuto sparare più di un colpo non avrei impiegato molto a strappare la plastica e ricaricare. L'operazione andava fatta perché l'umidità sulle munizioni e sulla canna può alterare la traiettoria di tiro, non di molto, ma tutto fa. Avevo tarato il fucile a canna asciutta e fredda e con munizioni asciutte, e così doveva restare se volevo aumentare le possibilità di fare centro con un unico colpo.

Fase successiva, la cartina: la avvolsi con l'ultimo sacchetto di plastica trasparente che rivestiva le coperte del ripiano. C'era scritto che era stata redatta per il governo panamense dall'esercito americano, Compagnia 551 del Genio, nel 1964. Molte cose erano sicuramente cambiate a partire dalla casa di Charlie e dal sentiero che ci arrivava. Ma a me interessavano le caratteristiche topografiche, i rilievi del terreno e i corsi d'acqua. Erano questi i riferimenti che mi avrebbero guidato fuori di là quando fosse giunto il momento di muovere verso la città.

La bussola aveva ancora il cordino, dovevo solo farla passare sopra la testa e sotto la maglietta. Mancavano invece gli indicatori per misurare i gradi della direzione. Evidentemente aveva già subìto l'azione corrosiva dell'insetticida. Anche il supporto di plastica era un po' incasinato, ma a me importava solo che l'ago rosso indicasse il nord.

Nella giungla, cartina, bussola, machete e documenti sarebbero rimasti sempre addosso a me, in qualsiasi circostanza. Non potevo permettermi di perderli.

L'ultima cosa che feci prima di appoggiare la testa sul cuscino fu infilare un capo di un rotolo di spago attraverso l'attacco ricavato nel calcio per la cinghia di tessuto o di cuoio, ne arrotolai circa un metro e mezzo intorno al calcio, tagliai e lo fissai stretto. Non avrei tenuto il fucile a tracolla se non al momento di arrampicarmi su un albero. Solo a quel punto avrei legato la corda all'impugnatura e l'avrei messo in spalla.

Tolsi dal letto quello che era rimasto e spensi la luce. Non avevo voglia di sentire gli altri; non è questione di asocialità, è solo che, se c'è un momento di calma prima della battaglia, conviene dormire.

Sdraiato sulla schiena, con le mani sotto la testa, ripensai a quello che era accaduto con Carrie durante il giorno. Non avrei dovuto comportarmi così. Non era da professionisti, anzi era stupido, ma, allo stesso tempo, mi sentivo bene. La dottoressa Hughes non era mai riuscita a farmi sentire così.

Fui svegliato all'improvviso. Portai di scatto il polso davanti agli occhi per controllare l'ora sul Baby G e mi calmai: erano le otto e un quarto appena passate. Non dovevo alzarmi prima delle nove.

Mi strofinai la faccia e la testa unte e appiccicose mentre la pioggia tamburellava lenta e costante accompagnando il basso *tud* dei ventilatori nella stanza accanto. Ero felice perché non avevo fatto altri sogni.

Mi girai sulla pancia tra i cigolii e i lamenti del tessuto e della struttura in lega della branda. Ripassai mentalmente il contenuto dello zaino. Fu allora che, tra il rumore della pioggia e dei ventilatori, percepii dei bisbigli come di cospirazione, li riconoscevo, ne avevo fatte a dozzine di cose del genere.

La branda cigolò quando spostai le gambe da una parte per alzarmi. I suoni provenivano dalla stanza dei computer. A tentoni raggiunsi la porta, guidato dalla striscia di luce che proveniva da sotto.

Appoggiai l'orecchio al legno e mi misi in ascolto.

Era Carrie. Rispondeva bisbigliando a una domanda che non avevo sentito: «Non possono venire adesso... Cosa succede se lui li vede?... No, lui non sa niente, ma come faccio a non farli incontrare?... No, non posso... Si sveglierebbe...»

Allungai la mano alla maniglia. La afferrai con decisione e lentamente ma con fermezza aprii la porta di un centimetro. Volevo vedere con chi stava parlando.

L'immagine quindici per quindici in bianco e nero era un po' mossa e appannata ai bordi, ma riuscii a vedere con chiarezza di chi erano la testa e le spalle che riempivano l'inquadratura. George in giacca a quadri e cravatta scura guardava dritto dentro la telecamera.

Carrie indossava le cuffie e le sue labbra si muovevano in un bisbiglio. «Ma non funzionerà, non ci crederà mai... Cosa vuoi che faccia con lui?... È nell'altra stanza che dorme... No, ha solo avuto la febbre... Cristo, papà, hai detto che non sarebbe successo...»

George non sentiva ragioni e attraverso lo schermo le puntava il dito contro.

Lei rispose con rabbia. «Certo che lo sono stata... Gli piaccio.»

In quel preciso istante mi sentii travolto da un'ondata gigantesca. Posai la testa allo stipite della porta, mi sentivo il volto in fiamme e dolorante. Era da tanto che non mi accadeva di essere tradito in un modo così clamoroso.

Sapevo che non avrei mai dovuto aprirmi con lei, lo sapevo con assoluta certezza.

Hai fatto una gigantesca cazzata... Perché non riesci mai a capire quando qualcuno te lo sta piazzando nel culo?

«No, devo prepararmi, è nella stanza a fianco...»

Non avevo la risposta a quella domanda, ma sapevo quello che dovevo fare.

Quando aprii la porta, Carrie stava smanettando sulla tastiera per chiudere il collegamento. Per lo spavento sobbalzò sulla sedia, i cavi delle cuffie si tesero, le cuffie stesse le scivolarono sul collo e il monitor si spense.

Ripreso il controllo, si piegò in avanti per sfilarsi le cuffie. «Ciao, Nick, dormito meglio?»

Sapeva, glielo leggevo negli occhi.

Perché non hai notato prima la menzogna in quegli occhi?

Avevo pensato che fosse diversa. Per una volta, avevo pensato... Cazzo, non sapevo quello che avevo pensato. Controllai che la porta del salotto fosse chiusa e poi feci tre passi verso di lei. Deve aver pensato di stare per morire: le piazzai con forza la mano sulla bocca, afferrai una manata di capelli sulla nuca e la sollevai. Emise un gemito. Gli occhi erano spalancati, mai avrei pensato che si potessero aprire tanto. Le narici sbuffarono nel tentativo di riuscire a respirare. Mi afferrava i polsi con tutt'e due le mani nel tentativo di allentare la presa dal suo viso.

La trascinai nel buio del magazzino: i suoi piedi sfioravano appena il pavimento. Chiusi con un calcio la porta e ci ritrovammo nel buio più completo. Posai la bocca sul suo orecchio sinistro. «Adesso ti faccio delle domande. Poi ti libero la bocca e tu rispondi. Non urlare, limitati a rispondere.»

Le sue narici stavano facendo gli straordinari e io le strinsi con maggiore forza le dita contro il volto per sottolineare la minaccia. «Annuisci, se hai capito.»

Dai suoi capelli era svanito il profumo dello shampoo: sentivo solo odore di caffè nel suo alito mentre lei muoveva più volte la testa contro la mia mano.

Con un respiro profondo mi calmai e le bisbigliai nell'orecchio. «Perché hai parlato di me con tuo padre? Chi è che sta arrivando?»

Allentai un poco la presa dalla sua bocca in modo che riuscisse a prendere fiato, ma non mollai i capelli. Sentii sulle dita il suo respiro umido. «Posso spiegarti; ti prego, lasciami respirare...»

Sentimmo entrambi il rumore dell'auto che si stava avvicinando a fatica sul sentiero fangoso.

«Oh, Dio, oh, ti prego, Nick, ti prego, resta qui. È pericoloso, ti spiego dopo, ti prego.»

Accesi la luce che cominciò a lampeggiare sopra le nostre teste, afferrai il fucile dal ripiano, strappai via la plastica che copriva l'otturatore e infilai con forza due fagotti di proiettili pronti nelle tasche.

La macchina si avvicinava e lei continuava a implorare. «Ti prego, resta qui, non uscire dalla stanza, me la cavo da sola.»

Mi spostai verso la porta che dava sull'esterno. «Vaffanculo. Adesso spegni la luce!»

Il rumore del motore era vicinissimo alla casa. Rimasi in

ascolto accanto alla porta con l'orecchio contro la lamiera ondulata.

«La luce!»

Premette l'interruttore.

27

Aprii con cautela la porta di qualche centimetro. Con un occhio contro la fessura guardai a destra, verso la facciata della casa. Non vidi auto, solo il bagliore dei fari che illuminavano la veranda attraverso la pioggia.

Scivolai attraverso la porta e la richiusi con attenzione alle mie spalle lasciando Carrie al buio. Svoltai a sinistra e raggiunsi la zona lavandini nel momento in cui due portiere vennero sbattute in rapida successione, accompagnate da urla perentorie che si sovrapponevano una all'altra. Immaginai che parlassero spagnolo anche se era difficile stabilirlo da quella distanza, e del resto non me ne fregava un cazzo.

Non appena girato l'angolo, mi diressi in linea retta verso il capanno in fondo alla discesa, usando la casa come copertura. Non mi voltai. Avevo il fucile nella destra, con la sinistra tenevo fermi i colpi pronti, dritto verso la meta, tenendomi più basso che potevo, facendo del mio meglio per non scivolare nel fango e tra i tronchi tagliati degli alberi.

Avanzai per duecento metri nel fango prima di arrischiarmi a guardare indietro. I contorni della casa si stagliavano contro le luci dei fari. Il rumore del motore era svanito. Mi voltai e continuai; dopo altri venti passi in direzione del capanno svanirono lentamente anche i fari.

Svoltai a destra. Di corsa raggiunsi l'altra linea di alberi. Avevo la gola secca e continuavo a deglutire nel tentativo d'inumidirla per agevolare la respirazione. Quanto meno, ero fuori della zona di pericolo immediato.

Quando fui a metà strada rispetto alla linea degli alberi, svoltai nuovamente a destra e cominciai a risalire la china, rientrando in direzione della casa. I Timberland sciacquettavano nel fango e nelle pozzanghere. Mi ero a tal punto concentrato su quello che stavo facendo che non mi ero reso conto che aveva smesso di piovere: fu il concerto dei grilli a farmene accorgere.

Quando fui a centocinquanta metri dalla casa rallentai e iniziai a muovermi con maggiore circospezione. Adesso avevo il calcio del fucile sulla spalla sinistra e avanzavo controllando bene ogni passo, cercando di tenere il corpo il più abbassato possibile. Il cielo era ancora completamente oscurato dalle nuvole, non avrei corso dei rischi avvicinandomi ancora alla casa.

Pian piano l'angolo di visuale cambiò. Prima riconobbi la debole luce che non arrivava a terra proveniente dalla finestra tra le due librerie, poi la zona davanti alla veranda, inquadrata dai fari di una grossa 4x4 posteggiata di fianco al Mazda. Sul tetto c'era un Gemini, un canotto di gomma gonfiabile, rovesciato e legato.

Sapevo che da qualche parte davanti a me c'erano le tinozze bianche e che le avrei incontrate molto presto. Rallentai ancora e mi accucciai al massimo. Quando raggiunsi le file di contenitori bianchi risentii il rumore del motore. A questo punto cominciai ad avanzare come un gorilla, poggiando sulle ginocchia e sulla mano destra, la sinistra impegnata a tenere in equilibrio il fucile. Feci tre o quattro movimenti, poi mi fermai per guardare. Un piccolo animale produsse un fruscio e scappò tra le tinozze che erano a pochi centimetri. Mentre fuggiva per salvarsi la vita sentii la plastica grattare.

Cercando di non restare impigliato nei tubi di gomma per l'irrigazione, avanzai ancora trovando a tastoni la strada tra erba e fango. Il rumore prodotto dai grilli era terribile. Mi augurai che almeno servisse a coprire quello che facevo io.

Avanzavo un centimetro alla volta, coperto dal sudore dovuto alla tensione e al puro sforzo fisico. Lentamente riuscii a vedere quello che stava accadendo sulla terrazza: mi trovavo a un'ottantina di metri e vedevo due uomini con Carrie. Tutti e tre erano in penombra. Uno degli uomini era molto più basso dell'altro e di lui vedevo solo le spalle coperte da stoffa a quadri scuri che spuntavano dai due lati di uno dei pali di sostegno. Ebbi l'impressione che avesse saltato un buon numero di lezioni con il suo personal trainer.

Nessun'arma in vista, non riuscivo a sentire le voci.

Continuando a tenere il fucile con la sinistra e spostandomi con movimenti lenti e precisi, cercai una posizione di tiro comoda fra le tinozze. Il sudore appiccicoso prese a colarmi sulla fronte.

Girai verso destra la leva della sicura che scattò con un piccolo *clic*. A causa della pioggia sulle lenti l'inquadratura era piuttosto sfuocata.

La testa di Carrie, schermata dal fumo di una sigaretta, entrò nel campo visivo, insieme con i moscerini che svolazzavano intorno alla lampada appesa al muro dietro di lei. Misi a fuoco il suo viso cercando di interpretarne l'espressione. Parlava, ma non aveva l'aria spaventata, solo molto seria.

Da sinistra provenne dell'altro fumo. Feci una panoramica e inquadrai l'uomo più alto che aspirava un altro tiro di sigaretta prima di parlare. Era latinoamericano, faccia rotonda, capelli a spazzola e barba ispida, indossava una camicia nera senza colletto. Mi spostai verso il basso e vidi pantaloni verdi coperti di fango infilati dentro stivali altrettanto sporchi. Era piuttosto agitato, indicava prima Carrie, poi l'uomo più basso. Qualcosa non andava, non avevo bisogno di leggere il labiale in spagnolo per capirlo.

Smise di gesticolare e guardò Carrie come se aspettasse una risposta. Spostai il mirino verso destra su di lei. Annuì lentamente, come se non fosse troppo contenta di quello che stava accettando di fare, e continuai a seguirla mentre apriva la zanzariera e urlava dentro casa: « Aaron! Aaron! »

Mi spostai sulla macchina. Intorno ai fari si aggiravano moscerini e qualsiasi altro insetto provvisto di ali. Era una GMC, la sagoma tozza e alta sopra il terreno e la carrozzeria sporca di fango. Tutte le portiere erano chiuse e il motore era ancora acceso, probabilmente per l'aria condizionata.

Il telaio della zanzariera cigolò e si richiuse sbattendo.

Puntai di nuovo verso la veranda e vidi Aaron. Nessun gesto di saluto nei suoi confronti: Carrie si limitò a parlargli per meno di un minuto, poi con un cenno di assenso lui tornò dentro casa. Aveva l'aria di un uomo preoccupato. Carrie e gli altri due lo seguirono. Camicia Nera gettò il mozzicone della sigaretta sul tavolato della veranda. Quello con la camicia a quadri trasportava una valigia di alluminio che prima non avevo visto. Anche lui aveva un'aria trasandata, chiazze irregolari di barba lanosa gli coprivano il volto paffuto.

Li osservai oltrepassare la finestra tra la libreria, diretti verso la stanza dei computer. Non potevo fare altro che restare in attesa.

D'un tratto alla mia sinistra con la coda dell'occhio vidi un lampo di luce. Mi voltai in tempo per vedere un fiammifero che finiva di bruciare nel buio all'interno della GMC. La luce gialla illuminava i due semicerchi senza polvere sul parabrezza.

Puntai nuovamente il fucile e vidi un brillante bagliore rosso provenire dal sedile posteriore. Lì dentro si fumava alla grande. Feci scorrere il mirino lungo la portiera posteriore della GMC ma non potevo stabilire fino alla boccata successiva se i finestrini fossero oscurati. Non dovetti attendere molto. Non riuscii a vedere niente sulla fiancata, ma nel finestrino della portiera posteriore s'illuminò un piccolo triangolo rosso. Doveva trattarsi della GMC che avevo visto alla chiusa. Le possibilità che lo stesso segno distintivo fosse dovuto al caso non erano molte. Un'altra tirata illuminò il triangolo.

Continuai a osservare finché la sigaretta non finì facendo svanire il bagliore. A quel punto smisi di mirare e poggiai lentamente il fucile sulle braccia per non farlo entrare in contatto con il fango. Proprio in quel momento la portiera posteriore si aprì e scese una persona. Tornai a puntare il fucile inquadrando un uomo che faceva pipì. Avrei riconosciuto quei tratti allungati e quel naso anche senza la GMC.

La cosa non mi piaceva, non mi piaceva per niente. Pizzaiolo era alla chiusa, la chiusa era inquadrata dalla webcam che c'era qui. Lo avevo visto anche a casa di Charlie, dove stavo per andare in visita. Pizzaiolo conosceva George, George sapeva di me. No, la situazione non prometteva niente di buono.

Il telaio della zanzariera cigolò, seguito immediatamente dai due uomini che scesero i gradini della veranda mentre lui schizzava dentro la macchina. Quello piccolo e grasso portava ancora la valigia. Carrie li seguì ma rimase sulla veranda, con le mani sui fianchi, a osservare Camicia Nera che gettava la cicca della sigaretta nel fango prima che entrambi salissero a bordo.

Il motore salì di giri e mentre l'auto effettuava manovra la luce dei fari inondò la zona intorno a me. Mi appiattii al suolo, in attesa che la luce mi passasse sopra, poi mi alzai sulle ginocchia e rimasi in ascolto mentre il rumore del motore e la luce rossa dei fanalini posteriori svanivano nella giungla.

Mi sollevai dal fango, misi la sicura e mi avviai verso la casa. Mentre lasciavo che la zanzariera si richiudesse sbattendo, vidi Aaron e Carrie accanto al letto di Luz, intenti a consolarla. Nessuno dei due si voltò mentre mi dirigevo verso il frigo e staccavo la foto in bianco e nero con Pizzaiolo sulla spiaggia. La calamita rotonda che la teneva fissata cadde e rotolò sul pavimento di legno. Mi fermai e ci ripensai. Doveva esserci un motivo per cui non aveva voluto farsi vedere. Non è che avrei ulteriormente peggiorato la mia posizione se lo avessi detto a loro? E loro a George? Rischiavo di compromettere il lavoro?

Trovai la calamita e rimisi la foto a posto. Feci un gran respiro, ripresi il controllo e mi concentrai sulla missione andando verso il magazzino. La luce era accesa, posai il fucile con attenzione sulla branda mentre Carrie entrava nella stanza dei computer, si sedeva davanti al PC e nascondeva la testa tra le mani. Andai da lei e chiusi la porta. « Raccontami. »

Teneva la testa in uno strano modo, come se fosse in

un'altra dimensione di spazio e tempo. I ventilatori ronzavano sopra le nostre teste. Sollevò il viso in direzione della veranda e mi guardò con un'espressione spaventata. «Tutta questa faccenda mi fa venire la pelle d'oca, hai idea della follia di queste persone? Odio il fatto che vengano qui, non lo sopporto.»

«Mi rendo conto, ma chi sono?»

«Lavorano per mio padre. Si occupano di un'operazione anti-FARC, non so dove nel Bayano. Fa parte del Plan Colombia.»

Non era solo spaventata, era fisicamente scossa. Le tremavano le mani mentre si portava i capelli dietro le orecchie. «Si tratta di un'operazione di controllo per la droga... abbiamo qui il pannello di controllo con il relais delle loro comunicazioni. È una forma di sicurezza, passa attraverso di noi e noi lo giriamo a George. Ha detto di non parlartene, per la sicurezza dell'operazione.»

«E allora perché hanno infranto le regole dell'OPSEC e sono venuti qui mentre c'ero io?»

«La webcam... tengono sotto controllo le navi sospettate di fare traffico di droga all'interno del canale. Mi è stato ordinato di spegnerla prima del tuo arrivo, ma me ne sono dimenticata. Bella spia, eh?»

Gli occhi gonfi e arrossati le davano un'aria molto contrita. «Papà può esserne fiero. Sembra che poi, quando finalmente ho staccato il contatto, abbia incasinato le altre vie di comunicazione, forse a causa del relais.» Indicò il groviglio di fili sotto le scrivanie. «Sono dovuti venire a rimettere le cose a posto. Stavo parlando di questo con George quando tu sei entrato. Non volevamo che questa cosa si mischiasse con il lavoro che devi fare per lui...»

«Calma... è tuo padre che mi ha mandato?»

«Non lo sapevi? George controlla entrambe le operazioni. Nick, devi credermi, è la prima volta che siamo coinvolti in cose di questo tipo.»

Passai in un attimo dall'incazzatura alla depressione. Come ai vecchi tempi. Mi misi a sedere sull'altra sedia mentre lei, tirando su con il naso, cercava di tornare alla normalità. Aaron entrò nella stanza, lanciando sguardi da me a lei e cercando di stabilire cosa stava accadendo.

Lei lo guardò con gli occhi gonfi e umidi. «Gliel'ho detto. Gli ho detto tutto.»

Aaron mi guardò sospirando. «Non ho mai sopportato questo genere di cose. L'ho scongiurata di non farsi coinvolgere.» Era come se mi stesse parlando di nostra figlia.

Poi spostò l'attenzione su Carrie. «George non avrebbe dovuto metterti di mezzo. Non vale quello che vuoi ottenere, Carrie. Dev'esserci un altro sistema.» Era incazzato, schiumava rabbia, ma non durò a lungo. Fece un paio di passi avanti e l'abbracciò, e quando lei appoggiò la testa contro il suo stomaco cominciò ad accarezzarla emettendo suoni rassicuranti, come aveva fatto con Luz e come io facevo con Kelly.

Mi alzai e attraversai il salotto seguendo la scia di fango che avevo lasciato. La zanzariera si aprì cigolando, mi unii ai moscerini intorno alla lampada appesa al muro e cominciai a buttare per terra i cuscini e a sciogliere i nodi che legavano l'amaca. Provavo pena per loro e per Luz.

Avevo le idee molto chiare su quanto stava accadendo: un'inculata collettiva. Tutto quello che lei mi aveva detto aveva un senso, se non fosse stato per Pizzaiolo. Se aveva visto Aaron alla chiusa, o anche solo il Mazda, aveva un senso che fosse scappato via così in fretta: se Aaron e Carrie non sapevano che si trovava su piazza, era ovvio che non volesse farsi vedere da loro. Ero tentato di parlarne con lei per tirarle fuori altre informazioni su di lui, ma decisi di non farlo. Me lo sarei tenuto per me in caso di bisogno, specie perché ancora non ero riuscito a dare una spiegazione alla sua presenza in casa di Charlie.

Sciolsi il nodo che legava l'amaca al gancio nel muro e lasciai cadere il laccio; poi mi occupai dell'altro capo legato al palo della veranda: l'altro laccio cadde sul pavimento; lasciai lì l'amaca e uscii nel fango.

E adesso?

Aprii il portellone del Mazda e vidi che era stato tutto impacchettato in una vecchia sacca di tela. Tirai fuori il cavo da traino azzurro e puzzolente di petrolio e rientrai in casa.

Ancora non avevo trovato una risposta alla domanda: e adesso?

Salii i gradini della veranda e guardai dentro attraverso la zanzariera. Aaron non era in vista ma Carrie era ancora seduta sulla sedia da regista, china in avanti, le braccia appoggiate sulle gambe e gli occhi fissi sul pavimento. Rimasi a guardarla per alcuni istanti, la vidi sistemarsi i capelli e tamponarsi gli occhi.

Mi chinai a raccogliere l'amaca e in quel preciso momento capii cosa dovevo fare. Nulla. Assolutamente nulla. Non potevo permettermi di fare nient'altro se non quello che ero venuto a fare: salvare la vita a Kelly.

Dovevo mantenere la rotta sulla missione; dovevo concentrarmi solo su questo. 'Fanculo tutto il resto. Il mio unico obiettivo era fare contento Signorsì: era lui quello che poteva fotterci la vita a tutti e due e non quello che stava accadendo qui, qualunque cosa fosse.

La feci finita con tutti i ragionamenti che non avevano nulla a che fare con questo e mentalmente mi confermai che da domenica tutta la mia vita aveva un unico scopo. La missione. Uccidere Michael Choi. La missione. Uccidere Michael Choi.

Con l'amaca e la corda da traino tra le braccia aprii la zanzariera nel momento in cui Aaron usciva in punta di piedi dalla stanza buia di Luz chiudendo delicatamente la porta. Mi si avvicinò portando le mani giunte sotto la guancia.

Parlai a voce bassa. «Ascolta, fino a oggi non sapevo niente di Carrie, di suo padre e di tutto il resto. Mi dispiace che la vita sia una tale schifezza, ma sono venuto qui per portare a termine un lavoro e ho ancora bisogno che qualcuno mi accompagni.»

Si strofinò il viso con una forza tale che sentii il rumore

della barba. Fece un lungo respiro. «Lo sai perché lo sta facendo, vero?»

Assentii e mi strinsi nelle spalle, cercando di non farmi coinvolgere, ma senza riuscirci. «Ha a che fare con un passaporto, o qualcosa del genere?»

«Esatto. Ma sai cosa credo? Che lo avrebbe fatto comunque. Non importa quanto lei detesti ammetterlo, ma è fatta come George, darebbe l'anima per le Stelle e le Strisce, mi capisci, vero?»

Mi piazzò una mano sulla spalla e si sforzò di sorridere. Feci cenno di aver capito anche se non sapevo minimamente di che cosa stesse parlando e non avevo voglia di scoprirlo.

Fece una pausa, poi spostò la mano e tenne sollevato il polso per farmi vedere l'orologio. «Hai bisogno di niente?» Aveva ragione: erano quasi le dieci, era ora di andare.

«Una cosa c'è. Ho messo l'esplosivo della baracca in una tinozza e l'ho lasciata laggiù.»

«La porti con te?»

Annuii.

Fece un altro dei suoi respiri lunghi, trattenendosi a stento dal chiedermi spiegazioni. A quanto pareva c'erano altre cose, oltre al fatto di voler tornare al Nord, che Carrie non gli diceva.

«Capito, dammi cinque minuti.»

Ci separammo. Lui andò nella sua stanza, io al magazzino. Carrie era ancora seduta sulla sedia da regista; con i gomiti poggiati sulla scrivania si cullava la testa fra le mani. La lasciai nel suo mondo e misi l'amaca e le altre cose nello zaino. Il cigolio della zanzariera mi disse che Aaron era uscito per andare a prendere l'esplosivo. Mi ricordai che avevo ancora bisogno dei vestiti asciutti e tornai nella stanza dei computer. «Carrie?» Nessuna risposta. «Carrie?»

Lentamente sollevò la testa. Non aveva un bell'aspetto, aveva ancora gli occhi e le guance rossi. Le cose erano cambiate: adesso provavo pena per lei.

«Ho bisogno di altri vestiti.» Tirai la felpa sporca di fango. «Un cambio completo.»

Ci mise qualche secondo a capire di cosa stavo parlando. « Oh, giusto. » Si alzò. « Sì, ecco, io... » Con un colpo di tosse si schiarì la gola e uscì dalla stanza. « Certo. »

Frugai sotto la branda e tra gli scaffali alla ricerca di altri sacchetti di plastica delle coperte. Quando ne ebbi in mano una certa quantità, presi il fucile e controllai la camera di sparo tirando in su il manubrio e facendo scorrere l'otturatore leggermente indietro fino a vedere l'ottone del bossolo. Sapevo che era ancora al suo posto, ma mi faceva sentire meglio vederlo con i miei occhi e avere la certezza che al momento dello sparo non avrei sentito solo un *clic*. Soddisfatto bendai la canna e le parti mobili con la plastica e chiusi con il nastro adesivo, quindi controllai che la protezione sulla canna fosse intatta.

Carrie tornò portando una camicia marrone di cotone spesso e pantaloni in tela dello stesso colore. Calze e mutande continuavano a mancare dal suo repertorio, forse Aaron non le portava. Infilai i vestiti nella plastica di protezione all'interno dello zaino che chiusi poggiandoci sopra le due zanzariere.

Rimase a guardare mentre ispezionavo la gamba. La fasciatura era coperta di fango ma non me ne preoccupai; l'importante era che non ci fosse traccia di fuoriuscita di liquidi.

Spruzzai una buona dose di Deet sui pantaloni prima d'infilarli dentro le calze decisamente puzzolenti, poi ne cosparsi con generosità anche le calze. Quando ebbi finito con la parte davanti mi dedicai a braccia, mani, collo, testa e capelli. Volevo essere interamente ricoperto e avrei continuato ad aggiungerne di tanto in tanto una volta sul campo. Lo spruzzavo sui vestiti e poi strofinavo per impregnarli bene. Ogni punto non coperto dal fango ebbe la sua razione. Ne gettai una bottiglia a lei, che se ne stava in piedi con un'aria da zombie. « Pensa tu alla schiena, vuoi? »

Questo parve scuoterla dallo stato di trance. Iniziò a strofinarmi con forza la felpa. « Ti accompagno io. »

« Cosa? »

« Tocca a me, sono io che voglio il passaporto. »

Annuii. Non volevo essere coinvolto e tornare ancora sull'argomento. Avevamo già parlato abbastanza. Adesso avevo solo bisogno di un passaggio.

Smise di strofinare. « Dobbiamo andare. »

La bottiglia mezza vuota fece la sua apparizione al di sopra della mia spalla. « Ma prima vado a rimboccare le coperte alla mia bambina. »

Si allontanò e io misi tutti i flaconi d'insetticida nella tasca superiore dello zaino, poi iniziai ad avvolgere il fucile in una delle coperte. Non ero del tutto sicuro di essere così ansioso di mettermi in viaggio.

28

L'ATMOSFERA era tesa all'interno della cabina mentre Carrie e io sobbalzavamo, seguendo il fascio di luce che si rifletteva sulla giungla circostante. Le foglie bagnate luccicavano come se fossero ricoperte da uno strato di vernice.

Per parecchi chilometri i suoi occhi erano rimasti incollati alla porzione di sentiero inquadrata dai fari, nel tentativo di superare i solchi che ci facevano ondeggiare ritmicamente da una parte all'altra. Lasciavo dondolare la testa ma tenevo una mano sul fucile che avevo tra le ginocchia per proteggere la taratura.

Alla fine uscimmo dalla foresta e attraversammo la valle degli alberi morti. Dopo un po' si schiarì la gola. «Dopo tutto quello che ci siamo detti... questo non deve cambiare le cose, Nick.»

«Già, commettiamo tutti degli errori.»

«No, Nick, io non lo considero un errore, ho bisogno che anche tu ne sia convinto. Quello che mi hai detto significa molto per me. Non tradirò mai la tua fiducia.»

«Ed è per questo che hai parlato con tuo padre della mia febbre?»

«Te l'ho detto, nessuno dovrà mai sapere. Non sto mentendo, Nick.»

«Grazie.»

«Perdonata?» Mi guardò per controllare che lo avessi fatto davvero, poi gli occhi tornarono alla strada mentre piegavamo verso sinistra.

«Perché tuo padre non procura il passaporto a Luz? Non credi che sia in grado?»

«Certo che è in grado. Ma lui sa che sono disperata. Da lui non ho mai avuto niente per niente. Ho sempre dovuto meritarmelo. All'inizio si è trattato solo di ospitare il pannello dei relais. Poi le cose sono peggiorate, cibo, scorte e qualche gallone di gasolio. Non volevano andare a Chepo per non essere riconosciuti, credo... Poi sei arrivato tu.»

Continuavo a guardarla, teneva gli occhi fissi sulla strada ma la sua mente era altrove.

«Aveva ragione Aaron. Quando tutto questo è iniziato mi ha detto che non sarebbe mai finito, che George avrebbe continuato ad approfittare di me. Ma sai una cosa? Avrà ragione, ma non appena arriva il passaporto ce ne andremo da qui.»

«Andrai a Boston da tua madre?»

«Ha una casa a Marblehead sulla costa. Io ho un lavoro che mi aspetta al MIT e Luz è già iscritta a scuola.»

«Ma come sono i rapporti con tuo padre? Non riesco a capire se lo odi, lo ami o cos'altro.»

«Non ci riesco neanch'io. A volte sono anche gelosa delle attenzioni che rivolge a Luz, altre credo che lo faccia solo per mantenere il controllo su di me.»

Sempre concentrata sulla guida, sembrava che fosse giunto anche per lei il momento di aprirsi. «Non ho mai saputo con certezza chi era veramente e cosa facesse. Se ne andava, tornava, a volte con un regalo per me comprato all'ultimo momento, quasi sempre inutile. Poi, non appena facevo l'abitudine a vederlo per casa, spariva di nuovo. La mamma ha aspettato che me ne andassi via per l'università, poi se n'è andata anche lei. È un uomo freddo, ma è sempre mio padre.»

Tamburellai sulla canna. «Ti ha dato questo.»

Si voltò per un secondo e un sorriso fuggevole le si disegnò sulle labbra.

«Forse è stato il suo modo per dirti che ti vuole bene.»

«Forse, ma forse lo ha fatto solo perché si è dimenticato di prenderlo quando ha finito i suoi giri nella Zona.»

«Aaron dice che gli somigli molto... per qualcosa che ha a che vedere con le Stelle e le Strisce.»

Scoppiò a ridere: evidentemente era un argomento che conosceva bene.

«Aaron la pensa così perché per una volta sono d'accordo con George a proposito di quello che è andato storto in questo Paese. Aaron è troppo testardo per riuscire a capire, ed è per questo che vuole restare. Lui spera sempre che in futuro tutto andrà meglio, ma le cose non succedono da sole. La Zona che ricorda lui non esiste più. Noi, l'America, abbiamo lasciato che accadesse. È disgustoso.»

«Ma potete tornare, se il canale venisse minacciato. Non c'è una clausola del genere nel trattato, di quelle scritte piccole piccole?»

«Oh, sì, certo, tipo i russi che invadono. Non intendo costruire su questo il mio futuro.»

«E dov'è il grande affare? Dopo tutto i vostri hanno restituito tutto, non è andata così?»

Andò in collera. «No... è stato Carter a farlo.»

Un solco più profondo del previsto ci mandò quasi a sbattere contro il soffitto dell'auto.

«Noi abbiamo costruito il canale, abbiamo costruito questo Paese. Dal punto di vista geografico fa virtualmente parte della costa americana, Cristo santo. Persone come Lulu sono morte per questo, e poi quell'imbelle mangianoccioline butta via tutto come se fosse un kleenex.» Fece una pausa. «Vuoi la verità, vuoi sapere perché è stato un grande affare?»

Annuii. «Sentiamo.»

«Bene, allora occorre considerare i due problemi principali.» L'indice della mano destra scattò dal volante che sobbalzava. «La capacità del SOUTHCOM di interdire e sradicare il traffico della droga adesso è meno di un terzo di quella che era prima del '99. In una parola, ormai è storia. Gente come Charlie e le FARC hanno mano libera. A meno che non s'intervenga, e velocemente, perderemo per sempre la guerra della droga. Se credi che il problema sia adesso, guarda questo posto.» Scosse la testa incredula della follia dei suoi compaesani. «Sai di cosa parlo, vero?»

Lo sapevo. Durante gli ultimi mesi, ne avevo conosciuto un certo numero di vittime.

«Allora, l'unica risposta possibile era quella che ha dato Clinton, buttare un miliardo e più nel Plan Colombia, truppe, hardware, tutto, per affermare la supremazia da queste parti. Sai cos'è il Plan Colombia, vero? Certo, che stupida, scusa.»

Mentre lei lottava con il volante, le sospensioni cigolarono e qualcosa sotto la macchina sferragliò.

«Senza la Zona non abbiamo altra alternativa se non spostarci più a sud e combatterli a casa loro.»

Fissavo il bagliore rosso sulla sua guancia mentre lei era concentrata sulla strada.

«Ma non può funzionare. Neanche per sogno. Ci siamo lasciati coinvolgere in una guerra lunga e costosa che non avrà nessun effetto sul traffico di droga.»

Era così convinta che le brillavano gli occhi anche se non smettevano di fissare la strada. Suo padre sarebbe stato orgoglioso di lei, ne ero certo.

«Te lo dico io, siamo stati attirati nella loro guerra civile e non combattiamo più la droga. Molto presto si allargherà al Venezuela, all'Ecuador e a tutto il resto. Siamo di fronte a Vietnam atto secondo. Abbiamo dato via la Zona per creare una situazione in cui ne avremmo un bisogno estremo. Non è pazzesco?»

Il ragionamento mi convinceva. «Come dare inizio al D-Day dell'invasione della Francia partendo da New York.»

Riuscì a trasmettermi un sorriso di approvazione mentre lottava con i solchi.

«Abbiamo bisogno di Panama come zona operativa avanzata da cui far partire le nostre forze e anche come cintura per fermare il conflitto che si sta allargando in Centro America. Quello che ha fatto Clinton è stata una scelta molto pericolosa, ma, senza la Zona e tutto quello che comporta, non aveva alternativa.»

Di nuovo scese il silenzio mentre percorreva l'ultimo pezzo di sentiero, poi finalmente giungemmo sulla strada per Chepo.

«Quello che mi spaventa e mi fa incazzare più di tutto è

che adesso il canale è in mano alla Cina. Quando ce ne siamo andati abbiamo creato un vuoto di potere che ora la Cina sta riempiendo. Riesci a immaginarlo? Senza sparare neppure un colpo la Cina comunista ha preso il controllo di una delle vie di comunicazione più importanti degli Stati Uniti, e sul *nostro* territorio. Ma non si tratta solo di questo, abbiamo lasciato il controllo all'unico Paese in grado di sostenere le FARC nella guerra.»

Adesso capivo di cosa parlava Aaron. «Non esagerare, è solo una ditta di Hong Kong che ha vinto il contratto. Hanno la gestione di porti in tutto il mondo.»

Serrò la mascella e digrignò i denti. «Ah, sì? Pechino detiene il dieci per cento e amministra i porti ai due sbocchi del canale e anche alcune delle nostre vecchie basi militari. A tutti gli effetti la Cina comunista controlla il quattordici per cento di tutto il commercio americano. Nick... riesci a credere che l'abbiano lasciato succedere? Una nazione che dichiara apertamente che l'America è il suo nemico numero uno. Loro hanno riconosciuto l'importanza del canale fin dal 1919.» Scosse la testa con amarezza. «Ha ragione Aaron, sono d'accordo con George, anche se le sue idee politiche sono sempre state più orientate verso Attila, il re degli unni.»

Mi aveva quasi convinto. Non avrei più guardato la zona portuale di Dover con gli stessi occhi.

«Charlie faceva parte del gruppo che ha dato un forte contributo nel portare avanti il contratto cinese. Mi domando qual è stato il suo tornaconto, libertà di utilizzare le banchine per i suoi traffici? E sai una cosa? Al Nord quasi nessuno sa niente, la data del passaggio di consegne è stata quasi una sorpresa per il resto dell'America. E Clinton? Non ha mosso un dito.»

Sembrava che i presidenti democratici non le fossero troppo simpatici.

«La minaccia per l'America c'è, Nick. La dura verità è che siamo coinvolti nella guerra in Sud America perché abbiamo consegnato il canale alla Cina. Al comando della più importante via di comunicazione commerciale di tutto il mondo ci sono i cinesi, e non noi... e non hanno speso un centesimo per avere questo privilegio. La mazza e la palla con cui giocano è nostra, Cristo santo.»

Il buio che avevamo di fronte cominciò a essere punteggiato di luci: ci stavamo avvicinando a Chepo. Mentre avanzavamo rumorosamente sulla strada sterrata, fissai la donna a lungo con intensità, cercando di arrivare a capirla. Lei continuava a lanciarmi rapide occhiate in attesa di una qualche risposta.

«E a questo punto entro in scena io. Sono qui per impedire che Charlie consegni alle FARC un sistema di controllo per missili che verrebbe usato in Colombia contro gli elicotteri americani.»

«Ehi, ma allora sei dalla parte dei buoni.» Il sorriso tornò a illuminarle il viso.

«Però non sembra.» Esitai. «Tuo padre vuole che io uccida il figlio di Charlie.»

L'auto si fermò sobbalzando al bordo della strada. Il motore perdeva colpi.

Adesso vedevo bene in viso Carrie. Non riuscivo a capire se l'espressione dei suoi occhi comunicasse paura oppure disgusto. Forse tutti e due. Poi subentrò la confusione quando comprese che anch'io, come lei, avevo economizzato la verità.

«Non te ne ho potuto parlare prima perché è OPSEC.» Cercai di controllarmi, ma niente da fare, il coperchio era di nuovo volato via. «E anche perché mi vergogno. Ciò non toglie che debba farlo comunque. Sono disperato, esattamente come te.» Fissai le buche fangose piene d'acqua illuminate dai fari. «Si chiama Michael. Aaron è suo insegnante all'università.»

Si accasciò. «La chiusa... me l'ha raccontato...»

«È così, e ha solo pochi anni più di Luz.»

Non rispose. I suoi occhi si unirono ai miei nel fissare il tunnel di luce che avevamo di fronte.

«Adesso hai la sfortuna di conoscere le cose che so io.»

Ancora niente. A quel punto dovevo tacere e limitarmi a guardare il fango e la strada sterrata mentre lei ripartiva. Poi mi voltai e la osservai. Si mordeva le labbra e guidava scuotendo la testa come se fosse un robot.

29

Venerdì 8 settembre

PASSAMMO le due ore successive sobbalzando all'interno della cabina e scambiandoci a malapena qualche parola.

Presi lo zaino dal bagagliaio e tirai indietro le fogliette della tacca di mira per verificare che fosse regolata sui 400.

«Nick?»

Mi piegai verso il finestrino aperto a metà. Illuminata dal bagliore rosso del cruscotto stava spostando la coperta che avevo tolto dal fucile e che aveva coperto il selettore del cambio automatico.

«La morte di Michael salverà centinaia, forse migliaia di vite. Solo così riesco a farmene una ragione. Forse servirà anche a te.»

Annuii, più impegnato a proteggere la taratura che a cercare giustificazioni. Charlie era quello che doveva essere ucciso, non suo figlio.

«Di sicuro ne salverà almeno una, Nick. Una che ami molto, lo so. A volte si devono fare cose sbagliate per una causa giusta, no?» Sostenne il mio sguardo per un altro paio di secondi, poi lo abbassò sul selettore del cambio. Mi chiesi se mi avrebbe guardato ancora. Invece inserì Drive e premette l'acceleratore.

Rimasi a guardare le luci di posizione che svanivano nel buio, poi attesi i tre minuti necessari per adattarmi all'oscurità. Quando riuscii a vedere dove avevo i piedi, mi legai il machete intorno ai fianchi e controllai per la centesima volta che la cartina e i documenti fossero al sicuro nelle tasche applicate lungo le gambe dei pantaloni e mi tastai sotto la maglietta per sentire la bussola Silva appesa al collo. Misi lo zaino sulle spalle, sollevai la tinozza e ce la poggiai sopra, tenendola ferma con il braccio teso e afferrando la maniglia con la mano sinistra. Con il fucile nella destra, scesi verso l'incrocio, poi svoltai verso ovest in direzione della casa.

Sotto il peso del carico cominciai subito a sudare, il sudore mi colò in bocca e la bocca si riempì del gusto amaro del Deet. Restavano ancora tre ore e mezzo di buio allo scadere delle quali mi sarei dovuto trovare al cancello. Non appena ci fosse stata luce sufficiente per vedere quello che stavo facendo, avrei posizionato il congegno e cercato una postazione di tiro tra gli alberi. Non aveva senso tentare di disporre l'attrezzatura al buio: quando fosse stato chiaro avrei impiegato più tempo a rettificare gli errori commessi che se avessi cominciato in quel momento.

Il piano era molto semplice, tanto che, mentre procedevo con le orecchie tese per captare eventuali veicoli in arrivo, non avevo molto cui pensare, almeno fino a quando non fossi arrivato. La mente aveva la possibilità di vagare a suo piacimento, ma io non glielo avrei permesso. Era arrivato il momento di concentrarsi solo sulla missione.

Cambiai un paio di volte il braccio che reggeva la tinozza e alla fine arrivai ai cancelli. Tenendomi sulla destra, al coperto, scaricai la tinozza e presi fiato. Luci da terra illuminavano i muri perimetrali della casa, rendendola ancora più simile a un albergo. Guardai attraverso le sbarre del cancello: la fontana era ancora accesa e la luce si rifletteva su un certo numero di auto posteggiate disordinatamente sul vialetto nel retro. I finestrini laterali dorati della Lexus lampeggiarono nella mia direzione.

La casa era addormentata, nessuna luce in vista tranne l'enorme lampadario che brillava attraverso la grande finestra sopra l'ingresso principale, almeno secondo i miei calcoli.

L'ordigno che avevo costruito era tutt'altro che sofisticato e tuttavia doveva essere posizionato con precisione. Quando l'auto si fosse trovata in mezzo ai cancelli, la forza della carica doveva dirigersi esattamente dove volevo io. E avrei dovuto sistemare la zanzariera in modo che la mimetizzazione fosse efficace.

Tornai indietro e sollevai la tinozza, poi avanzai sbandando per il sentiero tracciato dagli animali che si snodava tra il muro di cinta e la giungla. Dopo sette, otto metri il muro finiva e a quel punto mi spostai di qualche metro all'interno degli alberi. Avrei atteso l'alba lì. Non c'era nessun bisogno di andare più avanti. Anche per non rischiare d'infilare il piede in una delle trappole di Diego.

Tenendo lo zaino sulla schiena, mi misi a sedere sulla tinozza con il fucile di traverso sulle gambe per proteggere la taratura. Il rivestimento di plastica frusciava a ogni mio movimento. Adesso che ero ricoperto di Deet a concentrazione novantacinque, desideravo con tutto il cuore che le zanzare provassero a mordermi, ma loro sembravano perfettamente informate.

Cambiai idea riguardo allo zaino sulle spalle. Non era di nessuna utilità e avevo voglia dell'acqua nella tasca laterale. Ingollai qualche lenta sorsata staccando la felpa dalla zona colpita dalle pulci penetranti e guardando con invidia la casa dove aria condizionata e frigoriferi facevano gli straordinari.

Un animale della giungla non meglio precisato fece sentire il suo verso. Intanto le zanzare in formazione di attesa mi ronzavano intorno con lo stesso suono di un aereo kamikaze pronto alla picchiata contro la mia faccia. Poi, sentito l'odore di quello che avevo in serbo per loro, viravano al largo.

Dopo aver riposto l'acqua, decisi di darmi una ripassata con il Deet, nel caso avessero scovato un varco nella mia linea difensiva. I pezzetti di corteccia e di foglie che avevo sulle mani mi sfregarono contro il viso e contro la barba ispida.

Ero seduto, mi grattavo la schiena, mi passavo la lingua sui denti per sentire il tartaro e mi domandavo perché, quando ne avevo avuto la possibilità, non avessi dato il comando di sparare premendo tre volte il pulsante.

Dopo quarantacinque noiosissimi minuti vidi un arco di

luce pallida sorgere da dietro gli alberi. Non sarebbe stata una grande giornata.

Gli uccelli non si fecero ripetere l'invito di fare un po' di rumore e la scimmia urlatrice, all'altro lato della casa, diede la sveglia al resto della giungla. Come se i grilli non fossero mai andati a dormire.

Sopra la fanghiglia della radura cominciai a distinguere una leggera nebbiolina bassa e, più in alto, una serie di nuvoloni neri e grigi. Se il cielo fosse rimasto coperto non mi sarei lamentato: nessuna possibilità che il sole andasse a riflettersi sulle lenti dell'obiettivo.

Altri dieci minuti e la luce penetrò nel tetto di foglie. Adesso riuscivo a vedermi i piedi. Era tempo di mettere in posizione l'ordigno.

Dopo aver ricontrollato che la tacca di mira indicasse 400 come distanza operativa, l'attrezzatura tornò sulle spalle e mi avvicinai lentamente al cancello. A un paio di metri, depositai la tinozza e lo zaino e posai il fucile per terra e non contro il muro per non correre il rischio di farlo cadere.

Non impiegai molto a trovare un albero dell'altezza giusta e della struttura sufficiente per reggere la carica. La scelta era notevole. Presi dalla tasca superiore dello zaino la corda da traino in nylon, ne legai un capo a una maniglia della tinozza e afferrai l'altro capo tra i denti. Il gusto di petrolio mi fece quasi vomitare mentre sollevavo lo sguardo per decidere come arrampicarmi sull'albero prescelto. Il polpaccio pulsava e mi faceva male.

L'arrampicata fu rumorosa, ma in certi casi non c'è alternativa, e quello era uno di quei casi. Dovevo farlo prima che la casa si risvegliasse. L'acqua intrappolata tra le foglie mi scivolò sulla testa e quando raggiunsi la mia postazione di vantaggio ero di nuovo tutto fradicio.

Adesso potevo finalmente vedere la casa oltre il muro e sulla destra in diagonale l'altra fila di alberi. La parte inferiore dei tronchi, circa mezzo metro, era ancora avvolta dalla nebbia. Avrei organizzato la mia postazione di tiro da qualche parte in quel gruppo di alberi; si trovava a trecento metri e con il cannocchiale di puntamento non sarebbe stato difficile individuare la tinozza. Considerai la possibilità di sistemare sul muro un paio di grandi foglie come segnale che mi aiutasse a individuare il punto, ma decisi che era troppo rischioso. Se le vedevo io, poteva vederle chiunque si avvicinasse in auto al cancello. Dovevo partire dal presupposto che si trattasse di gente in gamba, gente che avrebbe considerato sospetto qualsiasi elemento fuori dell'ordinario. Una volta arrivato sul posto non mi restava che aprire bene gli occhi e trovarla.

Stavo cercando di escogitare il sistema per bloccare la tinozza in posizione quando sentii il rumore di un'auto messa in moto nel vialetto. Voltai la testa per vedere da dove provenisse. Le uniche cose che si muovevano erano i miei occhi e la saliva che mi gocciolava dalla bocca piena di corda.

Impossibile decifrare quello che stava accadendo. Nessuna auto aveva i fari accesi e si sentiva solo il suono soffocato del motore.

Dovevo agire. Poteva essere la mia unica possibilità.

Aprii la bocca per lasciare andare la corda e rischiai di cadere scendendo dall'albero. Sommerso dall'adrenalina, afferrai il fucile e tornai di corsa al limitare del muro. Strappai in fretta la plastica, cercai di controllare i segni sul mirino, tastai i colpi pronti e i documenti.

Mi lasciai cadere sul ginocchio destro, sollevai il fucile e guardai attraverso il mirino. Effettuai una serie di respiri profondi per ossigenarmi in vista dello sparo e prima di togliere la sicura mi asciugai dagli occhi sudore e Deet.

Un individuo non particolarmente giovane si aggirava nella penombra con una sigaretta attaccata alle labbra. Portava sandali di gomma, pantaloncini corti e una casacca da polo scura e strappata. Con una pelle di daino stava asciugando dalla pioggia notturna e dalla condensa la lucidissima Lexus. Molto probabilmente il motore era acceso per l'aria condizionata, il che significava che nel giro di poco doveva arrivare qualcuno.

Mi accucciai sul piede destro, il gomito sinistro sul ginocchio sinistro, con la parte morbida sopra la giuntura del gomito piantata nella rotula, il calcio puntato energicamente contro la spalla. Quindi controllai la visuale della zona di caccia.

La gamba non mi faceva più male, non provavo nessuna sensazione, mi preparavo mentalmente immaginando il bersaglio che usciva dal portone e si dirigeva verso la portiera davanti o verso quella posteriore.

La condensa fece appannare le lenti del cannocchiale.

Mantenendo l'arma puntata ed entrambi gli occhi fissi sulla zona di caccia, le pulii con il pollice e il polsino della felpa. Continuai a fare lenti respiri profondi e controllati, augurandomi che la cosa avesse inizio e contemporaneamente che non accadesse nulla finché non mi fossi trovato in una posizione migliore.

Il vecchio con la pelle di daino stava facendo un ottimo lavoro su tutta la carrozzeria. Poi le due grandi porte dell'ingresso si spalancarono. Nell'inquadratura avevo la sagoma di un corpo ben definita dalla luce che proveniva dal lampadario alle sue spallc. La linca nera del mirino si trovava esattamente nel mezzo di una camicia bianca a maniche corte e di una cravatta: una delle guardie del corpo, Robert o Ross, quello che era sceso dalla macchina per andare a prendere da bere. Era sulla soglia, parlava nel suo Nokia e controllava come procedeva la pulizia dell'auto.

Il ritmo del mio battito cardiaco salì vertiginosamente, poi subentrò l'allenamento: controllai il respiro e le pulsazioni rallentarono; mi isolai dalle cose che mi circondavano e mi chiusi nel mio piccolo mondo. Non esisteva nient'altro che quello che vedevo attraverso il cannocchiale.

La guardia del corpo sparì all'interno della casa, ma il portone rimase aperto. Restai immobile, le orecchie tese, avvertendo i battiti nel collo, controllando il respiro, ossigenando il corpo. Un'unica emozione: il senso di sollievo al pensiero che, forse molto presto, tutto poteva essere finito.

Eccolo. Michael uscì, maglietta verde e jeans, portava uno zaino, sorrideva, chiacchierava con Robert e Ross al suo fianco, uno per parte. Lo inquadrai, in mezzo al torace, centrai lo sterno, tirai la prima pressione.

Merda... Una camicia-bianca si mise nel mezzo.

Mantenendo la pressione seguii il gruppo. Inquadrai una parte di volto, ancora sorridente, chiacchierava con vivacità. Non abbastanza buono, bersaglio troppo piccolo.

Poi qualcun altro, un vestito grigio, oscurò completamente la visuale. Non ci sarei riuscito, troppo tardi, troppe persone nel mezzo.

Ormai erano alla macchina. *Merda, merda, merda...*

Rilasciai la prima pressione, tornai al coperto dietro il muro e mi precipitai verso il cancello inserendo la sicura. Nessun tempo per pensare, solo azione. Solo un urlo nella testa. *Bersaglio in vista! Bersaglio in vista!*

'Fanculo alla mina direzionale adesso, avevo solo bisogno di un'esplosione. Afferrai la tinozza.

Avevo una strana sensazione di vuoto allo stomaco, la stessa che mi prendeva da bambino quando fuggivo terrorizzato da qualcosa sperando che le gambe si muovessero veloci come desiderava la mia mente.

Senza fiato raggiunsi il cancello e lasciai cadere la tinozza contro il muro. Un capo della corda era ancora legato e il resto sembrava la coda.

Bersaglio in vista! Bersaglio in vista!

Il tono del motore della Lexus cambiò, l'auto stava percorrendo il vialetto e veniva verso di me. Mentre il rumore si faceva più forte afferrai lo zaino e partii come un razzo verso la fila degli alberi vicino alla strada.

Era giunto il momento di nascondersi. Mi buttai tra il fogliame in un punto a una trentina di metri dal cancello.

Cazzo, troppo vicino all'ordigno...

Mi misi in posizione di tiro, utilizzando lo zaino come montagnola, circondato dal mio respiro.

Il ronzio del motore elettrico che apriva il cancello soffocava il rumore della Lexus che si avvicinava e si fermava.

Ero troppo basso, non riuscivo a puntare.

Saltai in una posizione semiaccucciata, sospeso a metà,

con le gambe larghe per darmi stabilità e il calcio del fucile sulla spalla. Armeggiai freneticamente per riuscire a togliere quella stupida sicura del cazzo.

Vedevo bene gli occhiali avvolgenti delle due camiciebianche sedute davanti mentre tutti eravamo in attesa che i cancelli si aprissero. Sapevo di essere allo scoperto. Mi tenni più basso che potevo, il mio torace si alzava e si abbassava, poi la Lexus cominciò ad avanzare.

Meno di sei metri da percorrere.

L'auto inchiodò di colpo. La parte posteriore si sollevò sulle sospensioni.

Merda! Smisi di respirare e puntai entrambi gli occhi sulla tinozza. Sollevai il fucile per rimettere a fuoco con il cannocchiale, e tirai il grilletto per il primo tratto.

Udii il rumore della marcia indietro e vidi in modo confuso il bianco della tinozza e le linee del mirino chiaramente nel centro. Allora sparai.

Quando colpii il terreno lasciai andare il fucile, urlando tra me mentre l'onda d'urto m'investiva. Ebbi la sensazione di essere in caduta libera a centocinquanta chilometri l'ora, bloccato per aria dalla mano di un gigante, mentre la parte interna di me continuava a cadere.

Afferrai il fucile, ricaricai e mi alzai, controllando la distanza operativa del mirino. Non avevo tempo di preoccuparmi dei detriti che cadevano dal cielo: dovevo sincerarmi che fosse morto.

L'auto era stata sbalzata indietro di buoni sei o sette metri. Avanzai verso la nuvola di polvere mentre pezzi di muro e di giungla ricadevano al suolo, calcio sulla spalla, orecchie che rimbombavano, vista offuscata. Tremavo tutto. Dove prima erano il cancello e il muro di destra adesso c'erano solo ferro contorto e macerie.

Mi avvicinai ai detriti correndo in posizione semipiegata e mi assestai vicino ai resti del muro davanti a un gigantesco cratere. Brandelli di mattoni piovevano sopra la macchina. La lucidissima Lexus adesso sembrava un'auto rottamata, senza finestrini laterali, con il parabrezza antiproiettile ridotto in mille pezzi e deformato.

Attraverso il finestrino del guidatore, usando il mirino operativo, puntai il fucile. Il primo colpo penetrò nella camicia-bianca sporca di sangue accasciata sul volante ma sul punto di riprendersi.

«Due!»

Con l'arma sempre sulla spalla, sostenuta dalla mano sinistra, ricaricai e sparai un altro colpo all'altra camicia-bianca riversa sul sedile del passeggero.

«Tre!»

Avendone solo quattro avevo bisogno di ricordare quanti ne avevo sparati; non ero molto bravo e contarli a voce alta era l'unico sistema per memorizzarli.

Mi avvicinai, fucile spianato, verso la portiera posteriore mentre piccoli frammenti di foglie e di alberi fluttuavano dal cielo tutt'intorno a me atterrando sul veicolo e sull'asfalto. L'angolo di visuale era variato. Vidi due corpi riversi coperti di schegge di vetro: uno era quello con la maglietta verde e i jeans, l'altro quello con il vestito grigio scuro. Mi avvicinai. Quello vestito era Charlie. Mi augurai che fosse vivo.

30

IL bersaglio era quasi scivolato nello spazio davanti ai sedili, e suo padre era chino sopra di lui. Entrambi erano piuttosto scossi, ma vivi. Sentii Charlie tossire e vidi che il bersaglio si stava muovendo.

Non devo colpire Charlie...

Feci altri due passi in modo da trovarmi contro la porta e attraverso il buco del finestrino infilai testa e fucile all'interno. La canna si trovava a non più di cinque centimetri dalla testa del bersaglio, coperta di sangue e di vetri.

Strano, il condizionatore era ancora in funzione e la radio trasmetteva una voce che blaterava in spagnolo. Il bersaglio mugolava cercando di togliersi il padre di dosso. Aveva gli occhi chiusi e delle schegge di vetro piantate tra le sopracciglia.

Sentii sul polpastrello la seconda pressione, ma esso si rifiutò di spingere oltre. Qualcosa mi tratteneva.

Cazzo, continua!

La canna seguì la testa che si muoveva per girarsi su un fianco. Praticamente ero dentro il suo orecchio. La sollevai appena, centrai il lobo.

Non succedeva, il dito si rifiutava di muoversi. Ma cosa cazzo mi stava accadendo?

Avanti, fallo! Fallo!

Non potevo, e in quell'istante compresi perché. Una fitta di paura mi squarciò il corpo.

Il cervello aveva filtrato quasi tutto ma lasciò passare le urla; mi voltai e vidi un uomo mezzo vestito che stava arrivando di corsa dalla casa. Era armato.

Ritirai il fucile, mi sporsi in avanti e presi il Nokia dalla cintura della guardia del corpo. Poi, aperto con uno strattone il metallo contorto, afferrai un pezzo di vestito. Trascinai il maledetto Charlie sull'asfalto, correndo virtualmente insieme con lui dall'altra parte di quello che era rimasto del muro. «Muoviti! Muoviti!»

Gli sferrai un calcio all'altezza delle ginocchia e lui cadde in avanti sulle mani. Allontanandomi di un passo perché non potesse afferrarmi, gli puntai l'arma alla testa. «Riesci a sentirmi?»

Le urla si facevano sempre più vicine. Gli assestai altri calci. «Il sistema di controllo dei missili, tu devi...»

«Ma cosa volete ancora da me?» Tossì e il sangue gli colò lungo il mento. Senza sollevare la testa urlò di rabbia, senza la minima traccia di paura. «È stato consegnato... la notte scorsa! Avete il sistema di controllo per il lancio, avete tutto! Sunburn è completo! Cos'altro volete ancora?»

«Consegnato? Una consegna?»

Alzò lo sguardo e fissò la canna che si muoveva in su e in giù. Ansimavamo tutti e due. «La notte scorsa! Avete minacciato mio figlio, termine ultimo domani notte, adesso lo avete e ancora...» Il sangue gli scorreva lungo il collo. Vide la mia confusione. «Ma che gente siete se non vi comunicate cosa fa uno e cosa l'altro?»

«Martedì... quello con la camicia a fiori. Era qui, è lui che l'ha preso?»

«Certo!»

«Perché dovrei crederti?»

«Non m'importa se mi credi. L'affare è concluso, e voi continuate a minacciare la mia famiglia... Ricorda le condizioni: nessun bersaglio panamense. E allora perché è ancora qui? Avete detto che sarebbe stato portato in Colombia, che non l'avreste usato qui. Sai chi sono io? Sai cosa posso farti?»

«*Papà!*» Michael ci aveva visto e aveva gli occhi sbarrati. «Non ucciderlo, ti prego, non ucciderlo!»

Charlie urlò qualcosa in spagnolo, molto probabilmente gli disse di scappare, poi tornò a fissarmi. Nessuna traccia di paura nei suoi occhi. «Allora, inglese, cosa facciamo? Avete già quello che sei venuto a chiedere.»

Girando il calcio del fucile lo colpii in mezzo al collo. Si chiuse a palla per il dolore e io scappai veloce verso gli alberi, in direzione dello zaino. Lo afferrai con la mano libera, mi voltai e vidi che Michael, zoppicando, si dirigeva verso il padre mentre altre persone e altri veicoli convergevano verso di lui.

Capii dove stava il problema. Michael era una persona reale. Era un ragazzo con la sua vita, non una delle ombre alle quali ero abituato. Quelle erano bersagli che avrei fatto fuori senza pensarci due volte.

Mi catapultai all'interno della giungla e precipitai dentro un cespuglio di *wait-a-while*, sbattendomene altamente i coglioni delle tracce. Volevo solo portare il culo fuori di lì e infilarmi dentro il muro di verde.

Le spine mi graffiavano la pelle, la gola era così riarsa che anche respirare era doloroso. Ma non m'importava di nulla: l'unica cosa che contava era scappare.

L'agitazione alle mie spalle svanì gradualmente, assorbita dalla giungla, man mano che mi addentravo. Sapevo che non ci avrebbero messo molto a organizzare l'inseguimento.

Udii delle raffiche di armi automatiche. La reazione era più veloce di quanto avessi preventivato: sparavano alla cieca nella speranza di colpirmi mentre correvo. La cosa non mi preoccupava più di tanto, gli alberi avrebbero assorbito i colpi. Quello che importava era se mi stavano inseguendo o no.

Estrassi la bussola, controllai, mi diressi verso est per venti metri, in direzione della strada, facendo le cose con calma e cercando di non lasciare foglie girate o ragnatele spezzate nella mia scia. Poi svoltai verso nord, quindi verso ovest, tornando sui miei passi ma fuori delle tracce lasciate in precedenza. Dopo cinque o sei metri, mi fermai, individuai un cespuglio fitto e ci strisciai dentro come un verme.

Accucciato sullo zaino, calcio sulla spalla, sicura disinserita, ripresi fiato. Se erano sulle mie orme, sarebbero passati da destra a sinistra a sei o sette metri, seguendo le impronte che avevo lasciato. L'esperienza ha insegnato a soldati molto più esperti di me la regola da seguire in caso di inseguimento all'interno della giungla. Se il nemico si avvicina veloce devi spostarti di lato e nasconderti. Mai continuare a correre, loro non faranno altro che continuare a seguirti.

Staccando con delicatezza tre proiettili dai colpi pronti che avevo preparato, feci scorrere indietro il gruppo otturatore. Le superfici di scorrimento scivolarono facilmente una sull'altra mentre estraevo il colpo in posizione e infilavo i quattro proiettili con calma e precisione all'interno del serbatoio prima di riportare a posto l'otturatore.

Seduto, immobile, estrassi il telefono sporco di sangue. Quanto era successo, consegna bloccata, consegna garantita, o chissà che altro, non aveva nessuna importanza: io avevo fallito nella missione che Signorsì mi aveva assegnato e sapevo bene che cosa questo avrebbe comportato. Dovevo fare una telefonata.

Nessun segnale: provai ugualmente a fare il numero, tappando con un dito il foro che mandava i toni dei tasti. Niente.

Secondo il Baby G erano le 7.03. Armeggiai con il telefono, trovai le vibrazioni e lo rimisi via.

Merda, merda, merda. L'intorpidimento stava tornando. Provavo quella sensazione d'impotenza che aveva descritto Carrie, quell'orribile svuotamento quando pensi di aver perso qualcuno, e lo cerchi con la forza della disperazione. *Merda, non qui, non ora...*

Concitate grida in spagnolo mi riportarono alla realtà. Erano vicini.

Altre urla all'interno del tetto di foglie... ma non riuscivo a capire se mi stavano seguendo. Rimasi completamente immobile mentre secondi e poi interi minuti scorrevano via.

Quasi le sette e un quarto. Si sta preparando per andare a scuola...

Avevo fallito, dovevo farmene una ragione. Ma la cosa più importante a quel punto era riuscire ad avere un segnale sul telefono, e per riuscirci dovevo ripercorrere la salita verso la casa: lì lo avevo visto usare.

Sentii lo strano rimbombo di un urlo che sembrava di una scimmia urlatrice, ma in giro non ne vidi. Ci fu un movimento davanti a me, foglie che venivano schiacciate: si stavano avvicinando. Ma non cercavano tracce, altrimenti non avrebbero fatto tutto quel casino. Trattenni il fiato, calcio sulla spalla, polpastrello sul grilletto. Si fermarono sul percorso che avevo effettuato poco prima.

Il sudore mi gocciolava dalla faccia. Sentii tre voci concitate e deformate dalla velocità, forse stavano decidendo in che direzione andare. Sentivo il rumore dei loro M16, un rumore di plastica quasi da giocattoli, mentre li passavano da una mano all'altra o li poggiavano sulla punta dello stivale.

Una raffica di mitragliatrice partì in lontananza e i tre decisero di tornare da dove erano venuti. Evidentemente la giungla non li divertiva più.

Se avessero perduto le mie tracce e si fossero dovuti spostare per ritrovarle, a quell'ora sarebbero già passati oltre il mio nascondiglio. Avevo cercato di ridurre al minimo i segni che lasciavo, ma anche un cieco sarebbe riuscito a vederli, se avesse saputo cosa cercare.

Senza smettere di controllare se il telefono aveva campo, raggiunsi il confine degli alberi. Ancora niente.

Sentii il rombo di un bulldozer che si metteva in moto e lo stridore dei cingoli. Avanzai con cautela e vidi dei pennacchi di fumo nero fluttuare dal tubo di scappamento verticale mentre arrancava verso il cancello. Oltre il cancello, davanti alla casa, c'era una ressa di gente. Uomini armati che non smettevano di urlare, veicoli che andavano e venivano.

Tornai all'interno del muro di verde, inserii la sicura e cominciai a scrutare il tetto di foglie srotolando la corda che avevo legato intorno al calcio per ottenere una tracolla. Trovai un albero che faceva al caso mio, sei metri all'interno: da lì avrei avuto una buona visuale della casa, sembrava facile da scalare e i rami abbastanza forti da sostenere il mio peso. Tirai fuori la cinghia che doveva diventare il mio sedile, sistemai lo zaino sulle spalle e il fucile a tracolla e iniziai ad arrampicarmi. Nella zona scoperta, auto messe in moto e vociare di persone.

Quando fui a sei metri di altezza, controllai nuovamente il Nokia. Adesso avevo quattro tacche.

Assicurai la cinghia a due rami robusti, appesi lo zaino a un altro ramo, mi sistemai sul sedile dirimpetto alla casa, allargai una zanzariera e richiusi lo zaino nel caso dovessi fuggire.

Avrei dovuto fermarmi lì per un po' in attesa che le cose si calmassero. La rete doveva essere allargata sui rami, in modo che non mi stesse troppo attaccata addosso, e rimboccata bene sotto le cinghie per nasconderle. Dovevo coprire la mia sagoma, i riflessi, l'ombra, i contorni e i movimenti; cosa che non poteva succedere se non l'avessi allargata in modo da non assumere l'aspetto di un uomo su un albero con una zanzariera addosso. Alla fine, con il fucile poggiato sulle gambe mi calmai e composi il numero.

Non gli diedi neppure il tempo di pensare o di parlare, lo raggiunsi con un sussurro. «Sono io, Nick. Non parlare, ascolta...»

31

«JOSH, ascolta. Portala in salvo, fallo subito. Ho combinato un casino. Portala via, in un posto sicuro, dove nessuno possa trovarla. Tra qualche giorno ti richiamo, hai capito? Hai capito?»

Ci fu una pausa.

«Josh?»

«Vaffanculo, cazzo! Ma quando finirà questa storia? Stai di nuovo giocando con la vita della bambina. Va' a farti fottere!»

La comunicazione s'interruppe. Aveva riappeso. Ma sapevo che aveva capito la gravità. L'ultima volta che avevo fatto casino e messo in pericolo dei bambini, si trattava dei suoi.

Provai un'ondata di sollievo mentre toglievo la batteria dal telefono prima di metterlo in tasca. Non volevo che il segnale mi facesse rintracciare.

Osservai la scena che si svolgeva davanti alla casa con il gusto amaro del Deet che mi si scioglieva in bocca insieme con il sudore. Mi chiesi se sarebbe arrivata la polizia, ma avevo dei dubbi. Charlie avrebbe tenuto coperta questa faccenda e, comunque, non sembrava che l'esplosione avesse disturbato più di tanto il vicinato. I boati dovevano essere stati all'ordine del giorno quando aveva spianato la giungla per potersi costruire la casa.

Mi sporsi verso lo zaino, tirai fuori la bottiglia dell'acqua e buttai giù qualche sorso. Adesso mi sentivo un po' meglio a proposito di Kelly. Non m'importava quello che Josh pensava di me, avrebbe fatto le cose giuste per lei. Non era una soluzione definitiva, ma la più veloce che potevo mettere in atto.

Sia lei sia io restavamo nella merda più totale. Sapevo

che avrei dovuto chiamare Signorsì, spiegargli quello che credevo di sapere e aspettare con calma. Questo era quello che avrei dovuto fare, e allora perché non lo avevo fatto? Perché una vocina nella testa mi aveva consigliato di comportarmi in un altro modo.

Charlie aveva parlato di Sunburn. Signorsì mi aveva spedito qui per un problema relativo a un sistema di controllo missilistico che costituiva una minaccia per gli elicotteri americani in Colombia. Missili terra-aria. Quindi non si trattava del Sunburn, il Sunburn era un missile terra-terra. Ricordavo di aver letto che la marina americana era in agitazione perché le sue difese antimissile non erano in grado di neutralizzarlo. Il Sunburn rappresentava la minaccia numero uno.

Cercai di richiamare alla memoria altri particolari. Dovevo averlo letto su *Time* o *Newsweek* o una rivista del genere, circa un anno prima, in metropolitana mentre andavo a Hampstead... Era lungo dieci metri, perché ricordo di aver fatto il calcolo che in una carrozza di metropolitana ce ne sarebbero potuti stare due, uno attaccato all'altro.

Che altro? Mi asciugai il sudore dalla fronte.

Pensa, pensa...

Pizzaiolo. Martedì era alla chiusa. La telecamera sulla chiusa faceva parte del pannello dei relais delle comunicazioni in casa di Aaron e Carrie. La squadra di Pizzaiolo monitorava gli spostamenti della droga delle FARC. Era anche in casa di Charlie e forse, se Charlie mi aveva detto la verità, aveva il Sunburn.

Di colpo mi fu tutto chiaro. George stava sferrando il suo attacco: avevano monitorato il traffico di droga che avveniva attraverso il canale; adesso sembrava che avessero preso l'iniziativa, forse con il Sunburn minacciavano le FARC e, se avessero usato ancora il canale per il traffico di droga, li avrebbero colpiti.

Ma questo ancora non spiegava perché mi avessero mandato lì per impedire che Charlie consegnasse un sistema di controllo per missili terra-aria...

Il rumore delle pale di un rotore risuonava al di sopra del tetto di foglie. Riconobbi subito i bassi pesanti *uap uap uap uap*, l'inconfondibile marchio di fabbrica degli Huey americani, in avvicinamento. I due elicotteri sfrecciarono veloci, esattamente sopra la mia testa. L'imponente deflessione fece ondeggiare l'albero su cui mi trovavo. Raggiunsero lo spiazzo, poi, mantenendosi a poca distanza da terra, avanzarono quasi strisciando fino davanti alla casa. Le pozzanghere di fango volarono via e i detriti della giungla vennero proiettati in tutte le direzioni. La casa adesso era nascosta dietro un muro d'aria e vapore che schizzava fuori dagli scarichi degli Huey. Subito dopo, come un bambino che cerca di tenere il passo dei genitori, seguì un Jet Ranger giallo e bianco.

La scena che avevo di fronte sembrava presa da un documentario sul Vietnam. Uomini armati che saltavano giù dai pattini di atterraggio e che piegati in due correvano verso la casa. Poteva essere l'intera 101ª che sferrava un attacco, solo che questi ragazzi indossavano i jeans.

Il Jet Ranger piombò a terra tanto vicino alla casa che sembrò volesse andare a suonare il campanello, poi indietreggiò e si fermò sul viottolo vicino alla fontana.

I gas di scarico mi annebbiarono la visuale, ma vidi chiaramente la famiglia di Charlie sciamare dal portone principale verso l'elicottero.

Attraverso il cannocchiale osservai l'ex bersaglio intento a confortare un'anziana donna latinoamericana che indossava ancora la camicia da notte. Charlie, completamente sporco di sangue, era dall'altro lato della donna, aveva il vestito strappato e l'abbracciava. Tutti e tre erano circondati da uomini armati che urlavano facendoli avanzare. Mentre li seguivo, la barretta nera del reticolo rimase nel centro del torace di Michael per circa un secolo.

Guardai il suo viso giovane e insanguinato che mostrava solo preoccupazione per la donna. Apparteneva a un mondo molto diverso da quello di cui suo padre, George, Pizzaiolo e io facevamo parte. Gli augurai di rimanere così.

Li fecero salire nella cabina mentre l'aria era piena del rumore delle pale rotanti. I due Huey stavano già prendendo quota, poi abbassarono il naso e puntarono verso la città.

Anche il Jet Ranger si sollevò dall'asfalto e scodinzolò nella stessa direzione. Per qualche secondo ci fu una relativa calma, poi qualcuno abbaiò degli ordini agli uomini a terra. Iniziarono a darsi da fare. La loro missione, provai a indovinare, era quella di venire a cercarmi. E avevo la sensazione che stavolta si sarebbero organizzati meglio.

Rimasi seduto sul mio trespolo pensando alla mossa successiva, mentre tutti i furgoni, uno dopo l'altro, lasciavano la casa pieni zeppi di uomini armati di fucili M16 e ritornavano vuoti. Guardai il Baby G e mi resi conto che dovevo muovermi se volevo sfruttare al massimo la luce del giorno.

L'ultima luce, venerdì. Era il termine ultimo che mi era stato dato. Perché? E in che modo la Ditta era coinvolta in tutta quella faccenda? Evidentemente avevano bisogno che il Sunburn fosse in posizione per il giorno successivo. Mi avevano preso per il culo con la storia terra-aria. Non avevo bisogno di conoscere il vero motivo per cui ero lì, dopo il casino di Londra. Era il loro ultimo tentativo disperato di mettere le mani sul sistema completo.

Ultima luce. Tramonto.

Oh, cazzo. L'*Ocaso*...

Avevano intenzione di colpire la nave da crociera, gente vera, migliaia di persone. Non si trattava di droga... perché?

Cazzo, il perché non era importante. La cosa importante era che non accadesse.

Ma dove potevo andare? Che cosa potevo fare delle cose che credevo di conoscere? Mettermi in contatto con i panamensi? E loro cos'avrebbero potuto fare? Annullare la traversata? E poi? Un'altra soluzione a breve termine. Se non fossero riusciti a trovare il Sunburn in tempo, Pizzaiolo poteva sparare quell'affare del cazzo sulla nave successiva. Non buono. Avevo bisogno di risposte.

Andare all'ambasciata americana, andare a un'altra ambasciata? E loro cosa potevano fare... fare rapporto? E a chi? E quanto tempo sarebbe passato prima che qualcuno prendesse in mano il telefono e chiamasse George? E per quanto fosse importante, ci sarebbe stato sempre qualcuno più potente di lui alle sue spalle. C'era sempre. Anche C e Signorsì ballavano la stessa musica.

Dovevo tornare da Carrie e Aaron. Erano gli unici che potevano aiutarmi.

I movimenti all'esterno della casa stavano diminuendo: non più veicoli, solo una o due persone in giro, e a sinistra, ma fuori della vista, il rumore di un bulldozer che spostava dalla strada la Lexus danneggiata.

Erano le 8.43 ed era tempo di scendere dall'albero. Tolsi gli spilli che chiudevano la tasca e tirai fuori la cartina. Abbassai la testa, in modo che il cordino della bussola mi permettesse di tenerla appoggiata sulla superficie sbiadita, il naso a quindici centimetri. Impiegai trenta secondi per trovare l'orientamento, verde, linea bianca della strada di raccordo, ancora verde, fino al centro di Clayton, la via principale dentro la città. E circa il modo di raggiungere la casa da lì, avrei dovuto improvvisare: qualsiasi cosa, tutto, pur di riuscire a tornare indietro.

Dopo aver controllato che la cartina fosse ben fissata all'interno della tasca, iniziai a scendere con zaino e fucile, restituendo agli uccelli il nascondiglio. Con lo zaino sulle spalle e la corda nuovamente arrotolata intorno all'arma, puntai a est verso la strada di raccordo e Clayton, senza fretta, concentrando occhi e mente sul muro di verde, calcio sulla spalla, sicura disinserita, dito dritto sulla protezione della leva di sparo, pronto all'azione.

Potevo trovarmi di nuovo in Colombia, a caccia di DMP, quando spostavo con attenzione il fogliame invece di aprirmi un varco con la forza, evitavo le ragnatele, guardavo dove mettevo i piedi in modo da ridurre al minimo i segni e il rumore che facevo, fermo, in ascolto, scrutando prima di addentrarmi su terreno sconosciuto, controllando la bussola, guardando davanti a me, a sinistra, a destra e, altrettanto importante, in alto.

Avrei voluto muovermi più veloce di quanto stessi facendo, data l'urgenza che avevo di raggiungere Aaron e Carrie, ma sapevo che quello era il modo migliore e più rapido per riuscirci. Stavolta non si sarebbero più mossi distruggendo tutto al loro passaggio e sparacchiando a caso, sarebbero rimasti in attesa, distanziati uno dall'altro, immobili, aspettando che gli cadessi in braccio. Gli spostamenti tattici nella giungla sono difficili. Non puoi mai utilizzare le vie più facili, mai usare i sentieri, mai seguire i corsi d'acqua per orizzontarti. Il nemico si aspetta questo da te. Devi restare nella merda, seguire le indicazioni della bussola, e muoverti lentamente. Ne vale la pena: se fai così sopravvivi.

Negli occhi mi gocciolò sudore misto a Deet, non solo a causa dell'umidità che c'era all'interno di quella pentola a pressione ma anche per colpa dello stress provocato dai movimenti lenti e controllati, con gli occhi e le orecchie all'erta, senza smettere per un secondo di pensare: cosa faccio se me li trovo davanti? Cosa faccio se arrivano da sinistra? Cosa faccio se sparano per primi e non riesco a capire da che parte viene lo sparo? I contatti nella giungla avvengono a distanze tali che riesci a sentire l'odore dell'alito del tuo nemico.

32

AVEVO impiegato due ore per raggiungere la strada di raccordo, quindi molto meno di quanto avevo previsto.

Lasciai cadere lo zaino e mi staccai la maglietta dalla schiena nel tentativo di dare sollievo alle morsicature delle pulci. Poi scostai con le mani i capelli unti e bagnati dalla fronte e iniziai ad avanzare lentamente, fucile sulla spalla. Quando fui vicino alla strada inserii la sicura e proseguii carponi. Mi portai fino al margine della giungla strisciando sui gomiti e sulla punta dei Timberland. Tenevo il fucile lungo il fianco destro, trascinandomelo dietro senza preoccuparmi di lasciar partire un colpo per sbaglio.

La pioggia della notte precedente aveva riempito le buche e gli avvallamenti dell'asfalto e il cielo era ancora plumbeo. Mi fermai a osservare e ascoltare. Un miscuglio eterogeneo di nuvole nere, grigio chiaro e grigio scuro mi sovrastava. Se i ragazzi avevano sale in zucca, avevano piazzato una serie di grilletti lungo la strada, realizzando una sorta di canale di scolo in cui raccogliere quello che usciva dalla giungla. Ma, anche se così fosse stato, io dovevo mantenere la mia rotta.

Avanzai ancora un poco in modo da far sbucare la testa dal fogliame. Lungo la strada alla mia destra non vidi niente, tranne la strada stessa che svaniva curvando a sinistra. Voltai la testa dall'altro lato. A non più di quaranta metri c'era uno dei mezzi della casa, un Land Cruiser nero e lucidissimo, parcheggiato sul mio lato della strada con il muso rivolto verso di me. Appoggiato al cofano c'era un uomo che imbracciava un M16 scrutando a destra e a sinistra. Era sui vent'anni e indossava jeans, felpa e scarpe da ginnastica gialle. Aveva caldo ed era annoiato.

Il cuore prese a battermi forte. Un mezzo era il sistema

più veloce per uscire da lì. Ma era solo o c'erano altri con lui? Erano appostati a intervalli lungo la strada o lui stava di vedetta, pronto a fare un fischio per avvertire gli altri del gruppo se avesse visto qualcosa, mentre loro si fumavano una sigaretta dietro la macchina?

C'era un unico modo per scoprirlo. Un centimetro alla volta arretrai all'interno degli alberi e raggiunsi carponi lo zaino. Lo misi sulle spalle, tolsi la sicura al fucile e avanzando piano in parallelo alla strada mi avvicinai al fuoristrada, calcio sulla spalla, occhi e orecchie in massima allerta. Ogni volta che il mio piede schiacciava una foglia mi sembrava che il rumore prodotto fosse cento volte più forte di quanto non era in realtà. E ogni volta che un uccello si alzava in volo mi bloccavo sul posto, come una statua.

Dopo venti dolorosissimi minuti mi fermai di nuovo. Dall'altra parte del sipario verde proveniva il suono del suo fucile che sbatteva sulla fiancata del Land Cruiser. Sembrava poco più avanti, lievemente sulla destra, a non più di otto metri.

Per un minuto o due rimasi immobile in ascolto. Nessuno parlava, nessuno comunicava via radio, solo il rumore di lui che tossiva e sputava per terra. Poi mi arrivò un rumore di lamiera piegata. Doveva essere salito sul cofano o sul tetto.

Poiché volevo essere esattamente in linea retta con lui avanzai ancora di qualche passo. Da lì in poi mi comportai come se fossi un DVD rallentato al massimo. Mi sdraiai e misi la sicura: l'impercettibile *clic* metallico mi rimbombò nella testa come se avessi sbattuto due martelli uno contro l'altro. Poi adagiai il fucile e mi tolsi le cinghie dello zaino una alla volta, senza mai smettere di guardare in direzione del veicolo, consapevole che se fossi avanzato di un altro paio di metri mi sarei trovato completamente allo scoperto, in bocca al mio nuovo amico e al suo M16.

Quando lo zaino fu a terra ci appoggiai contro il fucile con la canna rivolta verso l'alto per ritrovarlo con maggiore facilità. 'Fanculo la taratura, adesso non mi serviva. Quindi, con estrema lentezza e determinazione, estrassi il machete. Il suono della lama che scivolava lungo il bordo metallico della guaina in tessuto mi parve quello di una mola da arrotino.

Di nuovo pancia a terra, il machete nella mano destra. Avanzai facendo leva su gomiti e punta dei piedi, cercando di controllare il respiro e di asciugarmi il Deet dagli occhi.

Arrivai al limitare degli alberi, a cinque metri dal veicolo. Vedevo la ruota anteriore più vicina. La parte in lega cromata sporca di fango era al centro di un grande pneumatico reso lucido dall'asfalto bagnato.

Avanzai ancora, così piano da far sembrare un bradipo più veloce di Linford Christie. Un altro paio di metri e vidi la parte inferiore della portiera e il parafango anteriore: nessuna gamba in vista. Forse era seduto all'interno, forse, come il rumore di lamiera faceva supporre, era sul tetto. Tesi gli occhi fin quasi a farli uscire dalle orbite nello sforzo di guardare in alto. Lo sentii scatarrare e sputare; nessun dubbio, era fuori e in posizione sopraelevata.

Contai sessanta secondi prima di muovermi. Molto presto mi avrebbe sentito. Non volevo neanche deglutire: ero così vicino che se mi fossi allungato avrei potuto toccare la ruota.

Ancora non lo vedevo, ma era sopra di me, seduto sul cofano, e sbatteva in modo ritmico i talloni contro il parafango più lontano. Doveva essere girato verso la strada.

Sapevo quello che dovevo fare, dovevo solo prepararmi psicologicamente. Non è mai semplice aggredire una persona in quelle condizioni. Il territorio all'esterno era un'incognita e quando mi ci fossi trovato avrei dovuto reagire in fretta a qualunque cosa mi fossi trovato di fronte. Cos'avrei fatto se ci fosse stato un altro che dormiva all'interno del veicolo? Cos'avrei fatto se mi aveva già sentito e stava solo aspettando che mettessi fuori il capino?

Per i successivi trenta secondi cercai di concentrarmi mentre i moscerini mi ronzavano intorno al viso. Mi accertai di impugnare in modo corretto e saldo il machete, con la lama girata dalla parte giusta. Presi un ultimo profondo respiro e scattai.

Era seduto sul lato opposto, mi dava la schiena e il fucile era al suo fianco, sul cofano. Mi sentì, ma non fece in tempo a girarsi. Gli ero già addosso, le cosce contro la superficie del cofano, i piedi per aria. La mano destra scattò ad arpionargli il collo premendovi contro il machete; con la sinistra impugnai la parte non tagliente della lama e tirai forte, cercando di spingere la testa contro il mio torace.

L'M16 raschiò sulla carrozzeria mentre ci spostavamo insieme verso il parafango. Lui scalciava e si contorceva e il peso del mio corpo ci stava trascinando a terra. Cercò di afferrarmi i polsi con le mani, per allontanare il machete, e urlò. Gli schiacciai la testa contro il mio torace e così facendo cademmo all'indietro. Come la schiena impattò sulla strada rimasi senza fiato. Lui atterrò sopra di me ed entrambi urlammo per il dolore.

Aveva le mani intorno al machete e si contorceva come un folle, scalciando in tutte le direzioni, sbattendo contro la ruota e il parafango. Aprii le gambe, gli cinsi le anche e gli conficcai i piedi tra le gambe. Quindi inarcai i fianchi verso l'alto e spinsi il petto in fuori, cercando di tirarlo tenendogli premuto il machete contro il collo. Riuscii ad avvicinare la testa al suo orecchio sinistro. «Sstt!»

Sentivo il machete tra le pieghe della pelle. La lama doveva essere appena penetrata nel collo; sentivo il caldo del sangue sulle mani. Di nuovo gli bisbigliai di tacere e alla fine sembrò recepire il messaggio.

Sempre con i fianchi in avanti, lo piegai ad arco sopra di me. Smise di muoversi, solo il suo torace andava in su e in giù. Teneva ancora le mani contro le mie, aggrappate alla lama, ma aveva smesso di lottare. Continuai a fargli «sstt!» nell'orecchio.

Non parlò né fece altri movimenti mentre lo costringevo a girarsi verso destra, tirando indietro la lama e mormorando: «Girati, girati, girati». Non sapevo neppure se riusciva a capirmi. Dopo un attimo avevo il torace sulla sua testa e lo schiacciavo contro le foglie. A quel punto mi guardai alle spalle per localizzare l'M16. Non era lontano; con il piede agganciai la tracolla e la tirai a portata di mano. La sicura era inserita, buona cosa: voleva dire che il fucile era pronto e che c'era un colpo in canna. Avrei avuto qualche problema a minacciarlo se avesse saputo che non era pronto a fare fuoco. Sbuffò, le narici gli si erano riempite di muco e i movimenti del suo torace mi facevano sentire come su un trampolino. Continuavo a tenere una gamba avvinghiata intorno a lui e sentivo il peso del suo corpo contro il ginocchio nel fango. La cosa importante era che a parte il respiro era completamente immobile, esattamente quello che avrei fatto io in una situazione simile perché, come lui, avrei voluto uscirne vivo.

Continuando a mantenere la pressione del machete contro il suo collo, districai la gamba e quando riuscii a liberarmi utilizzai la mano sinistra per afferrare l'M16. Poi, tenendogli sempre la lama contro il collo, mi alzai lentamente, continuando a bisbigliargli di tacere, finché non mi trovai sopra di lui e spostai la lama.

Sapeva benissimo quello che stava accadendo e fece la cosa giusta, rimase completamente immobile, sul viso una smorfia di dolore mentre la lama gli scorreva lungo il collo. Non era troppo ferito, i tagli non erano profondi. Quando fui libero, feci un balzo all'indietro e con la mano sinistra gli puntai l'M16 contro.

Parlai con calma. «Ciao.»

I suoi occhi pieni di paura incrociarono i miei. Portai il machete alla bocca e gli feci cenno di tacere e di alzarsi. Obbedì molto lentamente, tenendo le mani in alto anche quando lo girai verso la giungla, per tornare dove avevo lasciato l'attrezzatura. In teoria non avrei avuto abbastanza tempo, i suoi potevano arrivare da un momento all'altro, ma dovevo farlo per recuperare il fucile di Carrie.

Raggiungemmo lo zaino e lo feci sdraiare a faccia in giù mentre mettevo a tracolla il Mosin Nagant e infilavo il machete nel fodero. Arretrai l'otturatore dell'M16 per accertarmi di avere un colpo in canna e che nessuno dei due avesse combinato qualche casino.

Cercava di guardarmi storcendo gli occhi il più possibile verso sinistra. Era agitato, sapeva che da un momento all'altro poteva presentarsi all'appuntamento con un proiettile calibro 5,56.

Sorrisi. «Parli inglese?»

Scosse nervosamente la testa e io feci qualche passo verso di lui. «*Como estas?*»

Annuì tremante, io mi misi lo zaino sulle spalle. «*Bien, bien.*»

Sollevai il pollice e gli sorrisi. «Bene, bene.» Volevo che si calmasse un po'. Le persone che pensano di non aver nulla da perdere sono imprevedibili; se invece avesse pensato di avere una possibilità di vivere, avrebbe fatto quello che gli veniva chiesto.

Non sapevo bene cosa fare di quel ragazzo. Non volevo ucciderlo perché avrei fatto troppo rumore e non avevo tempo per legarlo come si deve. Non volevo portarlo con me, ma non avevo altra scelta. Potevo semplicemente lasciarlo scappare, ma non così vicino alla casa, comunque. Piegai la testa. «*Vamos, vamos.*»

Si alzò e con l'M16 indicai il Land Cruiser. «*Camion, vamos, camion.*» Non avevo una grande pronuncia, ma lui capì e ci avviammo.

Una volta giunti alla macchina fu semplice, infilai fucile e zaino dietro, posizionai lui nel vano davanti al sedile del passeggero, gli attorcigliai la felpa alla canna dell'M16 e mi sistemai il calcio in grembo. Il selettore di fuoco era posizionato su automatico e l'indice della mano destra era sul grilletto. Comprese il messaggio: ogni suo movimento equivaleva a un suicidio.

La chiave era inserita. La girai, selezionai Drive e partimmo. Il Land Cruiser era lucido, odorava di autosalone e mi trasmetteva una strana sensazione di sicurezza. Mentre ci dirigevamo verso Clayton e la città abbassai lo sguardo sul mio passeggero e sorrisi. «*No problema.*»

Sapevo che non mi avrebbe dato problemi. Gli avevo intravisto una fede nuziale al dito e sapevo a cosa stava pensando.

A giudicare dalle diverse tonalità di grigio delle nuvole, la pioggia sarebbe arrivata nel giro di poco. Adesso erano così basse da coprire i verdi picchi irregolari in lontananza. Tra non molto il cielo si sarebbe aperto.

Cosa dovevo fare del mio nuovo compagno? Non potevo portarmelo fino al casello. Se era sotto controllo mi sarei trovato in un mare di guai anche senza di lui.

Oltrepassammo un parco giochi e mi fermai, uscii e aprii la sua portiera. Fissava la canna che gli faceva cenno di uscire.

«Scappa! Scappa!»

Uscendo dalla sua tana mi guardò, confuso. Lo aiutai con un calcio e agitai il braccio. «Corri!» Si esibì in uno scatto da centometrista. Io tornai al posto di guida e mi diressi verso la strada principale. Prima che trovasse un telefono e si mettesse in contatto, io sarei stato in città, ben lontano da lì. Il cielo mi offriva una serie di garanzie: una volta che si fossero aperti i rubinetti, niente avrebbe potuto alzarsi in volo. Controllai nuovamente le nuvole per averne la certezza.

Controllai anche il carburante: appena sotto il pieno. Non avevo idea se sarebbe stato sufficiente, ma non importava, avevo contanti.

L'M16 era infilato tra la portiera e il sedile. Imboccai la via principale, diretto verso il gabbiotto per il pagamento del pedaggio.

33

Il 4x4 s'impuntò rollando sul fango della strada sterrata che attraversava la giungla, proiettando valanghe d'acqua marrone in tutte le direzioni. L'unica cosa che mi rendeva felice era percorrerla con i finestrini chiusi e l'aria condizionata in funzione. Ancora dieci minuti e avrei raggiunto la radura e la casa. Non appena ero arrivato a El Chorrillo aveva cominciato a piovere, rallentando ogni attività. Poi, quando ormai mi trovavo sulla Pan-American Highway, l'acqua si era rovesciata dal cielo come le cascate del Niagara e aveva continuato così per tutta l'ora successiva. Le nuvole erano rimaste basse e minacciose per l'intero tragitto fino a Chepo. Mi ero fermato al negozio davanti al quale due giorni prima era seduto il vecchio indiano e avevo comprato un paio di Pepsi e un sacchetto di plastica di dolcetti morbidi di pan di Spagna. Finiti quelli, frugai nello zaino e tirai fuori le barrette al sesamo e l'acqua.

Niente da segnalare nel tratto di strada successivo se non fango e pioggia. Mi concessi anche di pensare che in seguito avrei dovuto liberarmi del furgone, ma la priorità assoluta era raggiungere la casa e convincere i due ad aiutarmi. Forse Carrie poteva trovare il modo di costringere George a fermare l'operazione, forse potevano avere un'idea loro stessi, forse se avessi tirato giù la satellitare dal tetto... Forse, forse.

Continuando a sobbalzare sul sentiero, arrivai nella radura e vidi che le nuvole si erano sollevate. Il sole non era ancora in vista e in giro non c'era nessuno. Entrambi i furgoni erano parcheggiati davanti alla casa e mentre oltrepassavo le tinozze sentii il ronzio del generatore. Seguendo la regola del posto suonai il clacson.

Quando mi avvicinai vidi Carrie vicino alla zanzariera che guardava fuori.

Parcheggiai il Land Cruiser e saltai fuori nell'aria umida. Quando raggiunsi la veranda lei mi aprì la zanzariera. Era evidente che cercava una spiegazione alla presenza del Land Cruiser.

Attesi finché i cardini non smisero di cigolare. « Ti spiegherò dopo... È scoppiato un casino, Charlie ha già consegnato il sistema di controllo... la notte scorsa... E c'è di più. »

I miei stivali sporchi di fango rimbombarono sulle assi di legno della veranda. La oltrepassai. Volevo parlare solo quando fossero stati tutti e due insieme. I ventilatori erano in funzione. Aaron era seduto su una poltrona, curvo sopra una tazza di caffè sul tavolino.

« Nick. » Infilava il mignolo nel liquido scuro e osservava le gocce di caffè ricadere sul legno.

Gli feci un cenno di saluto mentre la zanzariera cigolava. Carrie rimase dietro di me, vicino alla porta.

Si girò nella poltrona per controllare che la porta della stanza del computer fosse chiusa, si strofinò una tempia e parlò a voce bassa. « Michael è morto? Quando è tornata mi ha raccontato tutto. » Si voltò e sorbì nervosamente un sorso di caffè.

« No, è vivo. »

« Oh, Dio sia lodato, Dio sia lodato. » Sprofondò nella poltrona, tenendo la tazza sulle gambe e asciugandosi la barba con il palmo della mano.

Carrie non si era mossa. Anche lei fece un sospiro di sollievo. « Eravamo così preoccupati. Ieri sera, quando eravamo partiti da un'ora, è venuto qui mio padre per sollevarti dall'incarico. Ha detto che non c'era più bisogno di te e se l'è presa con Aaron quando ha scoperto che eri già partito. »

Mi voltai verso di lei, in un sussurro. « È del tutto pazzo. » Parlai lentamente, in modo che non ci potessero essere equivoci. « Sono convinto che tuo padre abbia organizzato per domani un attacco missilistico a una nave da crociera, l'*Ocaso*. Avverrà quando la nave si troverà all'interno delle chiuse di Miraflores. Se ce la fa, molte persone, migliaia di persone, moriranno.»

Lei portò una mano alla bocca. «Cosa? Ma tu sei qui per fermare... No, no, no, mio padre non lo farebbe...»

«Non è George che schiaccia i bottoni.» Indicai il frigorifero. «È lui, quello con la cicatrice sullo stomaco. Quello al mare con i bambini nella tua fotografia preferita.» Entrambi si voltarono a seguire il mio dito. «Era a Miraflores quando c'eravamo noi ed è fuggito non appena ha visto Aaron e il Mazda. Martedì era da Charlie, a casa sua, e la notte scorsa era qui da voi. È rimasto in macchina, non voleva farsi vedere... Charlie mi ha detto che è stato lui a prendere la consegna...»

«Oh, Dio. Milton...» Si appoggiò al muro, tenendosi il collo con le mani. «Negli anni '80, Milton era addetto alle forniture Iran-Contra. Hanno venduto armi all'Iran per gli ostaggi libanesi, poi hanno utilizzato i soldi per comprare altre... armi... per... i Con... Oh, merda.»

Le mani le crollarono lungo i fianchi e spuntarono le lacrime. «È questo il suo lavoro, Nick, è questo quello che fa.»

«Bene, si è appena procurato un missile anti-nave e penso che lo userà domani contro l'*Ocaso*.»

«No, non è possibile, ti sbagli sicuramente», balbettò lei. «Mio padre non avrebbe mai permesso che succedesse a degli americani, Cristo santo.»

«E invece sì.» Aaron aveva qualcosa da dire. «La clausola De Concini. Pensaci, Carrie, pensaci.»

La guardava fisso negli occhi, parlava con calma, sforzandosi di mantenere basso il tono di voce. «George e gli altri... colpiranno quella nave e l'America avrà una giusta causa per fare marcia indietro. E sai una cosa? Ha coinvolto anche noi... Dio santo, ne facciamo parte anche noi. Sapevo che una cosa del genere sarebbe potuta accadere, ti avevo detto che c'era di più...»

Carrie si lasciò scivolare sul pavimento. Forse si stava rendendo conto di quello che il padre aveva combinato durante tutta la sua vita.

Mi voltai al rumore del raschio della barba che veniva sfregata.

« Entrerà nella chiusa alle dieci di domani mattina... cosa possiamo fare? »

Ma la domanda non era rivolta a me. Aaron teneva ancora gli occhi fissi in quelli di lei.

« Perché ti ha dovuto coinvolgere, eh? Forse non volevi solo un passaporto. Tu volevi una motivazione per il tuo biglietto di ritorno a Boston, è così? »

« No... non ne sapevo niente, Aaron. Ti prego, credimi, non lo sapevo. »

Lui fece una pausa. Sentivo il suo respiro che andava e veniva attraverso i peli delle narici. Stava cercando di recuperare la calma. Poi guardò me. « E tu, Nick, hanno usato anche te? » Indicò un punto alle mie spalle. « Esattamente come lei? »

« È la storia della mia vita. Carrie, tu e Luz dovete parlare con George... implorarlo, minacciarlo. »

Mi voltai ma Carrie mi ignorò. Fissava il marito, come sottomessa.

La voce di Aaron era sempre bassa, ma intrisa adesso di pesante sarcasmo. « Perché mai dovrebbe fermarsi? Che diavolo, lui è convinto che sia un'idea super. Così super da affidare un ruolo a sorpresa anche a sua figlia. » Adesso aveva gli occhi gonfi di rabbia. Poggiò con forza la tazza sul tavolo e si sporse in avanti. « Così sono contenti tutti... torna lo zio Sam e salva capitalisti, militari, uomini della destra, tutti, e tutti riprendono possesso della Zona. E poi, se qualcosa va storto, la colpa sarà di qualcun altro. » Puntò il dito contro di lei e la guardò con occhi di fuoco. « E cioè tu, io e Luz. E tutto per un passaporto del cazzo. »

Aprii la bocca per parlare ma Aaron non aveva ancora finito.

« Se siamo fortunati la nostra bambina riceverà lettere

dalla madre sulla carta intestata di Alcatraz. Naturalmente se non ti giustiziano. La situazione è fuori controllo. Come faremo a vivere con noi stessi dopo quello che sta succedendo? »

Aaron sollevò la mano sinistra e mise in mostra la fede nuziale. « Siamo una squadra, ricordi? Ti avevo detto che questa era una cosa sbagliata. Ti avevo detto che stava mentendo, ti avevo detto che ti stava usando. » Si accasciò nella poltrona, si asciugò gli occhi con le dita, si strofinò la barba e si voltò di nuovo a guardare la porta della stanza dei computer.

Mi voltai. Lei aveva gli occhi bassi e le guance rigate dalle lacrime.

« Mi metterò in contatto con lui stanotte... Non doveva andare così. »

Era già qualcosa.

« Bene. Sei in grado di collegarti se chiudo il pannello dei relais? »

Aprì la bocca per rispondere, ma se lo fece non riuscii a sentire le parole. Un assordante e inconfondibile *uap uap uap uap uap* si materializzò sopra le nostre teste.

Alzammo tutti lo sguardo. Il rumore divenne così forte che fu come se il soffitto non esistesse più.

Si precipitarono entrambi verso la stanza dei computer. « Luz, Luz! »

Mi avvicinai alla zanzariera. Mi voltai e li vidi precipitarsi nell'altra stanza. Merda, era ancora in funzione... « La webcam, spegnete la telecamera! »

Premetti il naso contro la rete. Desideravo ardentemente il fucile M16 che avevo lasciato nel Land Cruiser, ma non lo avrei avuto. I due elicotteri azzurro scuro erano sospesi sopra la casa e avevano già scaricato il loro contenuto. Alcune paia di jeans, tutte accompagnate da relativo M16, si stavano avvicinando alla veranda. Michael doveva essere risalito ad Aaron dall'incontro alle chiuse.

Mi spostai all'indietro, fuori vista, mentre marito e moglie rientravano nella stanza insieme con Luz, davvero spaventata. Il rumore degli elicotteri era opprimente. Uno dei due doveva essere sospeso a pochi centimetri dal tetto; la libreria ondeggiava e i libri cadevano a terra.

La scena al di là della rete era un vortice di rametti svolazzanti, foglie e fango. Gli uomini si muovevano a scatti, avvicinandosi alla veranda con i fucili puntati.

Aaron aveva il volto impietrito e guardava oltre la testa di Luz. Lui e Carrie si erano inginocchiati ai lati della poltrona dove la ragazzina, con gli occhi chiusi per il terrore, si era rannicchiata. La coccolavano e cercavano di rassicurarla.

Dal magazzino alle loro spalle provenivano urla in spagnolo.

Adesso sulla veranda c'erano degli uomini.

Era finita. Mi lasciai cadere sulle ginocchia e alzai le mani in segno di resa. Cercando di superare il rumore delle pale per farmi sentire, urlai ad Aaron e Carrie: «Restate fermi! Fermi, andrà tutto bene!»

Mentivo. Non avevo idea di quello che sarebbe successo. Ma bisogna accettare il fatto che quando si è nella merda si è nella merda. E non si può fare altro che respirare profondamente, mantenere la calma e sperare. Pensai al mio fallimento e a quello che avrebbe causato, e mi tornò l'intorpidimento alle gambe. Non era quella che si definisce una grande giornata.

Dal retro della casa degli uomini si rovesciarono nella stanza e contemporaneamente la zanzariera si spalancò. Le loro urla impazzite s'incrociarono nel tentativo di scongiurare il rischio di spararsi addosso per sbaglio. Continuavo a tenere la testa bassa in segno di resa e sentivo i loro passi rimbombare sulle assi di legno. Con la coda dell'occhio vidi lampeggiare l'immagine sullo schermo del PC che si aggiornava. Tutti portavano sopra i vestiti civili l'imbracatura in nylon nero con i caricatori di scorta. Quattro uomini circondarono Aaron e Carrie ancora accucciati intorno alla poltrona di Luz che urlava istericamente, terrorizzata dai fucili che le venivano puntati a pochi centimetri dal viso.

Rimasi in ginocchio senza guardare nessuno in particolare, preoccupato solo di avere l'aria spaventata, dato che ero spaventato davvero. Ma una cosa positiva c'era. Per qualche motivo ci volevano vivi, altrimenti ci avrebbero ucciso a vista. Tutti i fucili che ero riuscito a vedere avevano il selettore su tiro a raffica.

Mi mantenni immobile, con gli occhi bassi, e respirai profondamente nel tentativo di restare calmo e con la mente sgombra. Non che ottenessi gran che.

Quando chi maneggia delle armi si eccita e si spaventa, può accadere di tutto, in particolare se, come avevo avuto modo di notare vedendoli da vicino e non attraverso il mirino telescopico, alcuni di loro sono sbarbatelli. È sufficiente che uno perda il controllo e cominci a sparare che tutti gli altri seguono a ruota, travolti dal panico e dal rumore.

Chi aveva il comando urlava ordini, mentre stivali e scarpe da ginnastica mi passavano davanti agli occhi, cercando di farsi sentire sopra l'assordante rumore del rotore dell'elicottero. Radio a tutto volume diffondevano stupidaggini incomprensibili che neanche loro riuscivano a sentire correttamente.

La suola di uno stivale mi assestò un calcio tra le scapole spedendomi lungo disteso sul pavimento. Non opposi resistenza, piatto sullo stomaco, mani in avanti per attutire la caduta e proteggermi il viso; poi, per dimostrare la mia disponibilità, le piazzai velocemente sulla nuca. Venni perquisito in modo sommario e persi tutto il contenuto delle tasche. Mi sentii nudo e depresso.

Il lucido Nokia finì in tasca a qualcuno. Il rumore dell'elicottero diminuì, sostituito da urla mescolate al clangore della lamiera ondulata in cui urtavano mentre saccheggiavano il magazzino. Potevo scommettere che qualsiasi oggetto luccicante sarebbe passato dagli scaffali alle loro tasche.

Il rombo delle eliche si attenuò gradualmente. Si udì il sibilo acuto delle due turbine che venivano spente.

I mugolii consolatori di Carrie e Aaron si fecero più soffocati, adeguandosi al livello del rumore mentre un concitato vociare di traffico radio echeggiava dal magazzino. All'interno della casa tutti si erano fatti più calmi; forse la frenesia era originata dal rumore delle eliche.

Ma poi sopraggiunse il rumore di eliche più piccole. Mi si aggrovigliò lo stomaco. Capii che una giornata nata storta sarebbe continuata infinitamente peggio. Forse il motivo per cui non ci avevano ancora ucciso era che Charlie voleva farlo di persona.

34

QUANDO le pale del Jet Ranger si fermarono, sentii ringhiare degli ordini e molti si precipitarono fuori della stanza. Rimasero in tre per tenerci sotto controllo, due ragazzi molto nervosi, forse alla loro prima missione, e uno con qualche anno in più, sulla trentina.

Dalla veranda proveniva un vociare distorto e concitato. Probabilmente i ragazzi stavano commentando la loro bravura durante l'azione. Mantenni la testa girata verso sinistra.

La famiglia era raccolta intorno alla poltrona. Carrie era la più vicina a me e continuava ad accarezzare la testa di Luz. Aaron la fissava con occhi di fuoco. Difficile decifrare la sua espressione: avrei detto che fosse rabbia pura, invece allungò una mano e le fece una carezza sul viso.

Dal retro della casa provenne una voce che parlava uno spagnolo più calmo e controllato. Sembrava appartenere a qualcuno più istruito rispetto agli altri che sputacchiavano con i fucili spianati. Girai impercettibilmente la testa e roteai gli occhi quasi fuori delle orbite per riuscire a vedere cosa stava accadendo.

Charlie, che indossava un completo blu scuro e scarpe da ginnastica bianche, circondato da tre o quattro uomini che gli ronzavano intorno come assistenti del presidente, entrò a grandi passi nella stanza. Si avvicinò a me. Sembrava che non avesse bisogno di nulla, neanche di ossigeno. Ero terrorizzato. Al momento non c'era nulla che potessi fisicamente fare. Se avessi intravisto la possibilità di fuggire l'avrei afferrata al volo, ma al momento potevo solo non guardarlo in faccia e aspettare. Sapevo che, qualsiasi cosa fosse accaduta, con ogni probabilità sarebbe stata dolorosa.

Vennero verso di me, chiacchierando con calma tra di

loro, poi uno di quelli rimasti nella stanza dei computer lo chiamò e tutto il gruppo, tra i cigolii delle suole di gomma delle scarpe da ginnastica sulle tavole di legno, tornò in fretta da dove era venuto.

Sollevai lo sguardo e li vidi curvi intorno al PC mentre lo schermo lampeggiava e srotolava lentamente una nuova immagine della chiusa. Uno indicava l'immagine e parlava come se stesse facendo una presentazione multimediale. Gli altri annuivano e si mostravano d'accordo.

Girai gli occhi in direzione della poltrona. Da sopra la testa di Luz, Aaron e Carrie guardavano preoccupati il gruppo. Aaron si voltò e fissò la moglie, gli occhi gli ruotarono nelle orbite mentre si abbassava a baciare i capelli di Luz che continuava a singhiozzare. Altri ragazzi continuavano a borbottare nella veranda alle mie spalle.

Osservai un membro della squadra che si allontanava dal PC e rientrava nel soggiorno. Da quando gli avevo scippato il Land Cruiser, si era cambiato d'abito. Adesso indossava un vestito nero lucido. Aveva il collo coperto da una garza fissata con del cerotto e, con un gran sorriso stampato sul viso, veniva con indolenza nella mia direzione.

Abbassai gli occhi, serrai i denti e m'irrigidii.

Lui si accucciò e sporse in fuori la testa in modo che i nostri occhi fossero allo stesso livello.

«*Como estas, amigo?*» Il pomo d'Adamo sporgente andava su e giù sotto la garza macchiata di sangue.

Annuii. «*Bien, bien.*»

Con un sorriso sollevò i pollici. «*Sí*, bene, bene.»

Mantenni il corpo in tensione, ma ancora niente accadeva. Mi stava prendendo in giro. Non riuscii a fare a meno di restituirgli il sorriso, lui si rialzò, si riunì alla squadra intorno al PC e disse qualcosa a Charlie. Probabilmente gli stava dicendo che ero lo stesso uomo e forse gli confermava che poco prima ero da solo.

Charlie dava l'impressione di prendere tutto con estrema freddezza. Non si voltò neppure a guardarmi. Invece sorrise e diede dei buffetti su entrambe le guance al ragazzo del Land Cruiser che gli porgeva la busta di plastica con i miei documenti. A quel punto Charlie tornò a dedicarsi allo schermo e borbottò qualcosa ai suoi assistenti.

Prima di uscire attraverso il magazzino il mio amico del Land Cruiser estrasse dal sacchetto il rotolo dei miei dollari. Qualche secondo dopo, uno degli Huey si mise in moto, le eliche in movimento. Alcuni degli uomini andavano via.

L'elicottero decollò, rombando sopra il tetto, e la riunione dello staff terminò. Sciamarono in soggiorno, Charlie in testa con i miei documenti in mano. Si avvicinò a me in linea retta. Feci del mio meglio per seppellire la testa tra le spalle.

Le scarpe da ginnastica nuovissime e sporche di fango si fermarono a un metro dai miei occhi. Mi fissai la spalla mentre lui con le ginocchia che scricchiolavano si accucciò e mi afferrò per i capelli. Assecondai il gesto: opporre resistenza non aveva nessun senso.

I nostri sguardi s'incontrarono. I suoi occhi erano marroni e iniettati di sangue, senza dubbio a causa della potenza dell'esplosione. La pelle era punteggiata di piccole crosticine dovute alle schegge di vetro e una garza come quella del mio amico del Land Cruiser gli copriva una parte del collo. Ma nonostante tutto non sembrava arrabbiato. Solo autoritario.

Mi fissò con un'espressione impenetrabile. Quando con la mano libera mi afferrò il mento, sentii l'odore del dopobarba e il suono del cinturino di metallo del suo orologio.

Il palmo era liscio e quando le dita mi afferrarono le guance notai che erano ben curate. Ancora nessuna rabbia nei suoi occhi, nessuna traccia di un'emozione qualsiasi.

« Ma perché siete così stupidi? A me bastava la garanzia che il congegno non venisse usato all'interno di Panama. E avreste potuto avere il sistema di controllo. Solo qualche rassicurazione, niente di più. » Gettò i documenti sul pavimento. « Invece avete minacciato la mia famiglia... »

Mi scrollò ancora il viso. Io abbassai le palpebre e abbandonai completamente il peso della testa nelle sue mani.

«Io ho fatto la mia parte, ho preso il resto dei soldi e voi mi avete assicurato che era tutto a posto, che si trattava solo di affari. Ma voi continuate a cercare di uccidere la mia famiglia. Ma lo sapete chi sono io? Lo sapete quello che posso fare a tutti voi?»

Continuava a tenermi la faccia guardandomi negli occhi privo d'espressione.

«Voi avete intenzione di usare il Sunburn contro una nave all'interno di Miraflores, è quello il bersaglio, vero?» Mi scrollò ancora. «Non m'importa il perché. Ma questo farà tornare gli americani e di questo sì che m'importa, e anche molto.»

Mentre il viso dondolava da una parte all'altra riuscii a vedere il portafoglio e il passaporto fuori del sacchetto di plastica, vicino alla libreria. Aaron e Carrie, impietriti dalla paura, proteggevano Luz, accanto alla poltrona.

Charlie mi avvicinò la bocca all'orecchio e sussurrò: «Voglio sapere dov'è il missile e quando avrà luogo l'attacco. Se non lo dici, be', alcuni dei miei uomini qui hanno solo qualche anno in più della signorina in poltrona e come tutti i giovani sono ansiosi di dimostrare la propria virilità... Gioco corretto, non ti pare? Le regole le avete stabilite voi: i giovani fanno parte del gioco, o mi sbaglio?»

In attesa della mia risposta continuò a tenermi bloccata la testa. Lo guardai negli occhi e vidi la risposta che cercavo: nessuno di noi sarebbe uscito vivo, quello che potevamo dire o fare non sarebbe servito a niente.

Il silenzio venne rotto da Aaron che disse beffardo: «Lui è solo un mercenario». Parlò con voce forte e autoritaria. «È stato mandato qui solo per costringerti a consegnare il sistema di controllo, nient'altro. Non sa niente. Nessuno di noi sa dove si trova il Sunburn, ma alle otto e mezzo posso collegarmi e scoprirlo. Lo farò, se lasci liberi gli altri.»

Scrutai Charlie che fissava Aaron. Un buon tentativo da parte di Aaron, anche se forse un po' ingenuo.

Carrie scattò. «No, no... cosa stai dicendo?» Si rivolse a Charlie che torreggiava sopra di me. «Per favore, lui...»

Aaron la interruppe. «Taci. Ne ho avuto abbastanza, questa storia deve finire. Bisogna fermarla, subito!»

Charlie mollò la presa e la mia testa ricadde contro il pavimento sbattendo sulla guancia destra. L'unto dei miei capelli sulle mani non doveva piacergli molto, così prima di dirigersi verso il tavolino basso si chinò a pulirsi sulla mia camicia.

Aaron lo seguì con lo sguardo. «Alle otto e mezzo, prima non posso fare nulla. A quell'ora sarò in grado di stabilire il contatto e avere le informazioni... Alle otto e mezzo. Ma tu lasciali liberi.» Accarezzò i capelli di Luz.

Dirigendosi verso la zona della cucina, Charlie borbottò delle istruzioni ai suoi uomini. Quando mi passò davanti fu come se non mi avesse mai visto.

Aaron e Carrie compresero quanto stava per accadere e presero ad alzarsi insieme con Luz, mentre due guardie si avvicinavano. Carrie provò di nuovo a far ragionare Aaron. «Ma cosa vuoi fare? Lo sai che lui...»

Fu duro con lei. «Chiudi il becco! Taci!» La baciò sulle labbra. «Ti amo. Sii forte.» Poi si chinò a baciare Luz, prima che le guardie lo trascinassero verso la stanza dei computer. «Ricorda, Nick», disse con un sorriso, «un vichingo resta sempre un vichingo. Certe cose non si possono cambiare.»

Sparì farfugliando in spagnolo qualche spiegazione di scusa agli uomini che lo strattonavano per le braccia.

Alle mie spalle la zanzariera si aprì cigolando e agli uomini sulla veranda vennero impartiti degli ordini. Carrie e Luz erano già state condotte nella stanza della ragazzina e la porta si era richiusa.

Charlie aveva ispezionato la caffettiera e adesso stava controllando le tazze. Evidentemente aveva deciso che la miscela faceva schifo o che le tazze non erano abbastanza pulite, perché tornò verso di me e si accucciò piegando la testa in modo da riuscire a guardarmi negli occhi.

«Domenica... Londra... c'eri anche tu?»

Continuai a fissarlo. Sembravamo due bambini che giocano a fissarsi. Tenni la bocca serrata.

Si strinse nelle spalle. «Adesso non ha nessuna importanza. L'unica cosa che conta è il Sunburn... lo rivoglio indietro. Ma lo sai quanto l'avete pagato?»

Fui costretto a sbattere le palpebre, sempre senza smettere di fissarlo. Che se ne andasse affanculo anche lui, tanto eravamo già tutti morti.

«Dodici milioni di dollari americani. E penso proprio che lo rivenderò. Ottimo affare, direi.» Si alzò e le ginocchia scricchiolarono. Fece una pausa e prese fiato. «A quanto sembra la guerra a sud salirà molto presto. Credo che le FARC apprezzerebbero molto la possibilità di acquistare il Sunburn, in modo da farsi trovare pronte quando gli americani manderanno la flotta in appoggio alle truppe.» Sorrise. «Dopo tutto i russi hanno progettato il missile con un solo obiettivo in mente: le portaerei americane.»

Venni spinto verso la stanza di Luz e quando la porta si aprì vidi che madre e figlia erano sul letto, abbracciate. Carrie accarezzava i capelli di Luz; al cigolio della porta sollevò uno sguardo terrorizzato, poi l'espressione cambiò quando vide che ero io.

La porta si chiuse sbattendo. Mi avvicinai al letto e mi sedetti accanto a loro portandomi un dito alle labbra. «Dobbiamo andarcene da qui prima che i ragazzi si organizzino.»

Carrie abbassò lo sguardo sulla figlia, le baciò la testa e parlò bisbigliando. «Ma cosa pensa di fare? Lui non sa niente. George non gli dirà mai...»

«Non lo so, sstt...»

Cominciavo ad avere una mia idea sulle intenzioni di Aaron, ma non avevo nessuna voglia di parlarne con lei.

Mi alzai e andai alla finestra, protetta dall'esterno da una zanzariera in rete metallica. Le ante erano a cardini laterali e si aprivano verso l'interno, incrostate di vernice screpolata color crema. Ad avere un po' di fortuna i cardini dovevano aver perso il rivestimento. Il telaio della zanzariera era bloccato da gancetti di legno che ruotavano su viti.

Guardai fuori e osservai gli alberi che si trovavano a duecento metri. Alle mie spalle Luz ruppe il silenzio. «Ma papà viene con noi?»

Carrie provò a tranquillizzarla. «Certo, tesoro, presto.»

Il suolo all'esterno era ingombro di tegole di terracotta rotte da poco. Dalla veranda alla mia sinistra proveniva il rumore intermittente di una conversazione e di tanto in tanto qualche risata.

Ispezionai la finestra continuando a pensare ad Aaron. Non era ingenuo come avevo pensato. *Un vichingo resta sempre un vichingo.* I vichinghi squartano, incendiano, saccheggiano. Non cambiano mai. Lo aveva detto lui. Ed era arrivato alla mia stessa conclusione. Charlie non ci avrebbe lasciato in vita per nessun motivo.

Mi aspettavo che la finestra opponesse resistenza, invece cedette e si aprì al primo colpo, verso di me. La richiusi subito e tornai verso il letto. «Faremo così. Usciamo dalla finestra e raggiungiamo gli alberi.»

Luz, che stava guardando la mamma, si voltò di scatto verso di me. Aveva il viso segnato dalle lacrime. «E papà?»

«Torno a prenderlo dopo. Adesso non abbiamo tempo. Dobbiamo andarcene subito.»

Luz sollevò lo sguardo verso la mamma e la implorò senza parlare.

«Non possiamo», disse Carrie. «Non possiamo abbandonarlo. Cosa accadrà quando si accorgeranno che siamo fuggiti? Se ce ne stiamo buoni e non li provochiamo, andrà tutto bene. Non sappiamo niente, perché dovrebbero farci del male?»

Partì il sibilo delle turbine e quasi subito le pale iniziarono a girare. Attesi finché non raggiunsero il massimo dei giri, poi accostai la bocca all'orecchio di Carrie.

«Aaron sa benissimo che ci uccideranno tutti, non importa quello che accade... anche se George gli dice dove si trova. Lo capisci? Moriremo tutti.»

L'elicottero decollò e lei abbassò la testa su quella di Luz. Seguii il movimento per mantenere il contatto con il suo orecchio. «Sta guadagnando tempo, in modo che io possa mettere in salvo voi due. Dobbiamo andare adesso, per Luz, ma anche per Aaron. È lui che lo vuole.»

Scossa dai singhiozzi, Carrie abbracciò sua figlia.

«Mamma?»

Le lacrime erano contagiose. Adesso piangevano tutt'e due, una tra i capelli dell'altra, mentre il rumore del Jet Ranger scompariva sopra la giungla.

35

ANCHE se mancava ancora più di un'ora al tramonto, avevo preso la mia decisione. Non appena fossimo stati fisicamente pronti dovevamo fuggire.

Dalla veranda provenivano ancora borbottii e risate, quasi a ricordarmi il rischio che stavamo per correre. Se ci fosse stato qualcuno di guardia sull'angolo, saremmo stati completamente allo scoperto per tutti i duecento metri. Per coprire quella distanza, in mezzo al fango, ci sarebbero voluti come minimo novanta secondi, un tempo molto lungo se sei nel mirino di un M16.

Ma nessuno poteva sapere cos'aveva in serbo per noi l'ora successiva. Potevano dividerci e metterci in tre stanze separate, o ucciderci, o caricarci sull'ultimo Huey. Su questo non avevamo nessun controllo e aspettando correvamo il rischio di sprecare la possibilità che Aaron ci aveva fornito.

Guardai fuori e mi fu facile confermare il tragitto scelto per la fuga: in diagonale a destra verso la radura, poi in mezzo agli alberi. Ci saremmo spostati in obliquo rispetto al fronte della casa e della veranda ma saremmo arrivati all'angolo sul retro in piena vista dell'elicottero. Ci sarebbe stato qualcuno a bordo? Il pilota che faceva i normali controlli? Difficile stabilire se era giusto o sbagliato andare via subito. In situazioni del genere non c'è niente di scientifico: se fossimo morti, avevo sbagliato; se fossimo rimasti in vita, avevo avuto ragione.

Una volta tra gli alberi saremmo stati relativamente salvi; si trattava solo di riuscire a superare la notte in mezzo alla giungla, poi, con la luce del giorno, avanzare, procedendo paralleli al sentiero, in direzione della valle con gli alberi abbattuti. Di notte, avremmo attraversato il cimitero degli alberi, nascondendoci di giorno dietro i tronchi tagliati, fino ad arrivare a Chepo. E da lì? Avrei deciso al momento. Riguardo ad Aaron avevo seri dubbi che sarebbe sopravvissuto a lungo dopo le otto e mezzo.

Carrie e Luz continuavano a farsi coraggio a vicenda sul letto. Mi avvicinai e, con la supervisione di Britney che controllava gli eventi dal muro, bisbigliai: « Andremo dritti verso gli alberi ».

Luz guardò la mamma in cerca di un cenno rassicurante.

« L'unica cosa che dovete ricordare è che dobbiamo correre sparpagliati, capito? Così è più difficile che ci vedano. »

Carrie sollevò la testa e aggrottò la fronte. Sapeva che non era quello il vero motivo. Sapeva che un'unica raffica di M16 poteva farci fuori tutti e tre, mentre se eravamo distanziati sarebbe stato un po' più difficile.

Luz si aggrappò al braccio della mamma. « E papà? »

Vidi che Carrie lottava per non piangere e le posai una mano sulla spalla. « Non ti preoccupare, Luz, tornerò a prenderlo. Per prima cosa, lui vuole che io vi porti al sicuro all'interno della giungla. Ha bisogno di sapere che voi siete salve. »

Annuì riluttante. Udimmo ancora vociare dalla terrazza e un rumore di stivali dietro la porta. Andare via immediatamente era la cosa giusta da fare.

« Se ci troviamo separati », dissi calmo, « voglio che voi continuiate tra gli alberi senza di me fino all'estremo angolo a destra e che mi aspettiate lì. » Rivolto a Luz aggiunsi: « Se qualcuno ti chiama, non uscire allo scoperto, neppure se è tuo padre, è sicuramente un trucco. Ascolta solo me, d'accordo? E quando sarai al sicuro, tornerò indietro per aiutarlo ».

Le avrei detto la verità in un altro momento, adesso dovevo mentire per tranquillizzare madre e figlia e riuscire a fare quello per cui lui si stava sacrificando.

« Pronte? »

Annuirono entrambe. Guardai Luz. « Vado io per primo e tu mi segui, d'accordo? »

Tornai alla finestra e fuori portata dei bisbigli. Carrie mi seguì, guardò verso gli alberi e sentì le risate.

«Sono sulla veranda, vero, Nick?»

«Non c'è tempo, non c'interessa.»

«Ma come facciamo ad arrivare agli alberi senza...»

«Preparati e basta.»

Aveva ragione lei. Come avremmo fatto? Non lo sapevo. L'unica cosa che sapevo era che non c'era tempo per piani fantasiosi, anche se fosse stato possibile pensarne uno. Dovevamo solo agire. Eravamo morti in ogni caso, tutto quello che veniva era un di più.

Quando aprii la finestra il suono dei grilli e dei ragazzi sulla veranda si riversò all'interno della stanza. Ripensai a quell'ostaggio di Beirut che nei primi giorni di prigionia avrebbe potuto scappare attraverso la finestra aperta del bagno. Non aveva sfruttato l'occasione, non aveva colto l'attimo. E nei successivi tre anni aveva dovuto vivere con il rimorso.

Inserii nella mente il pilota automatico, portare a termine l'azione. 'Fanculo loro, 'fanculo il rumore, 'fanculo l'elicottero. Desideravo quasi che ci vedessero.

Quando li feci ruotare per sbloccare la zanzariera i ganci in legno cigolarono. Spinsi per liberarla e la rete sferragliò. M'irrigidii in attesa che il mormorio della veranda si trasformasse in grida. Non accadde. Spinsi ancora e stavolta il telaio venne via. Lo appoggiai a terra con attenzione. Mentre il telaio raggiungeva il fango e le tegole rotte, sentii il rumore degli stivali sulla veranda e la porta d'ingresso che sbatteva.

Scavalcai portando prima fuori i piedi. I Timberland cigolarono nel fango e spostai il telaio da una parte prima di fare cenno a Luz, senza fare più caso ai rumori. Se mi avevano visto lo avrei saputo comunque. Era meglio che mi concentrassi su quello che stavo facendo piuttosto che agitarmi per qualcosa su cui non avevo nessun controllo.

La madre la aiutò, anche se non ne aveva bisogno, e io la guidai accanto a me nel fango. Con una mano la tenni contro il muro e stesi l'altra per Carrie. I ragazzi sulla veranda, intanto, si godevano il punto culminante di una barzelletta e una delle sedie a dondolo veniva trascinata sul tavolato di legno.

Carrie fu al mio fianco. La feci rimanere contro il muro accanto a Luz, mentre indicavo gli alberi in obliquo sulla destra. Sollevai i pollici, ma non risposero al gesto; allora, preso un grande respiro, partii. Sapevano quello che dovevano fare.

Solo pochi passi e il fango trasformò la nostra corsa in una specie di andatura veloce. L'istinto ci faceva avanzare accucciati. Le spinsi in avanti e continuai a fare cenni di dividersi, ma non funzionò. Luz correva a fianco di sua madre e dopo poco le vidi prendersi per mano, cinque o sei metri davanti a me.

Avanzare era difficile, caddi due volte, era come scivolare sul ghiaccio. Comunque sia, coprimmo i primi cento metri.

Alla nostra destra apparve l'elicottero, non molto lontano dalla radura. Nessuno in vista, né dentro né fuori, e neppure movimenti di nessun tipo sul retro della casa. Proseguimmo.

Quando mancavano solo trenta metri sentii la prima detonazione. Non sventagliate casuali, colpi singoli e precisi.

« Correte! » Urlai. « Continuate a correre! »

Un gigantesco stormo di uccelli multicolori si sollevò dagli alberi. « Avanti, avanti! » Non mi voltai, non sarebbe servito.

Carrie, che teneva Luz per mano, era concentrata sugli alberi e praticamente trascinava la ragazzina che urlava terrorizzata.

I proiettili supersonici sibilarono alle nostre spalle. Con la mente li evitavo correndo a tremila chilometri all'ora, ma i miei piedi non superavano i dieci.

Ancora venti metri di terreno allo scoperto, i colpi adesso ci fischiavano intorno. I sibili erano seguiti dal *tud* dei colpi che penetravano nel fango, davanti e di fianco a noi.

Poi il *crac tump*, *crac tump*, *crac tump* si fece ritmato. Adesso sparavano a raffica. «Avanti, avanti!»

Si scagliarono dentro la giungla, di poco più avanti a me, sulla destra. «Andate a destra, a destra!»

Quasi subito mi giunse un urlo. Un rantolo mezzo soffocato, un ululato di dolore che proveniva da pochi metri all'interno delle foglie.

Nuovi spari colpirono la giungla, alcuni con uno stridulo *ziiinnng*, altri rimbalzando contro gli alberi. Ansando crollai carponi. «Luz! Parlami, dove sei? Dove sei?»

«Mamma, mamma, mamma!»

Ziiinnng, ziiinnng...

«Luz! Giù! Stai giù! Stai giù!»

Iniziai a strisciare. Gli M16 miravano ai punti d'ingresso, dovevamo assolutamente spostarci verso destra fuori della linea di tiro, verso la zona coperta. Le foglie nascondono ma non riparano dagli spari, il fitto degli alberi sì.

«Sto arrivando, resta giù, stai giù.»

I proiettili delle raffiche prolungate finivano in alto perché un elevato numero di colpi tendeva a sollevare l'arma; quelle brevi, sparate dagli uomini più abili, non superavano i cinque colpi alla volta ed erano decisamente più pericolose. Sentii aggiungersi al concerto un furgone che si metteva in moto.

Avanzai tra le foglie per sei o sette metri e raggiunsi le mie compagne di fuga. Carrie era sdraiata di schiena, ansante, gli occhi spalancati, colmi di lacrime e grandi come piattini. Aveva i pantaloni macchiati di sangue sulla coscia destra e una protuberanza che aveva l'aspetto di un osso che premeva contro la stoffa. La gamba ferita era più corta dell'altra, il piede era piatto, con le dita rivolte all'esterno. Un proiettile doveva averle colpito il femore. Incerta sul da farsi, Luz era sopra di lei, con la bocca aperta e gli occhi fissi sulla madre insanguinata.

Adesso gli spari erano cessati, ma le urla e il rumore di motori si erano fatti più forti.

Afferrai Carrie per le braccia e strisciando sul culo la trascinai tra le foglie marcite in direzione del nostro punto d'incontro di emergenza, l'angolo della linea degli alberi, nella zona più fitta. Luz ci seguiva carponi, scossa da rumorosi singhiozzi.

«Piantala! Ti sentiranno!»

Riuscimmo ad avanzare di cinque o sei metri. Coprendosi la faccia con le mani, nel tentativo di trattenersi, Carrie urlava senza controllo ogni volta che la gamba ferita sobbalzava o girava. Se non altro questo voleva dire che respirava e che sentiva il dolore, entrambi segnali positivi, ma le due stavano facendo un tale casino che nel giro di poco ci avrebbero sentito.

Balzai in piedi, afferrai il polso di Carrie e la sollevai sopra la spalla nella presa del pompiere. Urlò quando la gamba le penzolò libera, prima che la bloccassi. Avanzai con decisione tra la vegetazione a passi lunghi, quasi esagerati. Con una mano cercavo di stabilizzarle la gamba, con l'altra cercavo di far presa su Luz, a volte prendendola per i capelli, altre per i vestiti, altre ancora per il collo, qualsiasi cosa pur di continuare ad avanzare uniti.

I BUB si stavano scatenando; alle nostre spalle altre urla concitate e rumore di motori imballati. Brevi raffiche di M16 punteggiavano a caso la zona. Erano arrivati nei punti d'ingresso.

Mentre avanzavamo la gamba di Carrie restò impigliata in un *wait-a-while*. Lei urlò e io feci un mezzo giro per liberarla. Sapevo bene che le due estremità del femore rotto potevano trasformarsi in forbici e tagliare muscoli, nervi, tendini, legamenti e, cosa ancor più grave, recidere l'arteria femorale. Se fosse accaduto lei sarebbe diventata storia entro pochi minuti. Ma cos'altro potevo fare?

Iniziammo una lieve discesa. Secondo i miei calcoli dovevamo essere più o meno all'altezza dell'elicottero nella radura alla mia destra. Sentivo ancora gente che sparava dietro di noi, ma la giungla assorbiva quasi tutto e forse eravamo fuori della zona di pericolo immediato.

I BUB mi ricordarono che dovevo fermarmi a dare una sistemata a Carrie. Avevo bisogno dell'ultima luce preziosa. Mi addentrai ancora tra gli alberi finché non riuscii a vedere l'inizio della zona aperta e trascinai Luz con me in modo da trovarci esattamente dietro il sipario di verde. Infine riuscii a deporre Carrie facendo attenzione che avesse i piedi rivolti verso la linea degli alberi.

Adesso si udiva solo qualche sporadico sparo, più in alto, ma le urla e il rumore delle auto lungo la linea degli alberi non erano ancora diminuiti. Non m'importava: se ci fosse stato pericolo ci saremmo trascinati ancora più all'interno. Al momento la cosa più importante era prendermi cura della donna.

Carrie era sdraiata sulla schiena, il viso deformato in una smorfia. Faceva brevi respiri affannosi. Cercai di stabilizzare la respirazione. Luz, in ginocchio, si chinò su di lei. La raddrizzai con gentilezza. «Devi aiutare la mamma e me. Ho bisogno che tu ti accucci qui, dietro di me. Se arriva qualcuno fai così, ti volti e mi dai un colpetto, non urlare, toccami e basta, hai capito? Lo farai?»

Luz guardò la mamma e poi di nuovo me.

«Bene, è molto importante.» Me la misi alle spalle, rivolta verso il confine degli alberi, poi mi girai verso Carrie. Non saremmo mai riusciti a uscire a piedi da lì, ma questa non era la mia preoccupazione maggiore. Occuparmi di lei sì.

Lottava a denti stretti contro il dolore. Sanguinava. Ma l'arteria non era recisa, altrimenti litri di sangue avrebbero inondato la gamba. Tuttavia se avesse continuato a sanguinare in quel modo poteva andare in insufficienza cardiocircolatoria e morire. Dovevo bloccare l'emorragia e immobilizzare la frattura.

Senza preoccuparmi di spiegarle quello che stavo per fare mi curvai verso il piede e lacerai con i denti il fondo dei pantaloni. Fatto uno strappo, afferrai i due lembi con le mani e strappai la stoffa verso l'alto. Quando vidi la ferita compresi che non era stata colpita da un proiettile. Doveva essere caduta male, provocando un trauma al femore: da quella che aveva tutto l'aspetto di una bistecca di manzo cruda e sanguinolenta spuntava il bianco dell'osso.

Ma per lo meno il muscolo era intatto e non lacerato da un proiettile.

« Non è poi così male. » Cercai di sembrare positivo.

Solo respiri molto veloci e nessuna risposta.

Durante il periodo militare, quando accadevano fatti del genere sul campo di battaglia, sceglievo sempre di fingere per non alimentare le preoccupazioni. Ma in questo caso era diverso: volevo rassicurarla e farla sentire meglio. « Sembra peggio di quanto non sia. Farò in modo che non peggiori e poi ti porto da un dottore. Andrà tutto bene. »

Teneva la testa all'indietro, come se stesse guardando il tetto di foglie, gli occhi chiusi e il volto pietrificato dal dolore.

Le tolsi qualche foglia marcita che il sudore le aveva incollato alla fronte e le sussurrai all'orecchio: « Davvero, non è terribile... la frattura non è scomposta. Non hai perso molto sangue, ma devo bloccarla, in modo che l'osso non faccia altri danni. Ti farò parecchio male mentre lo faccio... lo sai, vero? »

Vidi Luz, sempre in ginocchio, che dalla sua postazione ci stava osservando. Sollevai i pollici, ma mi rispose solo con un fugace mezzo sorriso che sapeva di pianto.

Carrie urlava dentro di sé, cercando di neutralizzare il dolore con respiri veloci che le sollevavano il petto.

« Carrie, ho bisogno del tuo aiuto. Lo farai, mi aiuterai? Quando te lo dico afferrati all'albero dietro di te, hai capito? »

Spingendo fuori le parole bloccate dalle lacrime, singhiozzò: « Vai avanti ».

Ci fu un'altra raffica. Luz indietreggiò e ci guardò. Sollevai entrambe le mani e solo con il movimento delle labbra dissi: « Va tutto bene, va tutto bene ».

Gli spari s'interruppero e Luz tornò al suo posto. Nella luce del crepuscolo i BUB echeggiavano intorno a noi. Sfilai con cautela la cintura a rete alta tre centimetri dai passanti dei pantaloni di Carrie e gliela infilai sotto i piedi. Poi, consapevole che sarei diventato un lauto banchetto per le zanzare, levai la felpa.

Staccai una manica dalla cucitura. Carrie teneva gli occhi chiusi e le tremavano le labbra quando cominciai a strappare delle larghe foglie coperte di cera che ci pendevano addosso. « Fra un minuto sposterò la gamba sana contro quella ferita. Cercherò di farti meno male possibile. »

Arrotolai le foglie finché non presero la forma di giganteschi sigari e delicatamente le sistemai tra le gambe per tutta la lunghezza: avrebbero fatto da cuscinetto tra la gamba sana e quella ferita. Mentre urla in spagnolo si addentravano nella giungla, continuai afferrando la gamba sana. « Ecco, ci siamo, ci siamo. » Respirava veloce, come se stesse per partorire. Portai con delicatezza la gamba sana verso quella ferita e in quel momento i primi spruzzi di pioggia colpirono il tetto di foglie. Non sapevo se ridere o piangere.

Strisciando sulle ginocchia Luz mi si avvicinò. « Sta piovendo, cosa facciamo? »

Mi strinsi nelle spalle. « Ci bagniamo. »

Il volto di Carrie si contorse per la sofferenza. Mentre la pioggia le cadeva sul viso allungò una mano e afferrò quella di Luz. Madre e figlia si parlarono piano. Avevo bisogno che Luz stesse di guardia. Le feci cenno di spostarsi e lei strisciò alla sua postazione.

Spinsi la manica sotto le ginocchia di Carrie e la lasciai piatta, poi lacerai il resto della felpa ormai fradicia, in modo da ottenere delle bende.

« Nick, la nave... »

« La nave deve aspettare. »

Continuai a strappare e lacerare mentre la pioggia assumeva la forza del monsone. Non riuscivo più a sentire neppure i BUB, né la gente nella radura, sempre che fosse ancora lì.

Mi chinai su di lei, accanto all'orecchio. « Ho bisogno che tu allunghi le mani all'indietro e ti afferri all'albero dietro di te. »

Mentre le dirigevo le mani intorno al tronco sottile un profondo rombo di tuono si scaricò sopra le nostre teste. Non sapevo se era il caso di spiegarle quello che stavo per fare.

« Stringi forte e non mollare per nessun motivo. »

Meglio di no, soffriva già abbastanza, non potevo dirle che le avrei fatto ancora più male.

Strisciai di nuovo ai suoi piedi e, scavando nel fango per non spostare la gamba ferita più del necessario, le feci scivolare la cintura sotto le caviglie. Poi, inginocchiandomi davanti a lei, presi con delicatezza il piede della gamba ferita. Con la destra reggevo il tallone, con l'altra le dita.

Tutto il suo corpo s'irrigidì.

« Andrà tutto bene, continua a tenerti all'albero. Pronta? »

Piano, ma con decisione, tirai il piede verso di me. Lo feci ruotare nel modo più dolce possibile, poi allungai e misi dritta la gamba ferita per impedire ai muscoli tesi di dislocare ulteriormente l'osso. Mi augurai che l'operazione servisse anche ad alleviare un po' il dolore. Non era facile, i muscoli irrigiditi che dovevo distendere erano diversi. Ogni movimento doveva sembrarle una pugnalata con un coltello incandescente. Strinse i denti e per un periodo molto lungo non emise un suono, poi, infine, non resistette più. Urlò e si contorse, ma non mollò la presa, mentre l'osso esposto cominciò a rientrare dalla ferita aperta.

La pioggia scrosciava e il cielo sempre più scuro si riempiva del rombo dei tuoni. Continuai la trazione. Urlò ancora, il corpo in preda alle convulsioni, e io sedetti per tirare la gamba con tutto il mio peso.

« Ci siamo quasi, Carrie, ci siamo quasi... »

Luz arrivò di corsa e si unì ai singhiozzi. Comprensibile, ma inopportuno. Sibilai: « Taci! » Non mi venne in mente nient'altro da fare, ma peggiorai la situazione. Riprese a frignare e stavolta la lasciai fare.

Avevo le mani occupate e non potevo tapparle la bocca. Non potevo mollare perché il muscolo contraendosi avrebbe fatto tornare tutto come prima provocando danni ancora peggiori.

Con la sinistra passai la cintura di stoffa sopra le caviglie di Carrie e poi sui piedi coperti dai sandali, tracciando un immaginario otto. «Tieni dritta la gamba sana, Carrie, tienila dritta!» Tirai le estremità della cintura per mantenere tutto bloccato e, tenendo quest'ultima in tensione in modo che i piedi restassero uniti, l'annodai stretta.

Carrie, pur contorcendosi come un'epilettica, non aveva mai smesso di tenersi all'albero e, cosa ancora più importante, aveva mantenuto dritta la gamba sana. «È fatta, va tutto bene.»

Mentre mi rialzavo, Luz crollò addosso alla mamma. Cercai di spostarla. «Lasciala respirare.» Ma non vollero saperne e continuarono ad abbracciarsi.

Si era fatto ormai così scuro che riuscivo a malapena a vedere qualcos'altro oltre a loro e dovevo ancora bloccare la frattura in modo che non producesse ulteriori danni. Afferrai le due estremità della manica della felpa che le avevo messo sotto le ginocchia, le congiunsi sopra e feci un nodo dal lato del ginocchio sano. Dalle sue gambe, adesso che erano legate insieme, sporgevano grandi protuberanze di foglie di un verde brillante.

Sistemai con attenzione le strisce di felpa sopra la ferita, le feci passare sotto le ginocchia e le legai dalla parte della gamba sana. Volevo immobilizzare la frattura e comprimere la ferita per tamponare l'emorragia.

La pioggia cadeva a rovesci e non riuscivo a vedere bene perché l'acqua mi finiva negli occhi. Legai l'altra manica intorno alle caviglie per rafforzare l'azione della cintura lavorando praticamente a tastoni.

Rimasi accucciato ai piedi di Carrie, urlando per riuscire a farmi sentire sopra il rumore della pioggia. «Adesso puoi consegnarmi il distintivo scout del pronto soccorso.»

L'unica cosa che dovevo ancora fare era accertarmi che la felpa non fosse troppo stretta. Non ero in grado di sapere se la circolazione era stata interrotta dalle legature; senza luce non riuscivo a vedere se la pelle era rosa o blu e cercare di sentire le pulsazioni era un'impresa. In realtà avevo un'unica possibilità. «Se senti formicolare, devi dirmelo, hai capito?»

Mi rispose con un netto «sì».

Non riuscivo neppure a vedere la mano che tenevo davanti alla faccia per guardare l'ora. Il quadrante del Baby G s'illuminò. Erano le 6.27. Le sentivo piangere alle mie spalle, superando anche il tamburellare della pioggia sulla vegetazione.

Cominciavo ad avere freddo. Incerto su dove avessero la testa, urlai nel buio: «Tenetevi a stretto contatto fisico, voi due, sempre. Dovete sempre sapere dove si trova l'altra, non lasciatevi mai». Allungai una mano e sentii del panno bagnato: era la schiena di Luz che coccolava la madre.

Non saremmo mai usciti a piedi da lì. Ma che cazzo dovevo fare? Non lo sapevo. Be', a dire il vero lo sapevo benissimo, però cercavo di negarlo. Forse era per questo che mi era venuto freddo.

Rimasi accucciato sotto la pioggia, poi la ragazzina parlò. «Nick?»

Le diedi un colpetto sulla schiena per farle capire che avevo sentito.

«Adesso vai a prendere papà?»

36

Era il momento della verità.

« Non ci metterò più di due ore. »

Non aveva l'orologio, ma un'idea del tempo previsto era qualcosa cui aggrapparsi.

« Le otto e trenta, Nick, le otto e trenta... » ansimò Carrie come se fosse necessario ricordarmelo.

« Se alla prima luce non sono tornato, devi uscire e farti vedere. Hai bisogno di cure. Quando fa chiaro possono portarti all'ospedale con l'elicottero. » Forse, o forse no: non avevo idea di quello che avrebbero fatto, ma se non fossi tornato non ci sarebbero state alternative.

Tornare alla casa era stata una scelta semplice. Carrie aveva bisogno di un medico. Io avevo bisogno di un mezzo per portarla a Chepo. Dovevo procurarmene uno, e questo comprendeva il fatto di portare Aaron con me. Rubare un'auto a notte fonda e passare a riprendere Carrie: non avrebbe mai funzionato. Per prima cosa dovevo effettuare un controllo della casa e delle persone che erano all'interno.

Non so se per il dolore fisico o per la consapevolezza che quello che avevo appena detto era un piano di emergenza nel caso io e Aaron fossimo morti entrambi, comunque le uscì un singhiozzo forte. La pioggia picchiava sulla schiena di Luz che si chinò sulla mamma e si unì al pianto. Le lasciai piangere, anche perché non sapevo che altro fare mentre cercavo di escogitare qualcosa per quando mi fossi trovato alla casa. Non mi venne in mente nulla.

Guardai il Baby G: 6.32. Tra due ore il bluff di Aaron sarebbe stato scoperto.

Sentii che le ginocchia mi sprofondavano nel fango. « Ci rivediamo presto. O meglio, più che vedervi vi sentirò... » Il mio scherzo non suscitò l'ilarità generale.

Tracciai una linea immaginaria lungo il corpo di Carrie fino ai piedi. Da quando l'avevo sdraiata a terra non si era mossa, adesso sapevo in che direzione era il confine degli alberi. Iniziai a strisciare, cercando a tastoni la strada attraverso la poltiglia di foglie bagnate, e dopo poco mi ritrovai nel terreno aperto.

Il rumore ambientale cambiò di colpo. Il battito sordo della pioggia nel fango sostituì il suono quasi metallico che produceva a contatto con le foglie. Ma il buio era identico e il pendio m'impediva di vedere le luci della casa.

Mi alzai e mi stirai, poi strappai una bracciata di foglie di palma dagli alberi sul bordo, le sistemai sul terreno in corrispondenza del punto d'ingresso e ci gettai sopra del fango in modo che non si spostassero. Per buona misura scavai un solco nel fango con il tacco degli stivali. Se all'alba gli uomini di Charlie avessero individuato quelle pozzanghere lunghe e strette, me ne sarei altamente sbattuto i coglioni. I casi erano due: o a quell'ora avevo portato a termine il lavoro e mi trovavo molto lontano da lì, oppure era tutto finito in merda ed era molto meglio che Carrie e Luz venissero trovate.

Partii in direzione della casa. L'elicottero doveva essere da qualche parte alla mia sinistra. Fui tentato di dirigermi da quella parte alla ricerca di un fucile. E se ci fosse stato dentro il pilota che dormiva o che ascoltava musica con le cuffie del walkman? E se avessero messo qualcuno di guardia? Molto improbabile, ma non potevo correre il rischio. L'obiettivo era quello di portarci tutti in salvo e non di fare un giro panoramico in elicottero sopra il cimitero degli alberi.

Raggiunta la sommità del pendio, vidi il bagliore della lampadina accesa nella zona delle docce. Nessun'altra luce era accesa, niente nella camera di Luz e neppure in quella di Carrie e Aaron. Ovviamente non riuscivo a vedere se la finestra da cui eravamo fuggiti era ancora aperta o no, e mai sarei andato così vicino a quel lato della casa per scoprirlo.

Perché preoccuparsene? Sarebbe stata solo una perdita di tempo. Sarei andato dal lato dove avevo la certezza di riuscire a entrare.

Ridiscesi il pendio e, evitando l'elicottero, raggiunsi l'altro lato della casa avanzando in semicerchio. In alto, ancora tuoni. Ripresi a camminare nel fango e alla fine curvai verso la sinistra della casa, raggiungendo di nuovo la cima della collinetta. Adesso avevo la luce della zona doccia alla mia destra, a malapena visibile attraverso la cortina di pioggia.

Mi avvicinai alle tinozze e percepii il ronzio del generatore. A quel punto mi buttai su mani e ginocchia e iniziai a strisciare. A contatto con la pelle nuda il fango era tiepido e poroso, quasi un sollievo per i rigonfiamenti pruriginosi che avevo sullo stomaco.

Quasi subito il ronzio venne superato dalla pioggia che batteva sui coperchi delle tinozze di plastica. Dalla casa non proveniva nessun cenno di vita e fu solo quando arrivai a livello del magazzino che riuscii a distinguere una lama di luce sotto la porta. Continuai ad avanzare e infine vidi un chiarore fioco che filtrava attraverso la zanzariera della finestra tra le due librerie. All'interno nessun movimento.

Arrivai alla fine delle tinozze e mi portai a livello della veranda e delle auto. Da lì in poi non era più necessario strisciare. Completamente ricoperto di fango mi alzai e mi avvicinai. Andai verso il Land Cruiser che adesso aveva il muso verso il sentiero che attraversava il bosco. La pioggia martellava sulla carrozzeria.

Anche se da questa distanza non sarebbero comunque riusciti a vedermi, mi nascosi da un lato e osservai i movimenti all'interno della casa. «Appostamento»: rimanere nell'ombra e osservare, un'attività che avevo imparato da giovane, nell'Irlanda del Nord, durante le lunghe ore di ronda a piedi nelle residenze dei repubblicani, guardando le persone che cenavano, stiravano, facevano sesso.

Pioggia e zanzariere offuscavano molto la visuale, ma vidi ugualmente i ventilatori in funzione vicino alle poltrone vuote. Al tavolo della cucina erano seduti tre uomini, tutti e tre con carnagione e capelli scuri, uno con la barba. I fucili erano sul pavimento. Due indossavano l'imbracatura con le giberne portacaricatori sul petto. Fumavano tutti e avevano l'aria di fare discorsi seri. Molto probabilmente stavano cercando di ricostruire come eravamo riusciti a scappare.

Di Aaron nessuna traccia.

Deviai l'acqua che colando lungo il viso mi entrava in bocca e controllai il Baby G. Tra meno di novanta minuti avrebbero scoperto che Aaron non sapeva un cazzo di niente.

Mi spostai a destra in modo da avere l'angolazione giusta per riuscire a vedere le porte delle camere. Tutt'e due chiuse. O era in una di quelle o nella stanza del computer; lo avrei scoperto presto. Ma prima dovevo controllare che il Mosin Nagant, o l'M16, fossero ancora nel Land Cruiser. Non c'era luce, né movimento, né vetri appannati in nessuno dei tre furgoni. Non c'era pericolo, potevo avvicinarmi.

Pulii la pioggia dal finestrino laterale e guardai dentro. Non vidi né i fucili né il machete, non che con quel buio potessi vedere gran che. Era un azzardo ma avrei fatto un errore fondamentale se non avessi controllato.

Mi portai dietro il mezzo e lentamente ma con decisione premetti il pulsante che apriva il vetro superiore posteriore di una decina di centimetri, quel tanto che bastava per fare accendere la luce interna. Poi mi piegai in avanti e guardai con attenzione il vano bagagli. Niente fucile, niente zaino, niente machete. Richiusi lo sportello fino al primo *clic* che fece spegnere le luci.

Mi spostai verso il magazzino per dare un'occhiata attraverso la fessura sotto la porta. Quando oltrepassai la finestra della libreria, sufficientemente lontano in modo che la debole luce non riuscisse a illuminarmi, vidi che i tre erano ancora seduti intorno al tavolo.

Mentre costeggiavo il lato della casa, il tetto in lamiera che avevo sopra la testa sembrava sottoposto a un bombardamento. Salii sul basamento di cemento. Il rumore copriva ogni cosa che poteva essere utile ascoltare. Tornai indietro, sotto la pioggia, e aggirai il barile con l'acqua. Adesso riuscivo a vedere la luce che filtrava sotto la porta del magazzino. Quando fui di nuovo sul cemento mi abbassai carponi, scrollai la testa per far cadere più acqua possibile per evitare che mi andasse negli occhi e misi a terra l'occhio destro contro la fessura.

Vidi subito Aaron. Era seduto in una delle sedie da regista sotto la luce della lampada a soffitto della stanza dei computer. Un uomo sui quarantacinque anni che indossava una camicia verde era seduto vicino a lui sull'altra sedia di tessuto. Non portava l'imbracatura. Nessun fucile in vista. Gli stava offrendo una sigaretta. Aaron accettò.

Oltre a loro, seduto al computer di Luz, c'era un uomo più giovane che mi dava la schiena. Era vestito di azzurro e portava i capelli lunghi annodati in una coda di cavallo come quella di Aaron, solo che la sua era ancora nera. I colori primari che lampeggiavano sullo schermo e i veloci movimenti del mouse mi dissero che stava giocando. Vicino a lui, appoggiato contro il tavolo, c'era un M16.

Guardai di nuovo Aaron. Aveva il naso insanguinato e gli occhi gonfi, e da quello destro usciva del sangue. Ma sorrideva all'uomo vestito di verde, forse era soddisfatto di sé per essere riuscito a farci fuggire. Fui contento che non sapesse cos'era successo in seguito.

Adesso la sigaretta era accesa e lui aspirava lunghe boccate riconoscenti. L'Uomo Verde si alzò e disse qualcosa all'Uomo Azzurro che senza distogliere l'attenzione dal gioco fece un cenno sollevando la mano libera. L'Uomo Verde andò nel soggiorno a raggiungere gli altri tre.

Bene, adesso sapevo che erano come minimo cinque e forse ce n'erano altri nelle stanze da letto. Che fare?

Per qualche minuto, sempre sdraiato sul cemento, osservai l'inattività: Aaron si gustava la sigaretta, la toglieva dalla bocca, la rigirava tra pollice e indice e faceva uscire il fumo dal naso. Cercavo un'idea che mi permettesse di liberare Aaron e impossessarmi di un fucile.

Diede l'ultima boccata, girò sulla sedia e guardò l'Uomo

Azzurro che si divertiva con il gioco di Luz, poi gettò il mozzicone sul cemento.

Merda! Cosa cazzo aveva in mente di fare?

Arretrai e scattai dietro il barile dell'acqua proprio mentre la porta si spalancava di colpo e la luce inondava la zona. Aaron spiccò il volo in mezzo al fango, seguito da urla in spagnolo.

Dal magazzino esplose la raffica prolungata di fucili automatici mentre lui correva e scivolava nel buio verso le tinozze.

Mi raggomitolai, cercando di farmi più piccolo che potevo. Dal soggiorno echeggiavano urla accompagnate dal suono di passi sulle tavole di legno.

I colpi cozzavano contro le pareti di metallo con rumori sordi e i fucili andarono fuori controllo.

Aaron era già svanito nel buio quando l'Uomo Azzurro giunse sulla soglia, urlando come un pazzo. Prese la mira e sparò una breve raffica di precisione.

Udii un rantolo seguito da lunghi ululati agghiaccianti.

Il suo dolore venne subito soverchiato da M16 che spararono attraverso la finestra tra le librerie alla mia destra, sventagliate a caso nella notte. Dalle canne uscivano lampi che creavano archi di luce stroboscopica all'esterno della finestra, mentre la zanzariera si disintegrava.

L'Uomo Azzurro urlava con tutto il fiato che aveva, molto probabilmente chiedendo di cessare il fuoco, perché fu quello che avvenne. Gli strilli in spagnolo rimbalzavano tra panico e confusione. Qualcuno era con l'Uomo Azzurro sulla soglia e si urlavano addosso come se stessero facendo una contrattazione in borsa. Dal soggiorno si unirono altre voci.

Rimasi accucciato, nascosto dietro il barile dell'acqua. L'Uomo Azzurro uscì nella pioggia in cerca di Aaron. Gli altri sparirono all'interno, continuando a urlarsi addosso.

Dovevo agire: era il momento giusto. Uscii nella pioggia dopo di lui, tenendomi a destra della porta per evitare la luce. Guardai in fretta all'interno per controllare i movimenti. Non c'era nessuno.

La pioggia negli occhi non mi faceva vedere molto. Alla debole luce del magazzino, vedevo a malapena la schiena dell'Uomo Azzurro che si avvicinava verso la sagoma scura e immobile di Aaron per terra a pochi metri. Teneva l'M16 con la destra: la canna seguiva l'andamento del polpaccio.

Ero cinque passi dietro di lui, camminavo, non volevo correre per paura di scivolare. Continuai ad avanzare, concentrato sulla sua nuca. Era più alto di me. Nient'altro importava adesso che stavo entrando nella sua zona. Avrebbe percepito la mia presenza molto presto.

Con un balzo gli fui alle spalle, leggermente sulla destra, infilai la gamba sinistra tra le sue, placcandolo; nello stesso tempo con la mano sinistra gli afferrai la faccia, tirai forte: volevo che cadesse all'indietro addosso a me. Cercavo la bocca, ma mi ritrovai con il naso umido e il caldo del fiato mentre mi urlava nella mano. Le sue mani scattarono per liberarsi dalla mia, il fucile cadde in mezzo a noi.

Senza allentare la presa, lo inarcai all'indietro e gli strattonai la testa per esporre il collo. Sollevai la mano destra sopra la testa con il palmo aperto e lo colpii di taglio con forza, mirando alla gola. Non so dove lo presi, ma crollò come un maiale al mattatoio, trascinandomi nel fango insieme con lui.

Mi liberai scalciando e mi arrampicai sopra di lui fino a trovarmi sul suo torace. Tra noi la consistenza metallica dei caricatori. Gli conficcai con forza il braccio destro sulla gola e mi ci appoggiai contro con tutto il peso del corpo. Non era morto, non ero stato così efficace. Il colpo di taglio aveva centrato i nervi che si trovano ai due lati della trachea e l'aveva messo fuori gioco per un po', niente di più.

Nessuna reazione, nessuna resistenza, ancora nessuno spasmo finale. Continuai la pressione, scrollandomi la pioggia dagli occhi. Sollevando lo sguardo potevo vedere l'interno del magazzino. Molto probabilmente gli altri erano ancora nel soggiorno che cercavano di farsi una ragione del brutto casino con cui adesso si trovavano a fare i conti. Aspettavano che la testa di cazzo che si era fatto scappare Aaron rientrasse trascinandosi dietro il cadavere.

Abbassai lo sguardo: teneva gli occhi chiusi e non opponeva nessuna resistenza. Mollai la presa e gli avvicinai l'orecchio alla bocca. Nessun respiro. Feci un ulteriore controllo tastando con indice e medio della mano destra le pulsazioni della carotide. Niente.

Rotolai via da lui e cercai Aaron. Quando gli tastai il corpo per trovare il collo, le mani mi si coprirono di sangue tiepido. Anche lui era morto. Frugai nel fango alla ricerca del fucile, poi iniziai a togliere all'Uomo Azzurro l'imbracatura con i caricatori. Lo voltai e sganciai la chiusura sulla schiena, poi sfilai le cinghie dal collo e dalle spalle. Quando tirai, le braccia si sollevarono senza vita nel vuoto.

Con l'imbracatura pesante per i caricatori contenuti nelle sue tasche in una mano e con l'M16 nell'altra, raggiunsi correndo il retro della casa che mi offriva copertura e luce e posai il fucile sul lavandino. Anche le farfalle notturne avevano trovato un riparo dalla pioggia e svolazzavano vicino alla luce sul muro tra il lavandino e la doccia. Presi fiato, sapevo di non avere molto tempo, di lì a poco sarebbero usciti a vedere perché il loro amico ci metteva così tanto. 'Fanculo l'elicottero. Se dentro c'era ancora qualcuno, doveva essere sordo.

Con il sangue di Aaron che mi gocciolava dalle dita estrassi un caricatore da trenta colpi e premetti il pollice all'interno per assicurarmi che fosse pieno. Per i miei gusti trenta colpi erano troppi; tolsi la cartuccia in alto e schiacciai verso il basso per controllare che la molla avesse fatto il suo lavoro. Premetti la leva di sgancio sulla destra e tolsi il caricatore usato, poi feci scivolare quello nuovo nell'apposita apertura rettangolare, fino a sentire il *clic* che indicava l'aggancio, e lo scrollai per controllo. Armai il fucile: la pioggia che picchiava contro la lamiera rese il rumore appena percettibile.

Il colpo in canna volò nel fango, sostituito da uno del

nuovo caricatore; operazione non strettamente necessaria, ma vedere il colpo entrare in canna mi faceva sempre sentire meglio.

Misi l'arma in sicura. Velocemente controllai gli altri tre caricatori nelle giberne dell'imbracatura di nylon. Se mi fossi trovato nei casini e fossi stato obbligato a cambiare il caricatore non volevo correre il rischio d'infilarne uno mezzo vuoto. Per farlo impiegai alcuni preziosi secondi, ma ne valeva sempre la pena.

Indossai l'imbracatura, passando le cinghie sulle spalle e intorno al collo: le taschette dei caricatori erano di traverso sul torace. Per calmare il battito cardiaco continuavo a respirare forte, senza mai smettere di restare in ascolto delle urla che mi avrebbero comunicato che l'Uomo Azzurro era stato ritrovato.

Gli ansimi si affievolirono e mi preparai mentalmente. Estrassi un caricatore dall'imbracatura e lo tenni con la mano sinistra, la parte curva rivolta verso l'esterno in modo che fosse pronto da infilare nell'incastro se avessi esaurito l'altro. Poi afferrai il calcio, reggendo tutto con la sinistra.

Con il pollice spostai il selettore del tipo di fuoco oltre il primo scatto – colpi singoli – e poi fino ad automatico. Tenendo l'indice sul ponticello, mi spostai di nuovo sotto la pioggia, in direzione dell'elicottero, per arrivare all'angolo nel buio e da lì in direzione di Aaron e dell'Uomo Azzurro. I cadaveri erano dove li avevo lasciati, immobili nel fango, uno vicino all'altro, e la pioggia rimbalzava in piccole pozzanghere intorno a loro. Guardai nel magazzino, ma ancora non vidi niente tranne l'immagine confusa sul monitor di Luz.

Mentre avanzavo udii ancora dei tuoni ma non vidi lampi. Tenevo il calcio sulla spalla, l'arma in avanti, gli occhi ben aperti. Rallentai il respiro. Era di nuovo tempo di entrare in azione.

Feci un passo sul cemento, nella luce del magazzino. Avanzai evitando la brandina da campo e sollevando a ogni passo i piedi bene in alto per evitare di calpestare le lattine vuote, il riso rovesciato e le altre schifezze sparpagliate sul pavimento. Occhi in avanti, arma pronta.

Sentivo che erano nella zona della cucina e sentii anche l'odore delle sigarette. La discussione era infuocata: tutti quanti, nessuno escluso, quel giorno avevano fatto solo immense cazzate.

Ci furono dei movimenti, una sedia che strisciava, stivali che si dirigevano verso la stanza dei computer. M'immobilizzai, avevo gli occhi spalancati ma la vista appannata a causa della pioggia. Il polpastrello dell'indice era sul grilletto. Aspetta, aspetta...

Sarei stato in posizione di vantaggio solo per un paio di secondi. Passati quelli, se avessi sbagliato mossa, sarei diventato storia.

Comparvero gli stivali. L'Uomo Verde. Si voltò, mi vide, il suo urlo venne interrotto dallo sparo. Cadde all'indietro nel soggiorno.

Come se avessi inserito il pilota automatico attraversai la soglia scavalcando il corpo e fui dentro la stanza piena di fumo. Erano in preda al panico, urlavano, gli occhi stravolti dal terrore, e cercavano di raggiungere i fucili.

Mi spostai a sinistra, nell'angolo, con entrambi gli occhi aperti, e sparai brevi raffiche, mirando alla massa in movimento. I bossoli vuoti e caldi rimbalzavano sul muro a destra e poi dietro di me prima di ricadere sul pavimento tintinnando uno sull'altro. Sparai ancora... niente.

« Fermo! Fermo! » Caddi sulle ginocchia per offrire un bersaglio più ridotto.

Era come se il mio mondo si muovesse al rallentatore. Con un colpetto girai il fucile a sinistra in modo che la finestra di espulsione fosse visibile. L'otturatore non era in vista, bloccato all'indietro. Guardai dentro, nessun colpo nel caricatore, nessun colpo in canna. Adesso tenevo gli occhi fissi al pericolo che avevo davanti.

Premetti la leva di sgancio e il caricatore vuoto, cadendo, mi urtò la gamba. Due corpi erano in azione, uno in movimento con un fucile, l'altro in ginocchio che cercava di sganciare la sicura. Presi di mira quello. La foschia causata dalla cordite si stava mescolando al fumo spesso delle sigarette e il suo gusto amaro mi artigliava la gola.

Girai il fucile sulla destra per avere davanti la scatola del caricatore, quello nuovo era ancora nella sinistra, lo inserii, lo spinsi in posizione e con la mano abbattei con forza la leva di blocco. Il carrello di scorrimento venne in avanti, misi un colpo in canna, portai il fucile alla spalla, la canna sul bersaglio e, ancora in ginocchio, feci fuoco.

Un altro caricatore ed era tutto finito.

C'era silenzio quando ricaricai, se si esclude la pioggia che batteva sul tetto e il bollitore che fischiava sul fuoco. Sul pavimento c'erano due cadaveri; un altro era accasciato sul tavolo con il ghigno dell'uomo morto.

Rimasi sulle ginocchia e controllai la carneficina. Il fetore acre della cordite mi riempiva le narici. Mescolato con il fumo di sigaretta dava l'impressione che una macchina di ghiaccio secco fosse in funzione e coprisse i cadaveri, alcuni ancora con gli occhi aperti, altri no. Sul pavimento non c'era ancora molto sangue, ma quando i corpi avessero cominciato a rilasciarlo sarebbe aumentato.

Mi guardai in giro. Avevo sistemato tutti, ma dovevo ancora controllare le camere da letto.

Mi alzai con il fucile in spalla, tre brevi raffiche contro la porta della camera di Luz, poi entrai con forza, stesso procedimento per la camera di Carrie e Aaron. Non c'era nessuno e la finestra in camera di Luz adesso era chiusa.

Andai in cucina. Sul pavimento c'era una poltiglia di sangue misto a fango.

Mi avvicinai ai fornelli, scalciando le lattine vuote per terra, e tolsi il bollitore dal fuoco. Mi preparai un tè con una bustina che trovai in una scatola di latta. Aveva profumo di bacche. Aggiunsi zucchero di canna e mescolando andai nella stanza dei computer, dando un calcio a un fucile. Trascinai il corpo insanguinato dell'Uomo Verde lontano dalla porta; i bossoli vuoti tintinnarono quando il corpo li urtò. Entrai nella stanza dei computer e chiusi la porta alle mie spalle.

Mi misi a sedere su una delle sedie da regista e lentamente presi a sorseggiare il liquido dolce e bollente. Feci cadere un paio di bossoli che mi erano rimasti impigliati fra il torace e l'imbracatura. Le mani cominciavano a tremarmi un po' e in silenzio ringraziai tutti gli anni passati ad allenarmi con le armi che mi avevano insegnato a eseguire istintivamente le operazioni di ricarica.

Sollevai la tazza per scolare le ultime gocce, mi alzai e andai in camera di Aaron e Carrie. Mi tolsi l'imbracatura e m'infilai una vecchia felpa nera di cotone che sul davanti aveva la scritta ADIDAS un po' scolorita.

Era il momento di togliere Aaron dal fango. Misi di nuovo l'imbracatura, tolsi dal letto le lenzuola color porpora e con il fucile in mano mi diressi verso il Land Cruiser. Controllai che le chiavi fossero ancora all'interno, abbassai il sedile posteriore per accogliere Carrie, poi salii nel Mazda e misi in moto.

I fari rimbalzarono in su e in giù mentre ballonzolavo nel fango in direzione di Aaron. Non fu facile recuperarlo, ma alla fine riuscii a sistemarlo nella parte posteriore del Mazda e lo avvolsi nelle lenzuola. Mentre con un angolo gli coprivo il viso gli mormorai il mio silenzioso grazie.

Chiusi il baule, lasciai l'auto dove si trovava, quindi trascinai l'Uomo Azzurro e lo nascosi dietro le tinozze prima di tornare verso casa. Spensi le luci nel soggiorno e chiusi la porta prima di dare un calcio ai bossoli dell'Uomo Azzurro mandandoli a infilarsi sotto la scrivania e gli scaffali del magazzino. Luz non doveva vedere niente di tutto questo: per quel giorno aveva visto abbastanza. Sapevo quello che succede ai bambini quando vengono a contatto con quel genere di porcherie.

Per ultimo, utilizzando una torcia che avevo preso dai ripiani del magazzino, trascinai la branda sotto la pioggia e la gettai nel retro del Land Cruiser. Ci stava appena. Poi mi diressi verso il cimitero degli alberi.

37

A OGNI colpo i tergicristallo spazzavano il fiume d'acqua che si riformava immediatamente, ma riuscii a individuare comunque il punto d'ingresso.

Il Land Cruiser si scontrò con una radice, si sollevò e sbandò verso sinistra e quando ricadde i fari illuminavano i segni delle foglie di palma.

Lasciai i fari e il motore accesi, afferrai la torcia e mi precipitai sul retro a prendere la branda. L'alzai per una gamba e me la trascinai dietro aprendomi un varco tra gli alberi.

« Luz! Dove siete? Luz! Sono io, Nick, rispondi! »

Illuminai con la torcia un'ampia zona ma vidi solo il riflesso delle foglie bagnate. « Luz! Sono io, Nick. »

« Siamo qui! Siamo qui! Vieni, Nick, ti prego, Nick! »

Girai a destra e avanzai verso di lei, strattonando la branda rimasta impigliata in un cespuglio di *wait-a-while* che voleva fare un po' di amicizia. Ancora pochi metri e il fascio di luce si posò su Luz, fradicia, accucciata accanto alla testa della mamma, i capelli appiccicati al viso e tutta tremante. Carrie era sdraiata sotto di lei, soffriva, ed era coperta di foglie marce. Quando vide il viso di Luz illuminato dalla torcia, sollevò una mano per sistemarle i capelli. « Va tutto bene, bambina, va tutto bene, ora andiamo a casa. »

Trascinai la branda vicino a loro e ispezionai il lavoro alla gamba. Non era buono come avrebbe dovuto: forse non meritavo la medaglia del pronto soccorso. Sopra gli alberi i tuoni ripresero a rombare.

« Dov'è papà? È a casa, vero? »

Strizzando gli occhi contro la luce, Luz, dall'altro lato della mamma, sollevò verso di me il viso arrossato dalla pioggia e dalle lacrime.

Abbassai gli occhi e mi concentrai sulla medicazione,

sollevato che le condizioni atmosferiche, la distanza e la giungla avessero assorbito il rumore delle raffiche. Non sapevo che cosa dire.

«No, è andato a chiamare la polizia...»

Carrie tossì e contorse il volto esangue in una smorfia stringendosi al petto la figlia. Mi guardò interrogativa al di sopra della sua testa. Chiusi gli occhi, mi puntai addosso il fascio di luce e con la testa feci segno di no.

A occhi serrati lasciò cadere indietro la testa e urlò. La testa di Luz sobbalzava sul suo petto scosso dai singhiozzi. Convinta che si trattasse di dolore fisico, Luz tentò di distrarre la mamma. «Va tutto bene, mamma, Nick ci porterà a casa. Va tutto bene.»

Avevo fatto tutto quello che potevo per la medicazione. «Luz, ho bisogno del tuo aiuto per mettere la mamma sulla branda.» Spostai appena la luce per illuminarla senza abbagliarla e vidi il suo viso spaventato che annuiva mentre la pioggia le scorreva addosso. «Bene. Mettiti dietro la testa della mamma e, quando te lo dico, voglio che tu la sollevi prendendola sotto le ascelle. Contemporaneamente io le solleverò le gambe e così la mettiamo sulla branda con un unico gesto. Hai capito?»

Puntai la torcia su Carrie, e Luz si mise in posizione dietro la testa della mamma. Carrie continuava a pensare ad Aaron. Per quanto male le facesse la gamba era niente in confronto all'altro dolore. «Va bene. Metti le braccia sotto le ascelle.» Carrie cercò a fatica di sollevarsi per aiutare la figlia.

Infilai la torcia nel fango. Il fascio di luce illuminò il tetto di foglie e la pioggia schizzò sul vetro di protezione. In ginocchio, feci scivolare un braccio sotto le reni e l'altro sotto le ginocchia. «Luz, ora conto fino a tre... sei pronta?»

I tuoni echeggiavano sopra il tetto di foglie.

Una vocina compunta rispose: «Sì, sono pronta».

Guardai quello che riuscivo a vedere del viso di Carrie. «Sai che sarà doloroso, vero?»

Annuì e chiuse gli occhi, respirando veloce.

«Uno, due, tre... via, su, su.»

Le sue urla riempirono la notte. Luz era spaventata. Carrie era ricaduta più pesantemente di quanto avessi desiderato, ma per lo meno quella fase era finita. Non appena fu sdraiata iniziò a fare brevi respiri a denti stretti mentre Luz continuava a consolarla. «Va tutto bene, mamma, va tutto bene... sstt.»

Estrassi la pila dal fango e la sistemai sulla branda vicino alla gamba sana di Carrie in modo che facesse luce verso l'alto, creando ombre da film dell'orrore sui loro volti. «Il peggio è passato.»

«Va tutto bene, mamma, hai sentito? Il peggio è passato.»

«Luz, afferra la tua parte e solleva appena, mentre io solleverò da questa, hai capito?»

Scattò in piedi, quasi sull'attenti, poi afferrò le maniglie di alluminio piegandosi sulle ginocchia.

«Pronta? Uno, due, tre, via, su, su.»

Quando la branda si trovò a una quindicina di centimetri da terra iniziai subito ad avanzare all'indietro tra la vegetazione, seguendo la direzione indicata dai piedi di Carrie. I tuoni coprirono i suoi singhiozzi. Luz pensò che si trattasse solo di dolore fisico. «Fra poco vedremo papà. Va bene, mamma.»

Carrie non riuscì più a trattenersi e si mise a piangere forte in mezzo al temporale.

Continuavo a voltarmi indietro e presto vidi i fari del Land Cruiser che penetravano attraverso le foglie. Dopo pochi passi ci trovammo all'aperto.

Sotto una pioggia inesorabile sollevammo Carrie nella parte posteriore del veicolo, come un malato nell'ambulanza, con le gambe che uscivano dal portellone. «Devi stare con la mamma e tenerla forte in caso di qualche sobbalzo. Hai capito?»

Questo non sarebbe stato un problema. Carrie tirò a sé la figlia e continuò a piangere tra i suoi capelli bagnati.

Guidavo lentamente in direzione della casa. La luce dei

fari penetrava attraverso la pioggia e si rifletteva sul plexiglas e sul rivestimento lucido dello Huey. Le pale erano piegate come se la pioggia le avesse infiacchite.

Arrivammo alla porta del magazzino. Carrie stava ancora ricevendo parole di conforto da Luz. Ci volle più tempo del previsto per portarla dentro. L'unica soddisfazione era prendere a calci le lattine vuote senza dovermi preoccupare che qualcuno sentisse. Ondeggiando con la branda entrammo nella luce della stanza dei computer. Carrie non aveva un bell'aspetto, i vestiti erano bagnati e sporchi di sangue, la pelle irritata, i capelli incollati, gli occhi rossi, ed era coperta dalla testa ai piedi dalle foglie marcite.

Come la posammo sul pavimento vicino ai due computer, mi rivolsi a Luz. « Vai a spegnere i ventilatori. »

Fu stupita dalla richiesta ma obbedì. I ventilatori avrebbero fatto evaporare più velocemente l'umidità, producendo una sensazione di freddo. Già così Carrie era in pericolo di shock.

Non appena Luz si mosse, Carrie mi attirò a sé sussurrando: « Sei sicuro che sia morto? Ti prego... ho bisogno di sapere ».

Luz tornò, io guardai Carrie negli occhi e feci cenno di sì con la testa. Non ebbe reazioni: si limitò a lasciarmi andare e fissò i ventilatori che rallentavano.

Per quel dolore non potevo ancora fare nulla, ma potevo fare qualcosa per quello fisico. « Resta con la mamma, ha bisogno di te. »

La valigia dei medicinali, anche se era stata aperta e alcuni prodotti si erano sparpagliati, era ancora sullo scaffale. Raccolsi i vari pezzi e li riposi nel contenitore, poi m'inginocchiai vicino alla branda e cercai qualcosa che potesse essere utile. Aveva perso molto sangue, ma non riuscii a trovare soluzione fisiologica o set per trasfusioni.

« Luz, sono tutti qui i medicinali che avete? »

Annuì, tenendo per mano la mamma e serrando le dita. Pensai che molto probabilmente per i casi gravi o per gli incidenti si affidavano a un elicottero. Ma quella notte non sarebbe accaduto, non sotto quel diluvio che, se non altro, avrebbe tenuto a bada anche Charlie. Finché avesse continuato a piovere così non avrebbe potuto arrivare dal cielo a scoprire come mai si erano interrotti i contatti.

Trovai la deidrocodeina sotto gli scaffali. L'etichetta diceva di assumere una compressa al bisogno, ma lei ne avrebbe prese tre, più un'aspirina che stavo facendo uscire dal blister. Senza che nessuno lo chiedesse, Luz annunciò che andava a prendere una bottiglia di Evian. Carrie, che desiderava ardentemente qualcosa per calmare il dolore, inghiottì con avidità. Con quella roba in corpo nel giro di pochissimo sarebbe stata nel mondo dei sogni. Ma al momento stava fissando l'orologio appeso al muro. «Nick, domani, alle dieci in punto...» Si rivolse a me con espressione implorante.

«Ci sono altre cose più importanti da fare prima.»

Lacerai l'involucro di cellofan di una garza e cominciai a sostituire la cintura e i pezzi di felpa a forma di otto intorno ai piedi. Doveva essere stabilizzata. Dopo di che dovevamo andarcene di lì prima che il tempo migliorasse e Charlie mettesse in moto gli elicotteri. Anche se avesse smesso di piovere a metà strada verso Chepo, gli elicotteri avrebbero potuto intercettarci durante il tragitto.

«Dov'è la clinica di Chepo?»

«Non è proprio una clinica, sono persone del Corpo della Pace e...»

«Sono in grado di operare?»

«In un certo senso.»

Premetti la pianta e le dita dei piedi e osservai l'impronta che rimaneva per un paio di secondi finché non riprendeva la circolazione sanguigna.

«Duemila persone, Nick. Devi parlare con George, devi fare qualcosa. Se non altro per Aar...»

Luz tornò con la bottiglia dell'acqua e aiutò la mamma a bere.

Non toccai la medicazione sopra la ferita, e neppure le foglie che aveva tra le gambe; mi limitai a far salire gradualmente la benda alta dieci centimetri che aveva sotto. Volevo trasformarla in una mummia egiziana dai piedi sino ai fianchi. Carrie fissava indifferente i ventilatori ormai fermi.

Mi feci aiutare da Luz a sollevare le gambe della madre in modo da far passare la benda. Carrie urlò, ma andava fatto. Riuscì a calmarsi e mi guardò dritto negli occhi. «Parla con George, parlate la stessa lingua. Non ascolterà mai me, non lo ha mai...»

Luz era in ginocchio e come al solito teneva la mano della mamma. «Cosa succede, mamma? Viene il nonno ad aiutarci?»

Carrie mi fissò e borbottò a Luz: «Che ore sono, bambina?»

«Le otto e venti.»

Carrie le strinse la mano.

«Cosa succede, mamma? Voglio papà. C'è qualcosa che non va?»

«Siamo in ritardo... Devo collegarmi con il nonno... Sarà preoccupato... Parlagli, Nick. Ti prego, devi farlo...»

«Dov'è papà? Voglio papà.» Stava perdendo il controllo. Carrie le stringeva la mano. «Presto, bambina, ma non ancora... Collegati con il nonno...» Poi staccò lo sguardo dalla figlia e parlò con voce improvvisamente molto calma. «Prima Nick deve andare a fare qualcosa per noi e per se stesso. Io posso aspettare, Chepo non è così lontana.» Con gli occhi semichiusi e vitrei mi fissò per qualche istante, poi poggiò la testa sulla branda, la bocca aperta. Ma non parlò. In silenzio i suoi occhi grandi, umidi e irritati mi fissavano imploranti.

Luz si alzò e andò al computer. «Vedremo presto papà, vero?»

Carrie non riusciva a voltare la testa abbastanza da vederla. «Collegati con il nonno.»

«No, non ancora», intervenni. «Lancia un motore di ricerca, Google o qualcosa del genere.» Mi guardarono tutt'e due come se fossi matto. I miei occhi andarono da una all'altra. «Fallo e basta, fidati.»

Dall'altra parte della stanza Luz stava già pestando sulla tastiera del suo PC quando Carrie mi fece cenno di avvicinarmi.

«Cosa?» Mi arrivarono l'odore del fango che le incrostava i capelli e il suono del modem.

Mi fissò, aveva le pupille quasi completamente dilatate. «Kelly, quel tipo che dice sempre sì. Devi fare qualcosa...»

«È a posto, ho già provveduto, almeno per il momento.»

Sorrise come un ubriaco.

«Ci sono, Nick, ho Google.»

Mi avvicinai, mi sedetti al suo posto e scrissi «missile *Sunburn*».

Vomitò duemila risultati e già il primo che cliccai era terribile da leggere. Il missile sea-skimming 3M82 Moskit, progettato e costruito dai russi (codice NATO, SS-N-22 «Sunburn»), adesso si trovava anche nelle mani dei cinesi. Il disegno riproduceva un missile normale, a forma di razzo, abbastanza sottile, con alette alla base e altre più piccole a circa metà dei dieci metri di lunghezza. Poteva essere lanciato da una nave o da una rampa mobile che sembrava presa dal set di *Thunderbirds*.

C'era anche l'analisi di un esperto di armamenti:

Il missile anti-nave Sunburn è forse il più letale del mondo. Il Sunburn combina una velocità Mach 2.5 con un profilo di volo molto basso che utilizza manovre terminali molto violente per vanificare la difesa. Dopo aver individuato il Sunburn, il sistema antimissile Phalanx dell'US Navy ha solo 2,5 secondi per calcolare il puntamento e aprire il fuoco prima dell'impatto, quando il missile si solleva e punta diretto sul ponte del bersaglio con il devastante impatto di una testata da 350 kg. Con una portata di 150 km, il Sunburn...

«Devastante» non era la parola esatta. Dopo l'esplosione iniziale, che avrebbe sciolto chiunque nelle immediate vicinanze, qualsiasi cosa colpita dall'esplosione sarebbe diventata un missile secondario, al punto che un vassoio di metallo avrebbe potuto decapitare qualcuno a velocità supersonica.

Era quanto avevo bisogno di sapere.

Mi alzai dalla sedia e mi avvicinai alle altre due. «Luz, adesso puoi collegarti con il nonno.»

38

MI ACCUCCIAI accanto a Carrie. « Quel *banjo* di cui parlavi, è un fiume? È per questo che hanno una barca? »

I medicinali stavano facendo effetto. « *Banjo?* »

« No, no... da dove venivano l'altra sera, ricordi? Si tratta di un fiume? »

Annuì, faceva fatica ad ascoltare. « Oh, il Bayano? È a est, non è lontano. »

« Sai dove si trovano esattamente? »

« No, ma... ma... »

Con la testa mi fece cenno di avvicinarmi di più. Parlò con voce tremante cercando di trattenere le lacrime. « Aaron è nell'altra stanza? »

Scossi la testa. « È nel Mazda. »

Tossì e cominciò a piangere in silenzio. Non sapevo cosa dire: avevo la testa vuota.

« Nonno! Nonno! Devi aiutarci... C'erano quegli uomini, mamma è ferita e papà è andato a chiamare la polizia! » Si stava agitando. Mi avvicinai a lei. « Va' ad aiutare la mamma, su. »

La testa e le spalle di George erano di fronte a me nel riquadro quindici per quindici, al centro dello schermo. Proprio come la notte precedente, la definizione non era eccellente, soprattutto ai bordi, ma potevo vedere con chiarezza il vestito scuro e la cravatta scura sopra la camicia bianca. Collegai le cuffie e le indossai in modo che nessuno potesse ascoltare attraverso il metallico altoparlante interno. Se erano riusciti a tenere Luz fuori della storia fino a quel momento, non vedevo il motivo di cambiare le cose. « Chi sei? » La sua voce era lenta e controllata al di sopra dei fruscii.

« Nick. Finalmente puoi dare un volto a un nome, giusto? »

«Come sta mia figlia?» Il suo viso, dalla mascella quadrata molto americana, non tradiva traccia di emozioni.

«Ha un femore fratturato, ma niente di grave. Devi organizzare per lei qualcosa a Chepo. Devi mandare qualcuno a prenderla al Corpo della Pace. Io...»

«No. Portale tutt'e due all'ambasciata. Dov'è Aaron?» Se era preoccupato non lo dava a vedere.

Guardai alle mie spalle e vidi che Luz era vicino alla madre, ma a portata d'orecchio. Mi voltai e borbottai: «Morto».

Tenevo gli occhi fissi allo schermo ma non notai nessun cambio di espressione né sul viso né nella voce. «Ripeto, portale all'ambasciata, del resto mi occupo io.»

Scossi lentamente la testa, fissavo lo schermo e lui, impassibile, restituiva lo sguardo. Mantenni la voce bassa. «So quello che sta accadendo, George. Lo sa anche Choi. Non puoi permettere che l'*Ocaso* venga colpita. Hai idea di quante persone ci saranno? Persone come Carrie, come Luz... persone reali. Devi fermarli.»

Finché non prese respiro i suoi lineamenti non si spostarono di un millimetro. «Ascolta bene, figliolo, non intrometterti in cose che non puoi capire. Devi fare solo quello che ho detto. Porta mia figlia e Luz all'ambasciata, e fallo subito.»

Non aveva negato. E non aveva chiesto: «Cos'è l'*Ocaso*?»

Dovevo finire il mio pezzo. «Fermali, George, o raggiungerò chiunque voglia starmi ad ascoltare. Annulla l'operazione e starò zitto per sempre. È semplice.»

«Non posso farlo, figliolo.» Si sporse in avanti come se volesse venire più vicino per intimidirmi. Il suo viso riempiva tutto lo schermo. «Raggiungi pure chi vuoi, tanto non ti staranno a sentire. Sono troppe le persone coinvolte, troppe *agendas*. Ti stai inoltrando in un terreno che non sei in grado di capire.»

Si spostò indietro e cravatta e camicia tornarono nello schermo. «Ascolta molto bene, ti dico io cos'è semplice.

Portale all'ambasciata e basta, aspetta lì. Posso farti avere dei soldi, se ti può essere di aiuto.» Fece una pausa per accertarsi che riuscissi a cogliere in pieno il messaggio. «Se non lo fai? Devi credermi sulla parola, il tuo futuro non sarà brillante. Segui le istruzioni, portale all'ambasciata e non farti trascinare dentro qualcosa di così grosso che potrebbe spaventarti.»

Ascoltai, ben sapendo che non appena avessi oltrepassato quei cancelli sarei diventato storia. Sapevo troppo e non facevo parte della famiglia.

«Ricorda, figliolo, troppe *agendas*. Non sapresti mai con certezza con chi stai parlando.»

Scuotendo la testa mi tolsi le cuffie e mi voltai verso Carrie stringendomi nelle spalle per la rabbia.

«Fammi parlare con lui, Nick.»

«Non ne vale la pena, sente ma non ascolta.»

«Duemila persone, Nick, duemila persone...»

Mi avvicinai e afferrai un lato della branda con entrambe le mani. «Luz, abbiamo bisogno di coperte e acqua per la mamma. Radunale nel magazzino per il viaggio.»

Tirai indietro la branda in modo che Carrie fosse abbastanza vicina alle cuffie, gliele misi sulla testa e spostai anche il microfono in modo che si trovasse vicino alla sua bocca. Sopra di noi il viso di George dominava lo schermo, in attesa di una mia risposta.

«Ciao, sono io.»

Il viso sullo schermo era impassibile, ma vidi che muoveva le labbra.

«Io vivrò... tutte quelle persone no, se non fai qualcosa per annullare gli ordini.»

Per diversi secondi la bocca di George continuò a muoversi, il resto del viso era immobile. Discuteva, razionalizzava, molto probabilmente dava ordini. L'unica cosa che non faceva era ascoltare.

«Solo per una volta, una volta nella vita... non ti ho mai chiesto niente. Neanche il passaporto è stato un regalo, era soggetto a condizioni. Devi fermarli. Fermarli subito...»

Guardai George che parlava con espressione fredda e inflessibile. Adesso era Carrie che doveva ascoltare. Con gli occhi pieni di lacrime si tolse lentamente le cuffie e le lasciò cadere sul petto.

« Stacca tutto... chiudi... È finita... la comunicazione è chiusa. »

Era un problema loro, perché George aveva già interrotto il collegamento. Il riquadro si era chiuso. E questo perché doveva collegarsi con gli uomini che avevano il missile utilizzando il relais.

Guardai il soffitto, seguendo il percorso dei fili neri che dai dischi, passando dietro i pannelli di compensato, arrivavano sotto la scrivania dove assumevano l'aspetto di un piatto di spaghetti mescolandosi ai fili bianchi, e poi lottavano tra loro per arrivare ad alimentare le macchine.

Scivolai sotto il piano di lavoro e cominciai a strappare tutto quanto era attaccato a qualcosa, mentre urlavo a Carrie: « Dov'è il pannello dei relais? Sai dove si trova? »

Ottenni una debole risposta. « La scatola azzurra. Vicino a te, da qualche parte. »

Luz tornò nella stanza e si avvicinò alla mamma.

Sotto la massa di fili elettrici e oggetti di cancelleria trovai la scatola azzurro scuro in metallo scrostato. Era quadrata, trenta centimetri di lato e alta dieci. Era collegata da tre cavi coassiali, due in entrata e uno in uscita. Li strappai tutti e tre.

Sentii un borbottio alle mie spalle. Mi voltai appena in tempo per vedere Luz che si stava dirigendo verso la porta che dava nel soggiorno. « Ferma! Resta dove sei! Non ti muovere! » Balzai in piedi e mi avvicinai per afferrarla. « Dove stai andando? »

« Solo a prendere dei vestiti. Scusa... » Si voltò verso la madre per cercare aiuto. Mollai la presa in modo che andasse vicino alla mamma e, mentre mi voltavo per seguirla con lo sguardo, mi accorsi che sotto la porta stava filtrando del sangue. Mi precipitai nel magazzino e afferrai la prima cosa che potesse essermi utile, un sacco di plastica da venti chili di riso mezzo vuoto che si era rovesciato. Lo presi e lo collocai come un sacchetto di sabbia ai piedi della porta. «Non puoi andare di là, potrebbe essere pericoloso, potrebbe esserci un incendio. Le lampade a olio sono cadute per colpa dell'elicottero, è ovunque. Tra un secondo andrò io a prendere la roba.»

Tornai sotto il tavolo e continuai a strappare tutto quello che era attaccato a qualcosa, poi tesi l'orecchio per assicurarmi che stesse ancora piovendo.

«Adesso vado a prenderti i vestiti, Luz, tu resta qui, d'accordo?»

Quando aprii la porta e scavalcai il sacchetto del riso per poco non vomitai. L'odore di cordite era svanito per lasciare il posto a quello della morte, come quello di una macelleria. Dopo aver richiuso la porta accesi la luce. I quattro corpi giacevano tra schegge di legno e vetri rotti, e il sangue sul pavimento di legno era coagulato in spesse pozze scure.

Cercai di evitare d'inciampare su qualcosa mentre andavo a prendere i vestiti di ricambio per Luz e una felpa per Carrie. Aprii la porta e li gettai nella stanza dei computer. «Cambiati e aiuta la mamma. Io resto qui.»

Mettendo i piedi in modo da evitare il sangue sfilai un'imbracatura sotto l'Uomo Verde. Doveva averla trascinata giù dal tavolo mentre cadeva. Grondava sangue. Ma questo non era importante, contavano solo i caricatori che c'erano dentro.

Tirai via anche le altre imbracature. Anche queste erano fradice, e alcuni caricatori erano stati colpiti dagli spari. Il nylon si era lacerato, portando alla luce il metallo contorto e pezzetti di ottone.

Recuperai tre imbracature piene di caricatori intatti e i miei documenti sul pavimento. Dai cinque cadaveri prelevai anche duecentododici dollari sporchi di sangue. Questo mi fece sentire meno nudo. Li misi al sicuro nella tasca applicata dei pantaloni, poi cercai nella libreria una cartina di Chepo e del Bayano.

Trovai quello che stavo cercando. Aveva ragione lei: si trovava a est di Chepo.

Non c'era tempo per riflettere, dovevamo andare via. Le condizioni atmosferiche potevano migliorare da un momento all'altro. Se al Corpo della Pace non fossero stati in grado di fare qualcosa per lei, quanto meno avrebbero potuto portarla in città.

Andai di fretta nella veranda e sotto la magnifica pioggia anti-elicottero. Arrivato al Land Cruiser mollai l'attrezzatura nello spazio davanti ai sedili e infilai l'M16 tra il sedile del passeggero e la porta, che poi richiusi. Non mi spiegavo il perché, ma non volevo che Luz lo vedesse.

Andai dall'altra parte e controllai il carburante. Circa mezzo serbatoio. Afferrai la torcia e mi diressi verso il Mazda. Alzai il portellone e il fascio di luce illuminò le lenzuola macchiate di sangue che coprivano Aaron. Vidi anche le taniche fissate sul fondo. Saltai su di fianco a lui, e gli stivali scivolarono su una pozza del suo sangue. L'odore nauseante e dolciastro era tremendo, come quello dentro la casa. Per recuperare l'equilibrio gli poggiai una mano sullo stomaco. Era ancora morbido. Trascinai fuori uno dei pesanti contenitori e sbattei con forza il portellone.

Svitai il tappo della benzina del Land Cruiser e tirai indietro il becco della tanica. La pressione interna uscì con un sibilo. Frettolosamente versai il carburante dentro il serbatoio, schizzando la fiancata del veicolo e bagnandomi le mani.

Quando la tanica fu vuota chiusi il tappo e gettai il contenitore di metallo nello spazio tra i sedili sopra i caricatori. Poteva essermi utile in seguito.

39

TORNAI verso il bagliore della stanza dei computer dopo essermi assicurato che il fango avesse coperto il sangue sopra i Timberland. Controllai anche che il sacchetto del riso facesse ancora il suo dovere.

Carrie stava fumando, e quando mi avvicinai non ebbi bisogno di un cane poliziotto per capire che cosa. Luz era seduta sul pavimento accanto alla branda e accarezzava la fronte della mamma mentre osservava il fumo che fluiva dalle sue narici. Se disapprovava non lo dava a vedere.

Carrie con gli occhi lucidi e intontiti fissava il ventilatore immobile mentre la figlia continuava a massaggiarle la fronte sudata. Mi accucciai ai suoi piedi e li pizzicai. Il flusso sanguigno c'era ancora.

Mi alzai e guardai Luz. « Te l'ha detto la mamma dove prenderla? » La domanda sulla marijuana non era pertinente e non sapevo perché l'avevo fatta; tanto per dire qualcosa, credo. Senza muovere la testa girò gli occhi verso di me. « Come se... ma è la cosa giusta, oggi. »

Carrie tentò di sorridere, ma le uscì solo un rantolo di tosse.

Mi chinai, raccolsi un rotolo di benda dal pavimento e lo infilai in tasca. « È ora di andare. »

Luz annuì mentre Carrie dava ancora una lunga tirata alla canna.

« Via, su, portiamo tua mamma fuori di qui. »

Entrambi avevamo afferrato la branda, Luz dalla parte dei piedi.

« Pronta? Uno, due, tre. Via, alza, su. »

Io dirigevo mentre lei strisciava all'indietro, passando attraverso le schifezze sul pavimento del magazzino. Sguazzammo nel fango e la facemmo scivolare ancora una volta all'interno del furgone, con la testa in avanti. Mandai Luz indietro a prendere le coperte e le bottiglie di Evian mentre usavo le bende per bloccare le gambe della branda dal lato della testa ai punti di ancoraggio onde evitare che durante il viaggio scivolasse da tutte le parti. Carrie voltò la testa verso di me e parlò con la voce impastata dal cocktail di deidrocodeina, aspirina e marijuana.

«Nick, Nick...»

Ero occupato a fare nodi alla luce fioca dell'illuminazione interna.

«Che sarà di me, adesso?»

Sapevo dove voleva arrivare, ma non era il momento. «Vai a Chepo e poi vi ritroverete a Boston ancora prima di rendervene conto.»

«No, no. Aaron... cosa farò adesso?»

Venni salvato da Luz che tornò con l'acqua e le braccia piene di coperte. Mi aiutò a sistemarle sopra Carrie.

Dal pianale saltai giù di nuovo nel fango, girai intorno e salii al posto di guida. «Luz, tieni d'occhio la mamma, assicurati che non scivoli troppo, d'accordo?»

Annuì seria e s'inginocchiò accanto alla madre mentre io mettevo in moto e facevo compiere al Land Cruiser un ampio arco prima di prendere il sentiero. Gli abbaglianti illuminarono il Mazda. Carrie lo vide dopo, alla luce rossa dei fanalini posteriori.

«Fermati, fermati, Nick... fermo...»

Con calma premetti il pedale del freno e mi voltai. Aveva la testa sollevata e allungava il collo per cercare di guardare attraverso lo spiraglio posteriore. Luz si spostò per aiutarla. «Che succede, mamma? Cosa c'è che non va?»

Carrie, continuando a fissare il Mazda, rispose alla figlia. «Va tutto bene, bambina... stavo solo pensando a una cosa. Più tardi.» La attirò a sé e l'abbracciò.

Attesi qualche istante. La pioggia scendeva con meno intensità e il motore girava a vuoto. «Possiamo ripartire?»

«Sì. Qui abbiamo finito.»

Il viaggio fino a Chepo fu lento e difficile perché cercai di evitare più buche e radici che potevo. Desideravo tanto che ci fosse stato il tempo di cercare un altro machete. Rientrare nella giungla senza averne uno mi ricordava troppo quello che era successo martedì.

La pioggia era meno forte quando arrivammo alla discesa e i tergicristallo adesso erano posizionati su intermittente. Da sopra il volante guardai in alto, anche se sapevo bene che non avrei visto niente, ma mi augurai che il cielo fosse ancora coperto di nuvole basse. Se così non era, molto presto avrei sentito rumore di elicotteri.

Quando arrivammo alla strada, che in alcuni punti assomigliava molto a un fiume, andavamo a non più di dieci chilometri all'ora. Mi arrivò di nuovo l'odore di marijuana e girandomi vidi Luz accucciata che teneva una canna vicina alle labbra di Carrie e che tra i sobbalzi cercava di mettergliela di nuovo in bocca. Frugai in tasca ed estrassi la deidrocodeina. «Ecco, tieni, danne un'altra alla mamma con un po' d'acqua. Fai vedere il flacone al dottore o a chi per lui. In tutto ne ha prese quattro e un'aspirina. Hai capito?»

Finalmente mi apparve la stazione di polizia e chiesi istruzioni. «Dov'è la clinica? Da che parte devo andare?»

Toccava a Luz rispondere: la madre era completamente andata. «Più o meno è dietro il negozio.»

Sapevo dove si trovava il negozio. Oltrepassammo il ristorante e il giaguaro non s'interessò a noi mentre gli passavamo davanti diretti verso la parte buia della città.

Agitai il polso per guardare l'ora sul Baby G. Mancava poco a mezzanotte. Avevo solo dieci ore per fare quello che dovevo fare.

Girai a destra prima di arrivare al negozio. «Luz, è questa la strada giusta? Vado bene?»

«Sì, è solo un po' più avanti, lo vedi?»

La sua mano mi passò davanti al viso e indicò. Dopo tre edifici c'era un'altra struttura di cemento con il tetto in lamiera e l'insegna rotonda del Corpo della Pace: stelle e strisce, solo che al posto delle strisce c'erano un paio di colombe. Non riuscivo a vedere bene con quella luce.

Mi fermai all'esterno e Luz saltò giù. Si capiva subito che l'edificio non aveva per niente l'aspetto di una clinica; c'era una targa di legno con altre colombe su cui era scritto: AMERICAN PEACE CORPS COMMUNITY ENVIRONMENTAL EDUCATION PROJECT.

Luz stava già picchiando al portone principale mentre io mi rivolgevo a Carrie. «Siamo arrivati, Carrie, siamo qui.»

Non rispose. Probabilmente stava ballando il valzer con i folletti, ma se non altro non soffriva più.

Battere alla porta ottenne qualche risultato. Una donna tra i venti e i trenta apparve sulla soglia mentre scendevo dal Land Cruiser e mi dirigevo verso il portellone posteriore. I capelli, lunghi e castani, erano scomposti dal sonno e lei indossava una tuta da ginnastica. Si guardò velocemente in giro per afferrare la situazione.

«Cosa succede, Luz?»

Luz si lanciò in una frenetica spiegazione mentre io andavo dietro a slegare la benda. «Siamo arrivati, Carrie.»

Borbottò qualcosa. La giovane donna, ormai completamente sveglia, ci raggiunse. «Carrie, sono Janet, mi senti? Sono Janet, riesci a sentirmi?»

Non c'era tempo per i saluti. «Siete attrezzati per i traumi? Si tratta di una frattura esposta del femore, gamba sinistra.»

Janet afferrò la branda e cominciò a tirarla fuori dalla macchina. Io feci lo stesso dalla mia parte e insieme la portammo all'interno.

Pochi i mobili nell'ufficio, solo un paio di scrivanie, pannelli di sughero, un telefono e un orologio a muro. Quello che avevo visto fino a quel momento non mi rassicurava molto sulle loro capacità. «Siete in grado di curarla? Se non potete dovete portarla in città.»

La donna mi guardò come se fossi matto.

Dall'interno dell'edificio stavano arrivando altre persone, tre uomini, anche loro in disordine pur se in modo diverso, e poi voci concitate che parlavano in americano. «Cos'è successo, Carrie? Dov'è Aaron? Oh, mio Dio, stai bene, Luz?»

Quando iniziarono ad agire mi tenni in disparte. Dal nulla comparve l'attrezzatura anti-trauma, spuntarono una sacca di soluzione fisiologica e il necessario per la trasfusione. Non si poteva definire un'imitazione perfetta di *ER* ma si capiva che sapevano quello che stavano facendo. Guardai Luz. Era seduta sul pavimento e ancora una volta teneva per mano la mamma mentre Janet leggeva l'etichetta sul flacone della deidrocodeina.

Secondo l'orologio appeso al muro erano le 0.27: ancora nove ore e mezzo di tempo. Li abbandonai al loro lavoro e tornai alla macchina. Quando fui seduto al posto di guida accesi la luce dell'abitacolo, volevo preservare la pila perché potevo averne bisogno in seguito. Aprii la cartina per trovare la posizione del Bayano. Proveniva dal grande lago omonimo a est di Chepo, a una trentina di chilometri, e procedeva serpeggiando verso la baia di Panama, sull'oceano Pacifico. La foce del fiume era in allineamento visivo con l'ingresso del canale e, poco più all'interno, con le Miraflores. Se la postazione era su questo fiume, doveva trovarsi alla foce. Il Sunburn non poteva superare le colline, era progettato per il mare. La distanza dal canale era di circa cinquanta chilometri, più o meno trenta miglia. L'autonomia del Sunburn era di novanta. Fin qui quadrava tutto.

Studiai la cartina, domandandomi se anche Charlie stesse facendo la stessa cosa prima di andare da quelle parti per un sopralluogo. Ma lui non sapeva tutte le cose che sapevo io e quindi avrebbe dovuto esplorare i cento, centodieci chilometri di giungla lungo la costa compresi dal raggio d'azione del Sunburn che potevano essere utilizzati come base di lancio. Era un bel po' di giungla da passare al setaccio in meno di dieci ore. Mi augurai che questo mi desse il vantaggio di arrivare a distruggere il missile prima che lui ne riprendesse il possesso per passarlo direttamente nelle mani delle FARC.

La cartina indicava che l'unica base di lancio possibile era la sponda orientale nel punto in cui il fiume si congiungeva al mare. Anche la sponda occidentale era a penisola, ma non si sporgeva in fuori abbastanza da evitare la linea della costa. Doveva essere quella a est, la riva sinistra scendendo lungo il fiume. Doveva essere, e c'era un unico modo per scoprirlo.

Secondo la cartina, il punto più vicino in cui potevo arrivare al Bayano era a sette chilometri, da percorrere su una strada in terra battuta dai contorni non troppo definiti. In quel punto il fiume era largo circa duecento metri. Da lì proseguiva serpeggiando verso sud per circa dieci chilometri. In realtà i chilometri erano di più, a causa delle curve e dei meandri del fiume. E quando raggiungeva la costa l'ampiezza era di circa due chilometri.

Basta così, era tutto quello che sapevo. 'Fanculo, dovevo lavorare con le informazioni che avevo e farmele bastare.

Scesi per chiudere il portellone, poi tornai al volante, misi in moto e partii.

Girovagai per la città buia e addormentata, cercando di dirigermi verso sud aiutandomi con la bussola Silva che avevo ancora appesa al collo. La cartina era la stessa del 1980, scala uno a cinquantamila, che avevo per la casa di Charlie, e Chepo si era ampliata parecchio da allora.

Fu solo a quel punto che mi resi conto di non aver salutato Carrie e Luz. Carrie non mi avrebbe sentito, eppure sarebbe stato carino salutare.

Dopo due bottiglie di Evian e un'ora di guida su una strada in terra battuta che assomigliava più a una striscia di fango e sassi, vidi un fiume nel tunnel di luce davanti a me. Fermai e controllai ancora una volta la cartina e la distanza, poi scesi dall'auto con la torcia e mi avviai lungo l'argine fangoso. I grilli facevano un bel po' di rumore, ma l'acqua che scorreva molto di più.

Il fiume non era un ruscello impetuoso con la portata in

aumento dopo le ultime piogge: aveva un letto abbastanza ampio da accogliere tutte le acque degli immissari che lo alimentavano con un flusso costante. Di sicuro si muoveva nella direzione giusta, da destra verso sinistra, diretto a sud, verso il Pacifico, anche se si sarebbe comportato allo stesso modo qualsiasi rivoletto d'acqua da quel lato del Paese e così vicino al mare.

Mi spostai lungo la riva alla ricerca di una barca o di qualsiasi altra cosa che potesse portarmi in fretta alla foce. Non c'era neanche un pontile, nessun segno sul terreno, niente, solo fango, erba alta e lo strano albero a scaglie.

Risalii l'argine, montai in macchina e ancora una volta controllai la cartina e il contachilometri. Questo doveva essere il fiume che cercavo; non c'era nient'altro in giro di altrettanto grande con cui confonderlo.

Tornai indietro sul sentiero verso Chepo, controllando entrambi i lati della strada alla ricerca di un posto dove nascondere il Land Cruiser, ma dopo tre chilometri i fari continuavano a illuminare solo zone schifosamente allo scoperto. Alla fine parcheggiai a lato della strada, estrassi le imbracature che si erano asciugate, l'M16 e la tanica, e ripercorsi il tracciato in direzione del fiume con l'attrezzatura che mi ciondolava addosso, come un lupetto che ha fatto male lo zaino.

40

Sabato 9 settembre

Avevo l'impressione di aver passato l'intera vita seduto contro un albero, a mollo nel fango, in compagnia di milioni di grilli che rompevano il silenzio della notte. Solo che stavolta non ero nella giungla, ma lungo la riva del fiume Bayano che scorreva rumorosamente davanti a me nel buio. Qui non c'erano eserciti di zanzare, ma le rade pattuglie presenti avevano già provveduto a beccarmi, gonfiandomi il collo nei punti in cui stava cominciando a sgonfiarsi. Mi passai la lingua intorno alla bocca: sui miei denti la placca aveva lasciato il posto a una specie di pellicciotto di pecora. Pensai a quello che stavo facendo da quelle parti. Quand'è che mi sarei fatto furbo? E perché non mi ero limitato a uccidere Michael la prima volta e l'avevo finita lì?

Mi stavo prendendo in giro, e lo sapevo. Solo mezz'ora all'alba, mezz'ora da sfruttare per l'ultimo passo verso il bersaglio. Sapevo che l'avrei fatto comunque. E non solo per tutte quelle persone, quelle persone normali, in pericolo di vita: forse per una volta avrei fatto la cosa giusta. Forse, alla fine, sarei stato anche un pochino fiero di me stesso.

Avvicinai le ginocchia e ci posai sopra i gomiti per sostenere la testa, strofinando la barba e il viso sudato contro gli avambracci. Sentivo il debole ma rapido *uap uap uap* di uno Huey da qualche parte nel buio. Non riuscivo a vedere nessuna luce di navigazione, ma era uno solo. Forse Charlie era tornato alla casa. E, dopo quello che aveva trovato ad attenderlo, si era messo in caccia, ma su questo non avevo nessun controllo. E comunque, da come si erano messe le cose, avrebbe spedito gli elicotteri a cercare il Sunburn lungo la costa, non certo noi tre.

Uccelli invisibili attaccarono le loro canzoni mattutine mentre un arco di luce solare di un giallo brillante si preparava a spezzare l'orizzonte e a regalarci un'altra mattinata di caldo. Avevo già richiuso i documenti e la cartina nei due sacchetti di plastica legati con un nodo ciascuno. Controllai anche le strisce di velcro che chiudevano le taschette individuali delle imbracature dei caricatori: volevo avere la certezza che nella fase successiva non sarebbero fuoriusciti. Per ultimo mi accertai che i vestiti fossero liberi, di non avere cioè nessun capo infilato dentro l'altro che potesse trattenere l'acqua e appesantirmi.

Aprii il fermaglio di plastica della chiusura posteriore delle imbracature, passai le cinghie sotto la maniglia della tanica e richiusi il fermaglio. Feci la stessa cosa con le cinghie del collo che passai attraverso la maniglia dell'M16. La mia esperienza, e quella di altri, mi aveva insegnato che sono molti di più i soldati che muoiono attraversando un fiume rispetto a quelli che vengono uccisi in contatti nella giungla. Per questo avevo attaccato tutto alla tanica e non a me, per questo avevo atteso la prima luce.

Trascinai tutto quanto fino al margine dell'acqua, tiepida e rugginosa. Mi inoltrai fino alle cosce, non era male, poi tuffai la faccia nella corrente per lavare il sudore. Ammonticchiai le tre imbracature e il fucile sopra la tanica, già pronta ad andarsene con una corrente decisamente più forte di quanto non sembrasse dalla sponda. Del fogliame staccato da poco, verde e frondoso, transitava veloce mentre la tanica, che a questo punto era mezza sommersa per il peso, mi ondeggiava davanti. Con le braccia sui caricatori e sul fucile mi spinsi in avanti nell'acqua che degradava dolcemente, finché i piedi non persero quasi il contatto con il letto del fiume. Mi abbandonai alla corrente spingendo i piedi contro il fango, come un bambino con la tavoletta. Il flusso mi trascinava con sé ma non abbandonai il contatto con il terreno. Spingevo, rimbalzavo e seguivo la corrente, come se camminassi sulla luna.

Erano passati i taglialegna ed entrambe le sponde del fiume sembravano un campo di battaglia della prima guerra mondiale, una landa desolata di fango, cespugli e qualche albero superstite.

I meandri del fiume mi impedivano di prevedere quanto avrei impiegato ad arrivare alla foce, ma non potevo farci nulla, ero alla mercé della corrente.

Dopo circa mezz'ora, il sole cominciava a farsi vedere, ma su entrambi i lati riprese la giungla, e il fogliame che diventava via via più fitto impediva l'ingresso dei raggi. Sopra di me solo il cielo azzurro, visto che il sole non era ancora abbastanza alto da penetrare nel corridoio vuoto creato dal fiume. Oltre al rumore dell'acqua, solo l'insolito stridio di qualche invisibile uccello tra gli alberi.

Continuai a saltellare tenendomi sempre vicino all'argine di sinistra e mantenendo sempre il contatto con il fondo del fiume. Intanto il letto si andava allargando. A poco a poco la riva opposta si allontanò, fin quasi a sembrare un altro Paese. Le mangrovie di palude sostituirono la giungla e l'ambiente divenne simile a quello di un film di dinosauri.

Nel giro di pochi minuti il letto del fiume superò il mezzo chilometro di larghezza. Mentre percorrevo un'ansa particolarmente ampia e uniforme riuscii a vedere l'oceano Pacifico a non più di un chilometro. Il sole illuminava la superficie calma e piatta del mare e in lontananza vidi due navi portacontainer i cui fumaioli vomitavano fumo. Esattamente di fronte, a sei, sette chilometri, sorgeva un'isola verde e rigogliosa.

Proseguii cavandomi gli occhi per individuare qualsiasi indizio potesse aiutarmi a localizzare il Sunburn.

La corrente stava rallentando e mi spostai verso valle per altri cinquecento metri. A duecento metri dalla foce, mi venne incontro sulla mia sinistra un piccolo peschereccio a ponte scoperto tirato in secco sulla riva del fiume e lasciato a marcire; la parte posteriore era completamente distrutta ed era rimasto solo lo scheletro grigio di legno marcito. Quando fui più vicino vidi che dietro la barca si apriva una piccola radura su cui si trovava una baracca nell'identico stato di conservazione.

Passai oltre, scrutando con attenzione la zona. C'erano stati dei movimenti, e movimenti recenti. Distinguevo con chiarezza la parte scura di grandi foglie di felce, quella inferiore, molto vicino alla riva; e l'erba alta sessanta centimetri che cresceva intorno alla barca era intrecciata nei punti in cui era stata calpestata. Dettagli, ma sufficienti. Doveva essere quello il posto, doveva esserlo. Altrimenti non si spiegava. Ma non riuscivo a vedere segni nel fango che partivano dalla riva.

Proseguii per altri cinquanta metri. Adesso avevo l'oceano dritto davanti a me, poi la giungla riprese il sopravvento e la barca scomparve alla vista. Toccai il fondo e pilotai lentamente la tanica verso riva. Trascinai l'attrezzatura tra gli alberi, m'inginocchiai e slegai le imbracature e l'M16. Il fucile non aveva bisogno di essere preparato: una breve immersione nel fiume non gli avrebbe impedito di funzionare.

Indossai la prima imbracatura e regolai le cinghie in modo che si trovasse più in basso di quanto doveva essere, più o meno intorno ai fianchi. Indossai poi la seconda, appena sopra la prima, regolandola in modo che si trovasse alla base della cassa toracica e la terza ancora più in alto. Ricontrollai che i caricatori fossero orientati correttamente, così che al momento dell'estrazione con la mano sinistra la parte curva non fosse rivolta verso di me, ma pronta per essere infilata dritta dentro il fucile. Alla fine, dopo aver ricontrollato la camera di sparo dell'M16, mi sedetti per un paio di minuti sopra la tanica, regolando la mente per entrare in sintonia con il nuovo ambiente. Il fresco dell'acqua sui panni iniziò presto a trasformarsi in vapore umido. Controllai il Baby G. Erano le 7.19 e io ero qui, in versione Rambo, morsicato quasi a sangue, con la gamba tenuta insieme da una benda fradicia e senza l'ombra di un piano che non fosse quello di utilizzare tutti i caricatori che avevo.

Ero al punto di non ritorno. Quando mi fossi mosso da lì non sarei tornato indietro se non in caso di fallimento totale e allora sarei scappato per cercare di salvare la pelle. Abbassai lo sguardo e osservai le gocce che cadendo dall'imbracatura colpivano il fango formando piccoli crateri lunari. Non avevo nessuna voglia di controllare i documenti nella tasca né di scoprire che i nodi non avevano tenuto. Era una perdita di tempo, ero già pronto, non avrei potuto essere più pronto, si trattava solo di procedere...

Con le mani scostai all'indietro i capelli, mi alzai, feci qualche saltello per controllare di non fare rumore e che tutto fosse ben fissato. Poi spostai la leva della sicura, superai la posizione di colpo unico e continuai fino a quella di automatico.

Avanzai in direzione del capanno, fermandomi ogni pochi passi, in ascolto degli avvertimenti degli uccelli e dell'altra vita della giungla, con il calcio sulla spalla, il dito del grilletto sulla protezione, pronto a sparare, rapido e preciso, un intero caricatore per spaventare, confondere e, con un po' di fortuna, uccidere.

Ero a livello del mare e il terreno era molto più bagnato e fangoso. Volevo avanzare ma dovevo anche procedere con calma; dovevo controllare la zona intorno al capanno, perché sarebbe stata la mia unica possibilità di fuga. Se si fosse incasinato tutto mi sarei precipitato verso il fiume, avrei afferrato la tanica, mi sarei tuffato e avrei tentato il tutto per tutto fino al mare. Poi da lì avrei improvvisato.

Avanzavo nel fango a quattro passi alla volta, come un uccello prudente che grufola tra le foglie marce alla ricerca di cibo. Per superare gli ostacoli e i viticci di mangrovia sollevavo in alto i Timberland appesantiti dal fango.

Mi fermai a poca distanza dallo spiazzo e mi accucciai sulle ginocchia in mezzo al fogliame. Guardavo e ascoltavo. L'unico rumore prodotto da un essere umano era quello delle gocce d'acqua che dai caricatori finivano sullo strato di foglie per terra.

Il sentiero che portava all'interno della giungla era stato usato di recente e tra il fango e le foglie c'era un solco, come se vi fosse stato trascinato qualcosa. Ai lati del solco, c'erano impronte che scomparivano tra gli alberi insieme con il sentiero. Nel fango non le avevo viste perché erano state coperte di foglie o forse cancellate rovesciandoci sopra dell'acqua. Ma oltre l'argine i segni erano evidenti: ciottoli pressati dentro il fango da stivali, foglie calpestate, ragnatele rotte. Mi rialzai e proseguii parallelamente al sentiero.

Dopo venti passi mi trovai di fronte il Gemini con un motore Yamaha 50 a poppa. Era stato trascinato lungo il sentiero e poi sistemato sulla destra, bloccandomi il passaggio. L'imbarcazione era vuota, fatta eccezione per un paio di taniche di carburante e qualche foglia caduta. Fui tentato di metterla fuori uso, ma a che scopo? Forse avrei potuto averne bisogno e inoltre distruggerla avrebbe richiesto tempo e avrebbe potuto farmi scoprire.

Continuai seguendo lo stretto sentiero che si snodava zigzagando tra gli alberi. Le tracce sul terreno che andavano in entrambe le direzioni erano molte. A sinistra del sentiero, che usavo come guida tenendomi in parallelo, m'inoltrai ancora di più sotto il tetto di foglie.

Quando il sole fece la sua comparsa accendendo il gas sotto la pentola a pressione, dei rivoletti di sudore iniziarono a colarmi lungo il viso. Da qualche parte sentii l'uccello che emetteva il suono dell'apparecchio per il monitoraggio del battito cardiaco e, quanto ai grilli, be', loro non avevano mai smesso. Molto presto il sole iniziò a penetrare tra gli alberi, dardi di luce forte, con angolazione di quarantacinque gradi che si aprivano con energia i varchi per raggiungere il suolo. I pantaloni ormai vivevano una vita a parte, a ogni passo mi oscillavano contro le gambe appesantiti dal fango umido e incrostato.

Continuai la perlustrazione. Mi fermavo, ascoltavo, cercavo di aumentare la velocità preoccupandomi allo stesso tempo di non scoprirmi facendo troppo rumore. Controllavo a destra, a sinistra, in alto, sempre pensando: cosa faccio se? E la risposta era sempre la stessa: spara e scappa, mettiti al coperto e cerca di trovare un percorso alternativo per raggiungere il bersaglio. Sarei tornato alla tanica solo se avessi avuto l'assoluta certezza di essere spacciato.

Tra gli alberi ci fu un rumore metallico.

Mi paralizzai tendendo un orecchio.

Per diversi secondi l'unico suono che sentii fu il mio respiro che usciva dal naso, poi di nuovo lo stesso clangore. Proveniva da un punto di fronte a me, appena spostato sulla sinistra.

Con il pollice destro inserii la sicura e mi abbassai sulle ginocchia, poi sullo stomaco. Era giunto il momento di muovermi più lento di un bradipo, ma il Baby G mi ricordò che erano le 9.06.

Su gomiti e punta dei piedi avanzai pianissimo, con il fucile nella destra, esattamente come avevo fatto quando avevo attaccato il Land Cruiser, solo che stavolta dovevo sollevare di più il corpo per non far strisciare troppo i caricatori nel fango.

Ansimavo: strisciare è un lavoro faticoso. Allungavo le mani, facevo pressione sui gomiti e mi spingevo in avanti puntando i piedi, sprofondando nel fango. Avanzando nel sottobosco a dieci centimetri alla volta sentivo la materia vischiosa che mi si attaccava sul collo e sulle braccia. Mi fermai, sollevai la testa dal suolo e restai in ascolto di altri suoni, ma ancora una volta sentii solo il rumore del mio respiro, ingigantito un centinaio di volte. Ogni più lieve scricchiolio delle foglie secche e bagnate che avveniva sotto di me sembrava lo scoppio di un sacchetto di dolciumi.

Non smettevo di cercare dispositivi di allarme: fili elettrici, pulsanti a pressione, raggi infrarossi, o al limite uno spago con delle lattine appese. Non sapevo cosa aspettarmi.

Il Baby G coperto di fango mi comunicò che erano le 9.21. Mi confortai pensando che per lo meno ero ormai sul bersaglio.

Zanzare si materializzarono da ogni dove, ronzando e sibilandomi intorno alla testa. Mi atterrarono sul volto, perfettamente consapevoli che non potevo farci niente.

Ci fu un rumore, mi paralizzai. Un altro rumore sordo, metallo contro metallo, poi un debole, rapido mormorio sopra il rumore dei grilli. Chiusi gli occhi, tesi l'orecchio verso l'origine dei suoni, aprii la bocca per annullare i rumori interni e mi concentrai.

La cadenza delle voci non era spagnola. Mi sforzai di ascoltare ma non ci riuscii. Parlavano a velocità distorta, accompagnati dal tonfo di taniche.

Erano le 9.29.

Dovevo avvicinarmi senza preoccuparmi del rumore, senza curarmi delle persone che lo stavano producendo. Avevo bisogno di sapere che cosa stava succedendo per poter stabilire cosa fare nei successivi venti minuti.

41

SOLLEVAI il torace dal fango e strisciai in avanti. Molto presto iniziai a distinguere una piccola radura oltre il sipario di verde. Spessi raggi di sole penetravano attraverso il tetto di foglie e mi abbagliavano riflettendosi sul terreno bagnato e sulle foglie perimetrali.

Movimento.

Il tizio con la maglietta nera che avevo visto sulla veranda attraversò la spianata da sinistra verso destra prima di scomparire, rapido come era arrivato, portando due sacchi neri di spazzatura mezzi pieni e lucidi per il sole. Indossava il cinturone in tessuto dell'esercito americano cui erano appese due giberne per caricatori.

Feci qualche respiro profondo per ossigenarmi. Sentii pulsare il sangue nel collo.

Avanzai ancora un paio di volte, senza preoccuparmi di sollevare la testa per guardare avanti attraverso le foglie. Avrei saputo molto presto se mi avevano visto o no.

Ancora voci alla mia destra, ora molto più nitide e veloci ma sempre controllate. Adesso riuscivo a capirle, be', in un certo senso... Erano dell'Europa dell'Est, forse bosniaci. Il dormitorio ne era pieno.

La piccola zona ripulita che si trovava in mezzo agli alberi era grande quanto mezzo campo da tennis. Non riuscivo a vedere niente, ma sentii l'inconfondibile sibilo di carburante sotto pressione quando viene liberato.

Dopo un cauto avanzamento riuscii a sentire lo sciacquio del carburante. Non osando neppure strofinare le labbra una contro l'altra per togliere il fango, sforzai al massimo gli occhi, con la bocca aperta. Sentivo la bava colarmi dagli angoli.

Camicia Nera era sulla mia diagonale di destra, forse a

sei, sette metri, vicino al piccoletto basso che era con lui quella notte. Indossava la stessa camicia a scacchi. Stavano vuotando le taniche sopra l'attrezzatura del campo che avevano radunato: rete di mimetizzazione, brande dell'esercito americano, un generatore ribaltato sul fianco, sacchi di spazzatura pieni e chiusi. Tutto affastellato in un mucchio. Stavano distruggendo ogni prova che potesse collegarli con il posto. Era quasi tempo di andare.

Restai perfettamente immobile, avevo la gola secca e irritata, mentre cercavo di sentire i due bosniaci sopra il concerto dei grilli e dei richiami degli uccelli. Le voci provenivano ancora da destra, ma eravamo separati dalle foglie.

Avanzai per qualche altro centimetro trattenendo il fiato e contraendo i muscoli per ridurre al minimo il rumore, con gli occhi incollati ai due vicino alla pira, a pochi metri di distanza. Avevano svuotato le taniche e le stavano lanciando sul mucchio. Ero così vicino che ne sentivo l'odore.

La zona alla mia destra si aprì un poco e vidi la schiena dei due bosniaci che indossavano casacche da lavoro verde e jeans, attraversate da lame di sole. Erano chini su un tavolo pieghevole, uno dei due si attorcigliava i peli della barba ed entrambi studiavano i due schermi inseriti nel quadro di comando di metallo verde. Sotto ogni schermo c'era una tastiera. Doveva essere il sistema di controllo: mi ero molto domandato come fosse fatto. A destra della console un portatile aperto, ma il sole era troppo forte perché potessi riuscire a distinguere il contenuto di uno degli schermi. Accanto a loro, per terra, cinque zaini non militari, due M16 con i caricatori inseriti, e un'altra tanica, molto probabilmente destinata a distruggere l'attrezzatura elettronica una volta effettuato il lancio.

Volevo controllare l'ora, ma il Baby G era coperto di fango. Non potevo arrischiare nessun movimento così vicino al bersaglio. Osservai i due bosniaci che parlavano indicando gli schermi sulla console; poi i due si rivolsero al portatile e uno di loro premette un tasto. Vidi dei cavi elettrici che partivano dal retro del quadro di controllo e si perdevano nella giungla. Il Sunburn doveva trovarsi alla foce del fiume. Come mi ero aspettato, il sistema di guida era separato dal missile stesso. Neanche a loro era sembrato il caso di trovarsi accanto alla fiammata dei motori del missile al momento del lancio. Nessun rumore di generatore. Tirando a indovinare, l'alimentazione doveva essere parte della piattaforma del missile.

I bosniaci stavano ancora farfugliando quando il quinto membro uscì dalla porzione di giungla dietro il quadro di comando. Anche lui indossava una casacca verde, ma pantaloni larghi e neri, un M16 in spalla e attrezzatura alla cintura. Si accese una sigaretta con uno Zippo e osservò i bosniaci chini sopra gli schermi. Mentre aspirava con energia la sua dose di nicotina, con la mano libera sventolava il fondo della camicia per far circolare un po' d'aria intorno al corpo. Anche se non ne avessi riconosciuto il volto, avrei riconosciuto ovunque la cicatrice a forma di pizza.

I due che avevano versato il carburante si allontanarono dal mucchio di rifiuti. Anche Camicia Nera si accese una sigaretta. Si disinteressavano completamente di quello che avveniva al tavolo alle loro spalle e borbottavano tra loro guardando l'ora.

A un tratto i bosniaci iniziarono a borbottare e le voci salirono di un'ottava mentre Pizzaiolo succhiando il filtro si chinava in avanti verso gli schermi.

Stava accadendo qualcosa. Dovevano mancare solo pochi minuti. Era il momento di fare la mia mossa.

Presi un profondo respiro, mi sollevai sulle ginocchia e, mentre con il pollice incrostato di fango spostavo la leva su automatico, portai il fucile contro la spalla. Sparai con entrambi gli occhi spalancati, brevi raffiche precise dentro il fango vicino alla catasta. I colpi penetrarono nel primo strato di fango e si conficcarono nel terreno più duro con una successione di rapidi *tud*, *tud*, *tud*, *tud*.

Fra urla incomprensibili e il rumore di colpi automatici i bosniaci furono presi dal panico; gli altri due schizzarono a prendere i fucili e il quinto svanì nel nulla.

Un'altra breve raffica, con la spalla che sobbalzava all'indietro mentre stringevo la canna per impedirle di sollevarsi. Non volevo colpire i bosniaci: se erano in grado di effettuare il lancio erano anche capaci di fermarlo. Rumore di armi automatiche e urla di panico riecheggiarono sotto il tetto di foglie e davanti a me galleggiava una nuvola di cordite trattenuta dal fogliame.

Continuai a sparare fino a vuotare il caricatore. L'otturatore rimase arretrato.

Mi alzai e mi spostai prima che rispondessero al fuoco mirando al punto da cui avevo sparato. Mi spostai rapidamente a destra, in direzione del tavolo, sempre al coperto; il fango mi appesantiva i vestiti. Con l'indice schiacciai la leva di sgancio e scrollai l'arma per far uscire il caricatore incrostato di fango.

Cadde sbattendomi contro le gambe e armeggiai con l'imbracatura più bassa per prenderne uno nuovo. Lo infilai all'interno e spostai la leva. L'otturatore scattò in avanti mentre lunghe raffiche di automatica mi raggiunsero da sinistra, dalla radura.

D'istinto mi lasciai cadere a terra, il fango mi schizzò sulla faccia e restai senza fiato. Ansimando strisciai freneticamente portandomi al limitare dello spiazzo. Se mi avevano visto avrebbero sparato dov'ero caduto.

Arrivai in tempo per vedere i due bosniaci scappare lungo il sentiero. Le loro urla terrorizzate riempivano lo spazio tra una raffica e l'altra. Vidi anche Pizzaiolo, dall'altro lato della radura, al coperto, che urlava loro di tornare indietro.

« È un uomo solo, un fucile! Tornate indietro! »

Ma non accadde. Gli altri due uomini si lanciarono all'inseguimento dei bosniaci, sparando lunghe raffiche verso la giungla.

« Stronzi incapaci! »

Imbracciò il fucile e si mise a sparare contro di loro. Eh, no, cazzo. Io li volevo vivi.

Spostai il selettore su colpo singolo, inspirai, chiusi l'occhio sinistro e mirai al centro della piccola porzione di lui che riuscivo a vedere. Trattenni il fiato e sparai. Crollò come una pietra e si eclissò tra le foglie senza un suono.

Gli altri due tornarono indietro continuando a sparare alle ombre.

Quando gli scaricai contro un altro caricatore intero, sulla radura rimase sospesa una coltre di foschia di cordite. Intorno alla mia mano sinistra, dallo spegnifiamma dell'arma coperta di fango si levavano nuvole di vapore. *Merda, merda, merda...* Volevo solo produrre rumore, volevo fare casino, volevo che tutti perdessero il controllo, non volevo che sparissero nella giungla. Ma non gli sarei andato dietro. Non c'era motivo e non avevo abbastanza tempo.

Cambiai caricatore e attraversai la radura verso Pizzaiolo, imbracciando il fucile, muovendomi veloce e guardingo. Gli altri potevano anche tornare indietro, ancora non lo vedevo.

Era vivo, ansimava e si teneva il torace, occhi aperti ma vuoti. Il sangue gli sgorgava lentamente dalle dita.

Buttai il suo fucile da una parte e gli sferrai un calcio. « Blocca tutto! Blocca tutto! »

Rimase fermo, nessuna reazione.

Lo afferrai per un braccio e lo trascinai nella radura. Fu a quel punto che vidi il foro di uscita del proiettile sulla schiena.

Gli occhi adesso erano serrati per sopportare il dolore della ferita e del movimento. Mollai il braccio e lui borbottò quasi ridendo: « Torneremo, stronzo... »

Mi piegai su di lui. Con il calcio sulla spalla gli conficcai la canna in piena faccia. « Fermalo! Cazzo, devi fermarlo! »

Anche con il metallo schiacciato sul volto continuava a sorridere. Il fucile si mosse mentre lui sputava sangue sul fondo della canna. « O cosa? » E sputò ancora.

Aveva ragione lui. Per la rabbia gli sferrai un calcio e mi precipitai verso il tavolo, buttando un occhio al sentiero e l'altro al Baby G.

Mancavano tre minuti.

Il monitor di sinistra era pieno di simboli in russo, l'altro era lo schermo di un radar con un confuso sfondo verde punteggiato di bianco, il cui braccio indicatore si muoveva in senso orario.

Il portatile riproduceva l'immagine della webcam delle chiuse. Era collegato a un cavo che saliva su un albero dov'era sistemato un piccolo disco satellitare legato a un ramo.

Tornai a guardare il portatile. Vedevo la banda che suonava, le ragazze che ballavano, la gente seduta e una folla di persone dietro le transenne. L'*Ocaso* era al posto d'onore, al centro dello schermo. I passeggeri si affollavano sul ponte stringendo macchine fotografiche e piccole videocamere.

Girai intorno al tavolo, caddi sulle ginocchia e cominciai a strappare la massa di fili e cavi che dal retro del pannello di controllo andavano verso il mare. Alcuni erano solo inseriti, altri erano fissati con ganci, altri ancora erano avvitati alle prese.

Tentai disperatamente di scollegarli a due alla volta, quasi in iperventilazione per la frustrazione, mentre le mani bagnate e coperte di fango scivolavano su plastica e metallo. Ero come un bambino in preda al panico più cieco e mi incitavo urlando: «Dai! Dai! Dai!»

Guardai verso la pira desiderando ardentemente un machete. Ma anche se ne avessi trovato uno e avessi cominciato a falciare i cavi, avrei corso il rischio di restare fulminato. Non ero in grado di distinguere i cavi di trasmissione da quelli di alimentazione.

Pizzaiolo, raggomitolato per il dolore, mi stava osservando. Aveva la camicia impregnata di sangue ed era coperto di fango e di foglie.

Lottando con un altro collegamento girai il portatile nel momento in cui dall'alto si andava formando una nuova immagine.

Dall'interno della giungla provenne un sibilo acutissimo, un rumore come di un Harrier a decollo verticale prima del lancio.

Dopo pochi secondi il rumore mi circondò.

Ancora quattro cavi. Più tiravo e svitavo e più avevo la peggio.

Per l'impotenza e la disperazione diedi uno strattone vigoroso. La console scivolò dal tavolo e cadde in mezzo al fango. Il sibilo acutissimo divenne un rombo quando partirono anche i motori del missile.

Più o meno nello stesso istante ci fu un assordante boato e la terra cominciò a tremare sotto i miei piedi. Rimasi sulle ginocchia, guardando verso le cime degli alberi e i loro abitanti che fuggivano terrorizzati.

Non vedevo fumi, non vedevo niente, sentivo solo il nauseante rombo del missile che lasciava la piattaforma e si sollevava dalla giungla. Le cime degli alberi ondeggiarono e i detriti caddero a pioggia intorno a me.

Non sapevo che sensazione stavo provando mentre mollavo i cavi e fissavo lo schermo del portatile come ipnotizzato. Riuscii a cogliere di sfuggita la nave mentre l'immagine svaniva.

Pizzaiolo, ancora rannicchiato tra le foglie come un bambino, ansimava per recuperare ossigeno. Quando lo guardai stava sorridendo. Avevo la certezza che stesse tentando di ridere.

Lo schermo era vuoto e non potevo far altro che aspettare, domandandomi se sarei riuscito a sentire l'esplosione, o se la giungla e la distanza ne avrebbero inghiottito il suono.

Cercai di respirare profondamente, il torace si alzava e si abbassava, deglutivo a fatica cercando di dare sollievo alla gola secca, in attesa di una nuova immagine sullo schermo o che restasse vuoto per sempre perché anche la telecamera era stata neutralizzata.

Avevo ragione: stava ridendo, si stava gustando il momento.

Comparve la prima striscia in alto e io facevo fatica a contenere il tremendo senso di attesa.

Lentamente, pigramente, l'immagine si schiuse. Mi preparai a vedere la scena della strage, cercando di convincermi che il fatto che la telecamera fosse intatta era già un buon segno, poi pensai che non sapevo a che distanza si trovava dalle chiuse e quindi non era un buon segno.

L'immagine cambiò. La nave era intatta, tutto era intatto. Le majorette lanciavano in aria le mazze e i passeggeri salutavano la folla sulla spiaggia. Ma che cazzo era successo? Ormai doveva essere arrivato: viaggiava a una velocità due volte e mezzo superiore a quella del suono.

Non mi fidai di quello che vidi. Poteva essere l'immagine ripresa qualche secondo prima dell'esplosione, dovevo attendere la prossima sequenza.

Non mi ero mai sentito così stanco e non riuscivo a pensare ad altro. Non m'importava neanche che i quattro potessero attaccarmi, benché, se avevano appena un po' di sale in zucca, avrebbero dovuto aver già trascinato il Gemini in acqua.

Quando i gas di scarico filtrarono attraverso la giungla, creando tutt'intorno una bassa foschia fumosa, la puzza di zolfo mi aggredì alla gola. Lame di sole accecanti penetravano nel fumo e la zona si trasformò nella casa di Dio.

Pizzaiolo emetteva strani gorgoglii, continuando a sputare sangue.

L'immagine si schiuse dall'alto e stavolta vidi del fumo. Lo sapevo. Saltai in piedi e mi chinai sul portatile. Il sudore mi colava lungo il naso, sul mento e poi finiva sullo schermo. La felpa appesantita dal fango mi pendeva da tutte le parti. Inghiottivo aria per calmare i battiti del cuore.

L'immagine si srotolò ma vedevo solo del fumo.

Non aveva funzionato.

Mi buttai nel fango, stremato come non ero mai stato in tutta la mia vita. Poi, quando l'immagine riempì lo schermo, vidi che la nave era ancora lì.

Il fumo usciva dai suoi fumaioli. La folla continuava a far festa.

I suoni della giungla ricominciarono. Gli uccelli tornarono strillando alle loro postazioni. Rimasi seduto, ormai tutt'uno con il fango. I secondi scorrevano. Poi, con un inizio simile a un bisbiglio che però aumentava molto in fretta, sopraggiunse l'inconfondibile *uap uap uap* di uccelli decisamente più grossi.

Il tuono sordo e prolungato dei rotori di uno Huey si stabilizzò sopra di me. La parte inferiore blu scuro lampeggiò tra le cime degli alberi. Altri sorvolavano in cerchio, il flusso d'aria scuoteva la giungla e la vegetazione mi pioveva addosso.

Tempo di svegliarsi.

Mi alzai, afferrai una tanica e rovesciai il carburante sulla console assicurandomi che penetrasse bene nelle ventole di raffreddamento, poi feci lo stesso con il portatile. Sollevai due zaini e li misi su una spalla, augurandomi che qualsiasi cosa fosse a farli pesare tanto mi potesse essere utile nella giungla.

Per ultimo afferrai il fucile, mi avvicinai a Pizzaiolo e con la mano lo girai sulla schiena. Non oppose resistenza. Gli tremavano le gambe mentre mi guardava con un sorriso soddisfatto. Ogni volta che respirava dal piccolo buco in alto sul torace sgorgava del sangue.

«Non ha funzionato», urlai. «Non c'è stato contatto, avete fatto cilecca.»

Non mi credette e continuò a sorridere, con gli occhi chiusi, sputando altro sangue. Allungai la mano e gli presi lo Zippo dalla tasca.

L'elicottero era tornato e adesso si trovava sopra il fiume. Volava basso e lento. Altri si stavano avvicinando. Udii lunghe raffiche di fucili automatici. Dovevano aver trovato il Gemini in fuga.

Sapevo che poteva sentirmi. «Sono gli uomini di Charlie. Saranno qui tra poco.»

Sbarrò gli occhi lottando con il dolore per mantenere il sorriso.

«Credimi, avete fatto un casino, non ha funzionato. Auguriamoci che ti tengano in vita per Charlie. Scommetto che voi due avete un sacco di cose da dirvi.»

In verità, non avevo idea di quello che avrebbero fatto. Volevo solo estinguere quel sorriso.

«Ho sentito dire che ha fatto crocifiggere il cognato. Non riesco a pensare a cosa farà a te...»

Quando sentii il rumore dell'elicottero quasi sopra di me, mi precipitai al quadro di controllo e feci scattare l'accendino. Il carburante s'incendiò all'istante. L'apparecchiatura non doveva finire nelle mani di Charlie; altrimenti avrebbe avuto bisogno solo di un altro missile e sarebbe potuto tornare in affari.

Mi voltai per sfuggire alle fiamme. Oltrepassai Pizzaiolo e non riuscii a resistere alla tentazione di fargli provare il tipo di calcio che avevo ricevuto a Kennington.

Fece la stessa cosa che avevo fatto io: si raggomitolò e se lo prese. Sentii urlare sul sentiero. I ragazzi di Charlie erano arrivati.

Feci scattare ancora lo Zippo e lo buttai sul mucchio di rifiuti.

Quando il rombo degli Huey divenne assordante, misi a tracolla gli zaini, afferrai il fucile e fuggii nella giungla, veloce quanto il fango sugli stivali mi consentiva.

42

Venerdì 15 settembre

Il parabrezza era sporco, abbassai l'aletta parasole per proteggermi dal riflesso e osservai la sequenza senza fine di passeggeri, carichi di bagagli ingombranti, che arrivavano nell'atrio partenze. Provai una fitta lancinante al polpaccio e mi sistemai meglio nel sedile per riuscire a distendere la gamba ferita. Il rombo dei motori a reazione seguì un aereo nel cielo azzurro e terso.

Nel tragitto per l'aeroporto avevo incontrato uno spiegamento di forze di sorveglianza sufficiente a neutralizzare Superman, e nonostante questo me ne restavo lì sprofondato nel sedile a osservare i veicoli che andavano e venivano, cercando di ricordare se li avessi già visti, loro o i loro guidatori, da qualche altra parte.

L'orologio digitale del cruscotto mi comunicò che erano quasi le tre. Girai la chiavetta per alimentare l'accensione della radio, cercando, prima ancora che l'antenna fosse fuori del tutto, di sintonizzarmi sui canali americani per sentire un notiziario. Quasi subito una rigida voce femminile che parlava in americano m'informò dell'esistenza di notizie ufficiose secondo cui il fallito attacco missilistico era opera delle FARC e che lo stesso pare fosse diretto contro alcune navi all'interno del canale di Panama. Considerato che non era tra le prime, doveva trattarsi di una notizia ormai superata, ma a quanto sembrava, subito dopo il lancio, alcuni pescatori avevano visto il missile volare fuori controllo e cadere nella baia a meno di un chilometro dalla spiaggia. L'America aveva già ristabilito una presenza nella repubblica panamense e al momento stavano cercando di recuperare il missile e organizzare la difesa per impedire altri attacchi terroristici.

La voce impostata continuò: « Le FARC, con i loro dodicimila guerriglieri armati, sono la forza rivoluzionaria più antica, più numerosa, più capace e meglio organizzata della Colombia. In origine erano l'ala militare del partito comunista colombiano e sono organizzate come un esercito. Fin dagli inizi, nel 1964, le FARC sono sempre state anti-americane. Oggi il presidente Clinton ha dichiarato che il Plan Colombia, di un miliardo e trecento milioni di dollari... »

Con un colpetto mi sintonizzai di nuovo sul canale FM Christian e premetti il pulsante off, poi girai la chiavetta e spensi il motore. Con un silenzioso ronzio elettrico l'antenna rientrò. Era la prima notizia che sentivo a proposito dell'incidente. Negli ultimi sei giorni avevo fatto del mio meglio per tenermi lontano dai media, ma era difficile resistere alla tentazione di scoprire cos'era successo.

Ancora una fitta alla ferita. Tirai su i jeans larghi e di poco prezzo per ispezionare la fasciatura pulita e grattai appena la pelle sopra e sotto le bende.

Mi ci erano voluti tre giorni lunghi, bagnati e caldi, per uscire dalla giungla, darmi una ripulita e trovare un passaggio fino a Panama City. Niente da mangiare negli zaini e durante la marcia ero stato costretto a far ricorso alle tecniche di sopravvivenza nella giungla e a scavare radici. Se non altro avevo gli zaini su cui appoggiarmi per non essere a contatto con il fango, e vestiti di ricambio, non esattamente della mia misura, ma sufficienti a proteggere testa e mani dalle zanzare durante la notte.

Una volta in città, avevo asciugato al sole i duecento dollari che avevo preso ai ragazzi nella casa e il sangue seccato si era sfogliato in tante crosticine sottili. Avevo comprato dei vestiti e pagato la camera più sporca del quartiere vecchio. Dato che pagavo in contanti non si erano preoccupati molto.

Fino a martedì, quattro giorni prima, la carta di credito non era stata ancora annullata. In apparenza sembrava che le cose con Signorsì andassero ancora bene. Dopo essermi sistemato, ero andato in banca e avevo prelevato il massimo consentito, 12.150 dollari, a un tasso di cambio da rapina.

Poi avevo sfruttato il biglietto fino a Miami. Da lì avevo preso un treno fino a Baltimora, nel Maryland. Ci avevo messo due giorni e quattro treni. Per non far nascere sospetti non avevo mai comprato un biglietto che costasse più di cento dollari. Chi paga in contanti un biglietto che ne costa centinaia? Solo la gente che non vuole lasciar traccia dei propri spostamenti, gente come me. È per questo motivo che l'acquisto di un biglietto aereo pagato in contanti viene sempre registrato. Se Signorsì veniva a sapere che ero a Miami e non più a Panama, non mi turbava più di tanto, ma volevo che sapesse solo questo.

Ma adesso, tre giorni dopo? Sundance e Scarpedatennis potevano aver già cominciato la loro gita a Washington, forse avevano già telefonato alla mia sorellastra dicendole che, dopo aver sbrigato alcuni affari, sarebbero passati da New York a farle visita.

Sentii lo scatto della maniglia e vidi Josh al finestrino della sua Dodge alimentata a gas. Con una mano aveva aperto la portiera e con l'altra reggeva una tazza di Starbucks e una lattina di Coca-Cola.

Presi il caffè e, mentre lui saliva al posto di guida borbottando «grazie», sistemai la tazza di carta sul sostegno centrale del cruscotto. Avevo ancora le unghie e i polpastrelli incrostati della schifezza della giungla, come se avessi lavato le mani nel grasso. Dopo la mia vacanza dall'igiene ci sarebbero voluti ancora un po' di giorni prima di riuscire a lavare tutto.

Josh non distoglieva lo sguardo dall'ingresso del parcheggio a più piani per le soste lunghe di fronte a quello dove ci trovavamo noi, destinato alle soste brevi. Una fila di veicoli era in attesa di ritirare il biglietto e che la sbarra si sollevasse. «Ancora trenta minuti e abbiamo finito», annunciò. «Beviamo qui.»

Annuii e tirai l'anello della lattina mentre lui assaggiava la bevanda bollente. Qualunque cosa avesse detto quel giorno, a me stava bene. Era passato a prendermi alla stazione, mi aveva scarrozzato in giro per due ore e aveva ascoltato le mie proposte. E adesso eravamo lì, all'aeroporto Baltimora International dove sarei dovuto arrivare fin dall'inizio, proveniente dal Charles De Gaulle, e mi aveva anche pagato la Coca.

Non era cambiato, la stessa testa marrone pelata e lucida, fisico in forma, occhiali con la montatura dorata che gli davano un'aria più minacciosa che da intellettuale. Dalla mia posizione non potevo vedere la cicatrice a forma di spugna strappata che aveva sul viso.

Il caffè era ancora troppo caldo, cosa che lo costringeva a tenerlo tra le mani con una certa cautela. Dopo un po' si voltò verso di me. Sapevo che mi odiava: non riusciva a nasconderlo, né con l'espressione del viso né con il modo di parlare. Al posto suo mi sarei comportato allo stesso modo.

«Dobbiamo stabilire delle regole. Mi ascolti quando parlo?»

Un altro jet scese in direzione dell'auto e Josh fu costretto a urlare per superare il frastuono, sottolineando ogni parola che pronunciava.

«Prima di tutto devi risolvere la merda in cui ci hai infilato. Non m'interessa di che cosa si tratta o di quello che dovrai fare: devi farla finire. A quel punto, e non prima, chiamami. Solo allora potremo parlare. Non ci meritiamo questa schifezza. È una situazione intollerabile.»

Annuii. Aveva ragione.

«Allora, e solo quando sarà tutto finito, ti dico come faremo, faremo come una coppia divorziata, una coppia che fa le cose giuste per i propri figli. Se sbagli, ce l'hai nel culo. Solo così potrà funzionare. Mi ascolti? È l'ultima possibilità che ti viene offerta, non ne avrai altre.»

Annuii, sentendomi sollevato.

Restammo seduti a bere, entrambi continuando a osservare i veicoli che cercavano posteggio.

«Come va quella faccenda a proposito di Cristo?»

«Perché?»

«Perché ultimamente smadonni parecchio...»

«E cosa cazzo ti aspettavi? Stammi a sentire, cerca di

non preoccuparti della mia fede. Vedremo quello che sarai capace di fare tu, se mai ci arriverai.»

E questo mise la parola fine alla conversazione. Per altri dieci minuti restammo seduti continuando a guardare le macchine e ascoltando gli aerei. Ogni tanto Josh sospirava, ripensando a quello che aveva appena accettato di fare. Di sicuro non ne era contento, ma sapevo che l'avrebbe fatto comunque, perché era la cosa giusta da fare. Finì di bere il caffè e posò la tazza sul ripiano.

«È carta riciclata?»

Mi guardò come se fossi matto. «Cosa?»

«Riciclata, la tazza. Vengono usati tantissimi alberi per fare quel tipo di cose.»

«Quanti?»

«Non lo so, molti.»

Sollevò la tazza. «L'etichetta dice che è di fibra riciclabile al sessanta per cento, dopo l'uso. Ti senti meglio adesso, spirito dei boschi del cazzo?»

La tazza tornò sul supporto. «Nel frattempo, in città... sono arrivate.»

Uscimmo dal parcheggio, seguimmo le indicazioni per le soste lunghe e dopo poco svoltammo verso quello a più piani. Quando fummo vicini alla sbarra e alla macchina dei biglietti mi chinai nel vano davanti al sedile come se mi fosse caduto qualcosa. A quel punto l'unica cosa di cui Josh non aveva bisogno era una foto che ci ritraesse insieme.

I parcheggi vuoti erano molti, ma noi proseguimmo verso la rampa che portava al penultimo piano. Molto probabilmente l'ultimo piano era scoperto, quindi troppo esposto. Il penultimo era di certo il migliore, non erano molti i veicoli che arrivavano fin lì ed era più facile controllare i pochi che lo facevano. Avevo dovuto lasciare a lui la decisione, e lui era in gamba.

Ci fermammo e Josh fece un cenno verso una Voyager verde metallizzato con le tendine abbassate e ricoperte di un'incredibile quantità di personaggi dei cartoni animati.

La parte posteriore era completamente oscurata. La targa era del Maine, il Paese delle vacanze.

«Cinque minuti, capito? È molto pericoloso, lei è mia sorella, per l'amor di Dio.»

Annuii e allungai la mano verso la maniglia.

«Ricordati, le sei mancato molto la settimana scorsa. Le hai chiesto troppo.»

Uscii e, mentre mi avvicinavo alla Voyager, il finestrino anteriore si abbassò rivelando una donna sulla trentina, nera e bella, con i capelli curati raccolti in uno chignon. Mi rivolse un mezzo sorriso preoccupato e scendendo mi fece cenno di andare dall'altra parte, dove c'era la porta scorrevole.

«Ti sono grato.»

Non rispose, raggiunse l'auto di Josh e si mise a sedere accanto a lui.

Vedere Kelly mi procurò un po' d'imbarazzo. Non la vedevo da oltre un mese. Feci scorrere la portiera. Era seduta nel sedile posteriore con la cintura di sicurezza allacciata e mi fissava, un po' turbata e forse anche un pochino diffidente. Entrai in modo da nasconderci entrambi.

È incredibile come cambino i bambini quando non li vedi tutti i giorni. Kelly, rispetto all'ultima volta che l'avevo vista, aveva i capelli tagliati più corti che la facevano sembrare più grande di cinque anni. Gli occhi e il naso sembravano in un certo senso più definiti e la bocca era un pochino più larga, come Julia Roberts da giovane. Sarebbe diventata identica alla madre.

Assunsi un'espressione sorridente, spostai dei giocattoli da bambini piccoli e mi sedetti nei sedili di fronte a lei. «Ciao, come stai?» Niente di eccessivo, niente troppo sopra le righe. Sedetti in mezzo a due seggiolini da bambino e mi voltai a guardarla. La verità era un'altra, la verità era che avrei voluto allungare le braccia e darle l'abbraccio più forte del mondo, ma non osavo farlo. Forse era lei che non voleva che lo facessi; o forse anche a lei sembrava strano e insolito allo stesso tempo.

Qualcosa di grande almeno quanto un Jumbo stava rollando sopravento rispetto a noi. Non riuscivo quasi a sentire il suono dei miei pensieri, così mi ficcai un dito nell'orecchio e feci una smorfia. Ero riuscito a farla sorridere.

La sorella di Josh aveva lasciato il motore acceso e l'aria condizionata era al massimo mentre mi sporgevo per baciarla sulla guancia. Non c'era freddezza nella sua risposta ma neppure un accenno di euforia. Chiaro: perché eccitarsi, se poi si viene abbandonati?

« Mi fa piacere vederti. Come stai? »

« Bene... cosa sono quelle cose gonfie che hai sul viso? »

« Mi hanno punto delle vespe. Tu cosa stai facendo? »

« Sono in vacanza con Monica... verrai con noi? Mi avevi detto che saresti venuto a trovarmi la settimana scorsa. »

« Lo so, lo so, è solo che... Kelly, io... ascolta, mi dispiace non fare tutte le cose che ho detto che avrei fatto con te. Sai di che cosa parlo, telefonare, e venirti a trovare quando ti avevo promesso di farlo. Ho sempre desiderato riuscirci ma è che, be', affari, sai com'è. »

Annuì come se lo sapesse. Fui contento che almeno uno dei due ci riuscisse.

« E adesso ho di nuovo ingarbugliato tutto e devo andare via per un po'... ma volevo davvero vederti, anche se solo per pochi minuti. »

Ci fu un rombo che per poco non fece spostare la Voyager mentre il jumbo tuonava lungo la pista di decollo per poi sollevarsi in cielo. Attesi, frustrato dal fatto di dover aspettare che il rumore svanisse prima di poter dire quello che volevo.

« Ascolta, forse sono stato geloso di Josh quando hai cominciato a vivere con lui, ma adesso so che è la cosa giusta, la migliore possibile. Hai bisogno di stare con i suoi ragazzi, di divertirti, di andare in vacanza con Monica. Allora con Josh abbiamo stabilito che, quando tornerò dopo aver risolto alcuni affari, potrò fare tutto... venirti a trovare, telefonarti, andare in vacanza. Voglio fare tutte queste cose con te, perché mi manchi tanto e ti penso in continuazione.

Ma per il momento deve restare così, devi vivere con Josh. Ti sembra ragionevole? »

Lei guardava e annuiva mentre io continuavo, quasi senza riprendere fiato.

« Ma adesso devo avere la certezza di finire questo lavoro in modo da poter fare tutte queste cose insieme con te. Va bene? »

« Andremo in vacanza insieme? Hai detto che un giorno ci saremmo andati. »

« Certamente. Anche se non subito. Quando ritornerai dalla casa di Monica, per un po' andrai da un insegnante e io cercherò di risolvere... be'... »

« Affari? »

Sorridemmo. « Giusto. Affari. »

Monica aprì la portiera con un ampio sorriso rivolto a Kelly. « Dobbiamo andare, tesoro. »

Kelly mi guardò con un'espressione che non riuscii a decifrare e per un terribile momento pensai che stesse per scoppiare a piangere. « Posso parlare con la dottoressa Hughes? »

La preoccupazione si disegnò sul mio volto. « Perché? Perché vuoi farlo? »

Un sorriso incredibile le trasformò il viso. « Mio padre ha appena divorziato dall'altro mio padre... avrei delle cose da dirle. »

Anche Monica rise. « Hai guardato troppo Ricki Lake, tesoro! »

Kelly sorrideva ancora quando Monica chiuse la portiera e partì.

Tornai da Josh e lui mi parlò dal finestrino aperto guardando la sorella allontanarsi. « Troverai il mezzo per raggiungere la stazione ferroviaria all'uscita della sala arrivi. »

Annuii e mi girai verso l'ascensore, con un piccolo gesto di saluto. Ma lui aveva qualcosa da aggiungere. « Senti un po', forse non sei il nano che credevo io. Ma resta il fatto che devi risolvere i tuoi casini. Poi ci occuperemo dei nostri. Devi crescere, caro mio, trovarti una religione, qualcosa.»

Mentre si allontanava, due veicoli dopo la Voyager, feci un cenno di aver capito e mi appoggiai contro un pilastro di cemento. In cielo rombò un altro aereo.

Kelly era già abbastanza incasinata di suo e il mio modo di comportarmi non faceva che peggiorare le cose. Non avevo voluto firmare l'affidamento completo della tutela a Josh. Era la scelta più semplice. Non solo lei aveva bisogno di due genitori, anche se divorziati, ma li meritava. Mi auguravo che il mio modo di esserci, anche se per poco, fosse meglio di niente. E poi, io volevo esserci.

Il piano era questo. Quando avessi risolto gli «affari» sarei tornato e avremmo fatto le cose per bene. Stabilito i diritti di visita e un sistema che potesse dare a Kelly quello di cui aveva bisogno, una vita strutturata e la consapevolezza che le persone intorno a lei erano lì per lei.

In ogni caso gli «affari» non sarebbero stati semplici. Due erano gli ostacoli che dovevo superare se volevo che io, Kelly, Josh e i suoi non fossimo più bersagli, ora e per sempre.

George e Signorsì.

La soluzione definitiva al problema passava attraverso George. Lui aveva il potere di richiamare i cani. E il modo per contattarlo sarebbe passato attraverso Carrie. Non avevo idea di come sarei riuscito a farlo, perché George doveva essere parecchio incazzato. Era un mondo interamente nuovo per me, un mondo che dovevo ancora capire.

Per prima cosa dovevo andare a Marblehead e i due treni che stavo per prendere mi ci avrebbero portato per le sei della mattina successiva. Non sarebbe stato difficile trovare Carrie o sua madre. Il posto non era molto grande.

Il problema a breve termine, quello con Signorsì, doveva essere risolto velocemente, nel caso Sundance e Scarpedatennis fossero già in viaggio. Avevo ancora la «coperta di sicurezza», di cui avevo parlato a George, e Kelly era al sicuro. Il biglietto del deposito bagagli era valido per tre mesi e ben nascosto all'interno di un telefono pubblico alla stazione di Waterloo. Prima della scadenza sarei dovuto andarlo a ritirare per cambiargli posto.

Ma non lo avrei chiamato adesso. La telefonata poteva essere rintracciata. Lo avrei fatto l'indomani, quando il treno mi avesse portato a Boston Sud. O forse lo avrei chiamato da Union Station a Washington, prima di prendere la coincidenza per il Nord.

Poi riflettei: ma perché tornare in Inghilterra? Cosa mi aspettava là oltre alla sacca sportiva?

Iniziai a fantasticare e immaginai che forse, se avessi giocato bene le mie carte, George avrebbe potuto farmi avere un passaporto americano. Dopo tutto, avevo impedito che il sistema di controllo finisse nelle mani delle FARC, che magari lo avrebbero usato contro un aereo americano. Un gesto decisamente Stelle e Strisce, direi.

Mi staccai dal pilastro e raggiunsi l'ascensore. Le porte si aprirono e ne uscì una coppia che trasportava un carrello troppo pieno di valigie.

Chissà. Forse, mentre cercavo di risolvere i miei casini, Carrie mi avrebbe lasciato dormire sul divano di sua madre.

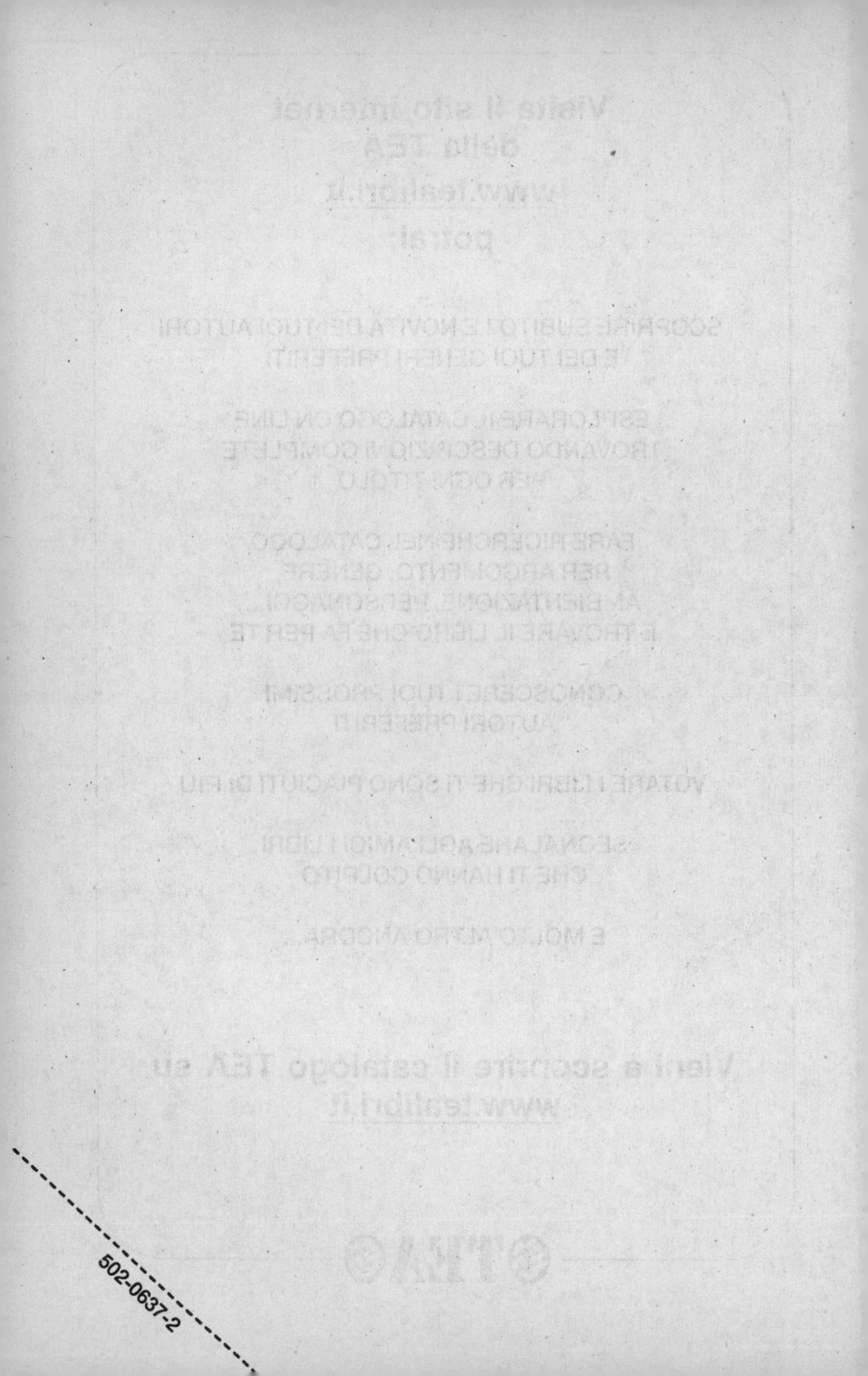
502-0637-2

UN THRILLER AD ALTA TENSIONE
PIÙ VERO DEL VERO

ANDY McNAB
CONTROLLO A DISTANZA

Dopo un passato burrascoso nello Special Air Service (il reparto d'élite dell'esercito britannico), Nick Stone adesso lavora per l'Intelligence e non può certo permettersi di rifiutare una missione. Se gli dicono di andare a Washington e pedinare due tizi dell'Ira, Nick ci va, senza fare troppe domande. Ne approfitterà per andare a trovare Kev Brown, un vecchio amico dei tempi del SAS... ma quando si presenta alla porta di Kev, persino un duro come lui ha un attimo di smarrimento: un massacro inspiegabile. Unica sopravvissuta, Kelly, la bambina di sette anni. Ha inizio, così, una caccia spietata, in cui Nick e la piccola Kelly dovranno ogni volta cercare una via di fuga per sottrarsi a inseguitori senza volto, ma decisi a eliminarli.
Un vero incubo da cui emergerà un'inquietante verità che lega in un intreccio indissolubile autorità di governo, gruppi terroristici e trafficanti di ogni genere.

LE AVVENTURE DI NICK STONE

ANDY McNAB
CRISI QUATTRO

Ex combattente dello Special Air Service (il reparto d'élite dell'esercito britannico), e ora al servizio dell'Intelligence, Nick Stone viene spedito negli USA sulle tracce di un agente che sembra svanito nel nulla: Sarah Greenwood, sospettata di aver tradito il controspionaggio ed essere entrata nell'organizzazione terroristica di Osama Bin Laden. Una volta Nick e Sarah hanno «lavorato» insieme, e forse, una volta, si sono anche amati. Ora però gli ordini di Nick sono chiari e decisamente minacciosi: trovarla, fare rapporto, attendere ulteriori istruzioni. E sono proprio quelle «ulteriori istruzioni» cui Nick decide di disobbedire, per trovarsi improvvisamente trasformato da cacciatore in preda. Braccati dai servizi segreti, dagli uomini di Bin Laden, dalla polizia, Nick e Sarah troveranno l'unica via di fuga in un percorso obbligato sino a «Crisi Quattro»: il centro di protezione e controllo della Casa Bianca...

Finito di stampare
nel mese di maggio 2006
per conto della TEA S.p.A.
dalla Mondadori Printing S.p.A.
Stabilimento N.S.M. - Cles (TN)
Printed in Italy

TEADUE
Periodico settimanale del 5.5.2004
Direttore responsabile: Stefano Mauri
Registrazione del Tribunale di Milano n. 565 del 10.7.1989